DÉNI

DE LA MÊME AUTEURE

Traces, Leméac, 2013.

ANNA RAYMONDE GAZAILLE

Déni

roman

LEMÉAC

Ouvrage publié sous la direction
de Marie-Claude Fortin

Couverture : © Tony Tremblay / iStock

Leméac Éditeur reconnaît l'aide financière du gouvernement du Canada par l'entremise du Fonds du livre du Canada pour ses activités d'édition et remercie le Conseil des arts du Canada, la Société de développement des entreprises culturelles du Québec (SODEC) et le Programme de crédit d'impôt pour l'édition de livres du Québec (Gestion SODEC) du soutien accordé à son programme de publication.

ISBN 978-2-7609-3381-1

© Copyright Ottawa 2014 par Leméac Éditeur
4609, rue D'Iberville, 1er étage, Montréal (Québec) H2H 2L9
Dépôt légal – Bibliothèque et Archives nationales du Québec, 2014

Imprimé au Canada

À Thérèse, ma mère

1

Ses pieds foulent le tapis de feuilles. Elle les traîne un peu pour que monte le bruissement. L'automne enfin! Elle ne suffoque plus dans son minuscule studio. Dans le parc, les arbres se dénudent lentement des ocres et des rouges. Cette traversée quotidienne entre les grands érables et les frênes calme sa terreur.

La nuit dernière, encore, les cauchemars l'ont tenue éveillée. Elle tentait de sortir de la cave et la terre meuble s'écroulait autour d'elle, pénétrant dans ses yeux et sa bouche. En rampant, son corps nu s'ouvrait un passage. À l'étage, une odeur fade de sang émanait de la boucherie. Elle poussait le soupirail qui basculait et son visage était projeté dans la neige. Tête première, elle se laissait tomber sur la piste creusée par les motoneigistes. Son rêve s'achevait sur cette fuite.

Pourtant, au moment de sa fugue, il y a plusieurs mois de cela, il n'y avait ni cave ni soupirail. La boucherie, oui. Tous les jours devant l'étal de viande à servir le tout-venant. Une année entière, quatre saisons dans ce pays étranger où la morsure de l'hiver vous étreint de trop longs mois. Une petite ville nichée au creux d'une forêt dense de conifères, en bordure d'un immense lac. Loin du cœur trépidant de la métropole, là où il lui avait dit qu'ils s'établiraient lorsqu'il aurait vendu le commerce. Elle avait patienté, espéré. Puis elle avait compris qu'il mentait. Il n'avait aucunement l'intention de quitter le confort de ses habitudes, ses amis au rire gras, au regard qui s'allumait lorsqu'elle se penchait pour leur servir leur bière, muette et sourde à leurs propos grivois. Ils pensaient qu'elle ne comprenait pas bien encore leur patois, un français émaillé de mots d'anglais. Elle se montrait plus bête qu'elle ne l'était, plus lente, silencieuse.

Elle l'avait entendu dire à son meilleur ami, Réjean, qui s'étonnait qu'elle parle si peu. «Je ne l'ai pas achetée pour qu'elle me fasse la conversation.» Elle avait reçu ce mépris comme un coup de poing. Ce soir-là, ils avaient bu plus que d'habitude, en regardant la partie de hockey sur l'écran plasma qui couvrait presque tout le mur du salon. Elle leur servait les chips, les bretzels et les bières. Puis elle s'enfermait dans la cuisine. Assise à la table, sous le lustre de style colonial, elle lisait *The Handmaid's Tale* de Margaret Atwood. La bibliothécaire, la seule personne avec laquelle elle échangeait parfois quelques mots, lui avait recommandé cette auteure. Il y avait peu de livres en anglais dans la section littérature. Elle s'identifiait à Defred, la *Servante écarlate*, captive dans un monde où le moindre écart pouvait vous coûter la vie.

Alors que le blizzard de février soufflait en rafales derrière les vitres, elle avait décidé de s'enfuir, quel que soit le prix à payer. Elle avait déjà commencé à voler de petites sommes. Elle trichait sur le prix des courses qu'elle faisait au centre commercial. Elle aurait pu puiser dans la caisse de la boucherie, mais c'était trop risqué. Il tenait une comptabilité toutes les semaines, alors que l'argent du ménage lui était versé sans qu'il y regarde à deux fois. Il lui avait même dit, dans son anglais malhabile, qu'elle pouvait garder le reste pour ses petites dépenses de femme. Il entendait par là les crèmes, le maquillage et ces colifichets qu'il s'imaginait qu'elle rêvait de se procurer, lorsqu'elle flânait dans les allées de la pharmacie où l'on pouvait trouver à peu près tous les produits que l'Amérique obèse engloutissait frénétiquement. Elle tournait en rond le long de ces étalages dont elle ne voyait plus les quarante sortes de shampoing ou de brosses à dents. Elle traînait le plus longtemps possible afin de retarder son retour dans l'appartement au-dessus de la boucherie que son époux possédait.

Près de deux ans s'étaient écoulés entre leur première discussion et la réception tant attendue de ce permis de séjour, le visa pour ce qu'elle croyait être la liberté. C'est lui qui avait tout payé, tout assumé. Les frais de toutes sortes, en plus de ceux de l'agence, et les tracasseries de la lourde bureaucratie de ce gouvernement canadien, dont les règles d'immigration étaient de plus en plus contraignantes. Ces photos d'elle, prises par le photographe de l'agence, la montraient sur le site Internet dans une robe moulante et très décolletée d'un turquoise criard. Elles étaient faites pour attirer le regard. Il lui avait écrit pour lui dire combien il la trouvait belle. Il aimait surtout sa longue chevelure noire lui tombant jusqu'au bas du dos. Il n'était pas le premier à lui écrire ces fadaises, cependant il était Canadien. Elle savait que l'entrée aux États-Unis était quasi impossible, alors qu'épouser un Canadien lui ouvrirait les portes d'une vie nouvelle. Elle lui avait répondu brièvement dans un anglais scolaire. La seule langue qui leur permettait de communiquer. Il l'avait convaincue en lui faisant miroiter l'idée de vivre dans cette grande ville, Montréal. On y parlait français et aussi anglais. Elle savait que s'y retrouvaient des gens venant de tous les horizons. Elle pourrait y poursuivre des études. Il lui avait juré qu'elle en aurait la possibilité.

Il avait menti. Il retardait constamment la mise en vente de la boucherie. Tous les prétextes étaient bons. Selon lui, l'économie ne jouait pas en sa faveur. Il n'allait quand même pas vendre à bas prix un commerce aussi rentable. Elle prenait conscience à présent, après des mois de tentatives pour le convaincre d'au moins entamer les démarches, qu'il ne le ferait pas. Elle devrait vivre avec lui encore des années, avant d'obtenir la citoyenneté canadienne. Elle ne tiendrait pas aussi longtemps. Cela faisait trois cent trente-deux jours qu'elle étouffait son chagrin, sa rage. Elle se sentait vaciller. Certains matins, elle devait garder les yeux baissés pour qu'il n'y lise pas la haine qui s'installait peu à peu en elle.

Au début, elle l'avait cru inoffensif. Un grand lourdaud. Ni beau ni laid. Quarante-trois ans, jamais marié, timide et complexé. Elle avait compris pourquoi, lorsqu'il était venu pour la deuxième fois lui rendre visite à Perm, la ville de l'Oural où elle vivait. Elle avait accepté cette fois de coucher avec lui. Son pénis était beaucoup plus petit que la moyenne. Cela lui avait valu les rebuffades de la plupart des femmes qu'il avait osé approcher. Elle s'était montrée gentille, attentionnée. Elle s'était dit que cela lui éviterait peut-être d'avoir à coucher avec lui trop souvent. Il avait été peu exigeant tout au long des deux semaines qu'ils avaient passées ensemble, afin de se connaître et de juger s'ils pouvaient envisager de se revoir de nouveau et, ultimement, de se marier. Les démarches d'immigration seraient longues de toute façon, ils en étaient conscients tous les deux. Il avait fait ensuite plusieurs voyages en Oural et en Sibérie du Sud pour passer plus de temps avec elle. Des séjours en montagne, dans des lieux de villégiature que fréquentaient les nouveaux riches. Au bord du lac Baïkal aussi, dans un hôtel de luxe. Des endroits où jamais elle n'aurait pu mettre les pieds avec son minable salaire de femme de chambre dans un hôtel de Perm. Il n'était pas radin. Il lui avait offert des robes, du parfum. Il jouait à l'Occidental fortuné qui gâtait «sa petite poupée». Elle s'était convaincue qu'elle pourrait faire ce qu'elle voulait de cet homme amoureux d'une fille de vingt ans sa cadette. Sur la plage de la baie Saraïski, la plus célèbre du lac Baïkal, il lui avait demandé de l'épouser. Elle savait qu'elle ne pouvait exiger plus de temps pour réfléchir. C'était son quatrième séjour, il avait déjà dépensé beaucoup d'argent. Elle avait accepté, la poitrine prise dans un étau. Elle scellait son destin avec un homme qu'elle n'aimait pas.

Elle s'était trompée. Il l'avait trompée avec ses airs de gars gentil et prévenant. Il pouvait l'être, en effet. Si elle lui était soumise et ne discutait pas ses décisions. Sa vraie nature s'était révélée peu de temps après son installation à Ville-Marie. À son arrivée, ils avaient d'abord passé deux jours à Montréal, dans un hôtel du centre-ville. Avril leur offrait les splendeurs d'un printemps hâtif. Elle avait tout de suite aimé ces rues où circulait une population aux multiples origines. Elle avait refusé de voir combien il ne semblait pas à sa place au milieu de ces citadins. Il ne parlait que de la beauté des lacs et des forêts du Témiscamingue. De la simplicité de ses habitants qui ne faisaient pas de manières comme les «gens de la ville». Au début, elle n'avait pas osé lui rappeler leurs discussions via Skype au sujet de la poursuite de ses études. Avant leur mariage expéditif à Perm, elle avait bien insisté, pourtant. Pendant tous ces mois d'attente pour l'obtention de son visa, elle lui avait répété combien c'était important pour elle. À présent, elle ne lui en parlait même plus, surtout depuis qu'il avait fait cette grosse colère. Il avait crié et frappé du poing sur la table. Elle était terrifiée. Allait-il la battre? Elle s'était juré de ne plus jamais subir les coups. Pas après tout ce chemin parcouru depuis sa Sibérie natale.

Il s'était excusé alors qu'il se mettait au lit. Il la suppliait de sortir de la salle de bain. Elle avait cédé, épuisée par cette longue journée debout derrière le comptoir des viandes. Lorsqu'il s'était approché d'elle, comme il le faisait tous les soirs, elle s'était recroquevillée jusqu'au bord du lit. Il s'était retourné en maugréant et n'avait pas insisté. Elle sentait que, s'il avait osé la toucher de cette manière furtive qu'elle détestait tant, ses gros doigts s'insinuant entre ses cuisses, la pénétrant brièvement, elle aurait hurlé sa rage. Il faisait toujours les mêmes gestes. Il avait compris qu'elle n'aimait pas ses baisers. Elle détournait vite la tête. À présent, il n'en prenait même plus la peine. Il baissait son pantalon de pyjama, retroussait sa robe de nuit tout en se plaquant derrière son dos. Il se frottait contre ses fesses jusqu'à ce que l'érection monte. Il la pénétrait et jouissait très vite en gémissant. Tous les soirs, sous prétexte de faire sa toilette dans la salle de bain, elle insérait un diaphragme et du lubrifiant. Il refusait de mettre des préservatifs et il lui avait interdit de prendre les pilules contraceptives qu'elle utilisait auparavant. L'un de ses amis était le pharmacien du quartier. Impossible de tricher. Elle avait heureusement gardé ce diaphragme. Un moyen contraceptif simple que beaucoup de femmes utilisaient dans la taïga. Elle n'avait pas à attendre longtemps, il sombrait très vite dans le sommeil. Elle se relevait pour aller se laver, mais par sécurité, elle gardait la protection de silicone jusqu'au matin.

Le vent s'est levé. Une petite pluie fine tombe à présent. Elle presse le pas vers la station du métro. Elle se répète qu'il ne pourra pas la retrouver parmi ces millions de gens. Elle s'est enfuie un dimanche, alors qu'il était avec ses trois comparses à pêcher sur le lac gelé. Elle avait tenté de lui écrire une lettre, néanmoins aucune explication n'avait de sens à ses yeux. Elle lui avait laissé un mot sur la table de la cuisine. Un seul lui convenait : *Menteur!* Elle avait trouvé le mot français dans un dictionnaire à la bibliothèque.

2

Stéphane Tanguay se glisse parmi la foule dense des voyageurs serrés dans le wagon du métro. Il dépasse tous les gens qui l'entourent d'une bonne tête. Parfois, son mètre quatre-vingt-douze a des avantages. Il plaint cette pauvre fille, pas très loin de lui, prise entre le ventre proéminent d'un chauve et le sac à dos d'un ado, indifférent à l'inconfort qu'il lui impose. Les écouteurs vissés aux oreilles, il semble en transe sous l'effet des aigus et des basses diffusés par son iPod. Le son couvre tous les bruits de la rame. La jeune femme tente de se détourner pour se donner un peu d'air et d'espace. Sa nuque effleure le sac, et au moment où s'ouvrent les portes, la longue tresse de cheveux noirs qui lui pend jusqu'au milieu du dos s'accroche aux attaches de velcro. Sa tête est entraînée vers l'arrière alors que l'adolescent s'avance pour sortir. Elle lâche un cri de stupeur, et Stéphane, choqué, bouscule le jeune homme, le retenant par le bras.

— Eh! Fais attention! Les sacs à dos, on les tient à la main, dans le métro. Surtout à l'heure de pointe!

L'adolescent inconscient se retourne agressivement. Il jette un regard d'incompréhension sur cette femme qui s'accroche à son sac. Une lueur d'intelligence lui fait glisser finalement celui-ci de ses épaules. La foule compacte les pousse hors du wagon. Stéphane tient toujours fermement le bras du gars alors que la jeune femme tente fébrilement de détacher ses cheveux emmêlés. Elle semble un peu paniquée. Libérée, elle se précipite de nouveau dans le wagon dont les portes se referment presque sur elle. Elle esquisse un petit sourire de remerciement, le visage collé

15

à la vitre. Stéphane plonge son regard dans ses yeux noirs. Il enregistre, subjugué, les hautes pommettes, les lèvres pulpeuses. Une splendeur des steppes mongoles.

— Eh! Man! Tu me lâches!

Stéphane, tout à sa déception de voir cette femme magnifique disparaître, desserre sa prise. Le jeune gars s'éloigne rapidement sans demander son reste. Il ne tient pas à faire d'histoires. L'homme est trop sûr de son bon droit. Tanguay se rend compte qu'il est descendu une station trop tôt. La cohue l'agace. Il n'a pas la patience d'attendre la prochaine rame. Marcher lui fera le plus grand bien.

La bruine qui tombait à son départ de chez lui a fait place à un soleil timide. Les rues luisent dans la fraîcheur de ce matin de septembre. Il arpente la rue Sainte-Catherine vers l'ouest. Les bureaux du quartier général du SPVM[1] ne sont qu'à quelques rues de la station Berri-UQAM. Cela fera bientôt quatre ans qu'il travaille comme criminologue à la section des crimes majeurs du service de police de la ville. Il adore son boulot. Il a aussi la chance de travailler sous les ordres de l'inspecteur Paul Morel, l'un des meilleurs enquêteurs de la section. *Le* meilleur, selon lui. Or, ça ne se dit pas. Ce n'est pas trop dans les manières des policiers de se faire des compliments. La virilité avant tout! Stéphane Tanguay passe auprès de ses collègues pour l'intello, le *nerd* de service. Ses études universitaires plutôt que l'école de police lui ont valu d'être un peu ostracisé à ses débuts. Puis son habileté, son intelligence et surtout sa capacité à résoudre des crimes assez tordus en tandem avec son chef ont fini par le faire accepter et respecter.

Tanguay se dit que l'automne va ramener, dans les bureaux, en ce lundi matin, toute l'équipe dispersée au cours de l'été. La période des vacances a bousculé leurs habitudes. Il a pris les siennes en premier, en juillet. Trois semaines au chalet de sa mère, en Estrie, au bord du lac Massawippi. Il y a fait de menus travaux d'entretien, mais

---

1. Service de police de la Ville de Montréal.

surtout nagé, paressé et joué à l'oncle gâteau avec les jumelles, les filles de sa sœur Maude, récemment divorcée.

Depuis sa rupture avec Mélissa, voilà maintenant trois ans, il n'a pas eu de vraie liaison. Cette pensée fugace vers son ancienne amoureuse ravive une image qu'il a tenté de repousser ces deux derniers mois : Carolina, collée au corps de ce photographe, abandonnée, dans l'embrasement d'un baiser fougueux. Son attirance pour sa collègue, la détective Carolina Cabrini, n'a jamais suscité chez la superbe Italienne autre chose que gentillesse et camaraderie. Il a reconnu chez elle les manifestations du dépit amoureux qu'il vivait lui-même. Cabrini n'avait d'yeux que pour Paul Morel. Et lorsque celui-ci a renoué avec cette danseuse revenue au pays et dont il se languissait tant depuis qu'elle vivait en Europe, Carolina a constaté sa défaite.

Morel avait donné une grande fête pour la Saint-Jean. Il les avait tous invités chez lui, dans son appartement dont la terrasse avait vue sur le fleuve et les feux d'artifice de la Fête nationale. Ils avaient enfin résolu une série de meurtres sadiques, après de longs mois d'une enquête labyrinthique. Tous les membres de l'équipe étaient là, certains accompagnés de leurs conjoints. Le lieutenant-détective Steve Losier et sa femme Sara, une enquêtrice de la Gendarmerie royale du Canada, une grande Anglaise blonde qui ressemblait étrangement à l'actrice Uma Thurman. L'agent Adil Gupta, expert en nouvelles technologies, et sa femme Naina. Les magnifiques rondeurs de l'Indienne, drapées dans un sari de soie aux couleurs chatoyantes... Aussi, Ling Yao Désilet, une jeune policière d'origine chinoise, nouvellement recrutée dans l'unité, une *geek*, elle aussi. Ling a grandi dans une famille québécoise de souche, en Montérégie. Comme Cabrini et lui-même, elle n'était pas accompagnée. Paul Morel, en revanche, rayonnant de bonheur, leur avait présenté Geneviève. Tout laissait croire qu'elle vivait à présent avec lui. On devinait sa présence un peu partout – des livres, des tableaux ; dans la salle de bain, les flacons et les crèmes, tous ces menus objets qui féminisaient et enjolivaient l'appartement jusque-là austère de Morel. Il y avait surtout, dans la mezzanine au-dessus du séjour, de grands miroirs, une barre de danse et une immense photo de la danseuse, lancée dans le bond d'un grand écart.

Geneviève ne correspondait pas aux critères de beauté des filles des magazines. Elle n'était pas aussi belle que Carolina, aux yeux de Tanguay, cependant il émanait d'elle une troublante sensualité. Et cette minirobe découvrant ses longues jambes la rendait encore plus sexy. Geneviève avait invité deux danseuses qui s'entraînaient avec elle, un copain comédien que l'on voyait surtout au théâtre et son frère, un reporter-photographe. La fin trentaine, il revenait d'Afghanistan. Il avait couvert à peu près tous les conflits qui défiguraient la planète. Le genre revenu de tout, que Tanguay avait tout de suite trouvé antipathique. Le photographe avait jeté son dévolu sur Carolina qui buvait beaucoup. Peut-être pour faire passer sa déception. Décidément, elle n'en avait que pour les mâles alpha !

Tanguay, qui la voyait pour la première fois portant une robe, en était resté soufflé. Il lui avait fallu toute sa maîtrise pour ne pas rougir lorsqu'elle lui avait fait la bise, alors que tous se saluaient. Ils se voyaient rarement en dehors du travail. Et Cabrini n'avait jamais, jusqu'à maintenant, quitté ses éternels jeans noirs. La robe bleu cobalt, ajustée juste ce qu'il faut, laissait entrevoir dans l'échancrure du corsage la rondeur de seins qu'il imagina tenant parfaitement dans la paume d'une main. Tout au long de la soirée, il avait essayé de se faire complice. Elle l'avait taquiné comme elle le faisait souvent. Il s'était moqué gentiment d'elle aussi en relatant leurs équipées. Surtout la course-poursuite que Ling et Cabrini avaient menée pour appréhender le voyeur-assassin[2]. Tout s'était déroulé à merveille, jusqu'aux feux d'artifice. Ils se tenaient tous sur la terrasse, la tête levée vers les jeux de lumière. Dans un coin, Cabrini discutait avec Patrice. Le frère de Geneviève lui ressemblait. Un corps svelte, athlétique, une crinière très noire contrastant avec sa

---

2. Voir *Traces*, premier volet de la série.

peau très blanche. Chez lui, les traits accusés de sa sœur prenaient une allure virile. Carolina et lui ne s'étaient plus quittés du reste de la soirée. Et Tanguay, dépité, n'avait pas osé interrompre ce flirt. Il entendait à peine ce que Nadia, l'amie de Geneviève, lui racontait. Le poids dans sa poitrine pesait trop lourd. Lorsqu'il était sorti pour prendre un peu d'air frais, il les avait vus s'embrasser ardemment. Il était plus de 2 heures du matin, un prétexte suffisant pour s'enfuir.

Il espérait à présent que le temps avait colmaté sa blessure. Cabrini était déjà partie en vacances lorsqu'il était revenu des siennes. Ils ne s'étaient pas vus de l'été. Le lieutenant-détective Steve Losier avait pris les commandes pendant l'absence de Morel au mois d'août. Lui et sa dulcinée écumaient les Cyclades en voilier. L'été n'avait rien offert d'inhabituel. Quelques meurtres motivés par des guerres de territoires entre gangs de rue. Rien qui requière les services particuliers du criminologue. Il s'était plongé dans la paperasse. Il avait aussi donné quelques séances de formation à l'École nationale de police du Québec. Il s'était découvert des qualités de pédagogue. Il retrouvait, en préparant ses séminaires, la stimulation intellectuelle qui lui manquait parfois auprès de ses collègues. Le milieu policier ne correspondait plus à la caricature que l'on en avait faite : des gens peu scolarisés aux intérêts limités. Toutefois, les discussions s'éloignaient rarement du sujet des affaires qu'ils traitaient. Tanguay avait envie d'élargir ses horizons. Le défi de la recherche et la confrontation des idées de ses années d'études lui manquaient. Il ne savait pas encore comment il parviendrait à combler cette envie d'échanges. Morel, avec qui il en avait discuté, l'encourageait à explorer cette voie. Ce dernier était parti depuis une semaine à Toronto. Il assistait à un colloque où des représentants de tous les corps policiers du Canada se rencontraient pour échanger sur de nouvelles façons de collaborer et de partager de l'information au pays et à l'international. Les criminels s'abritaient derrière la façade de conglomérats. Il leur fallait aussi s'unir, s'ils voulaient contrer la mondialisation des mafias et des criminels de tout acabit.

Stéphane franchit le portail de sécurité et salue le garde en faction. La gueule revêche du planton quinquagénaire est de retour. Plus de jeunes recrues, signe que la période estivale est vraiment terminée. En principe, Morel sera là, ainsi que Ling et Losier. Il sait que Gupta, expert en informatique judiciaire, a joint l'Unité des crimes technologiques. Cabrini travaille sur deux affaires qui semblent liées. Des invasions de domicile que l'on soupçonne être le fait d'une bande de jeunes junkies qui s'attaquent aux résidences isolées de la pointe est de l'île de Montréal. Un couple d'octogénaires a été battu à mort. L'inspecteur Jasmin, responsable de l'enquête, l'a recrutée, son unité manquant de personnel qualifié. Elle a dû se plier aux ordres de leur patron, l'inspecteur-chef Gérard Mercier. Toute la section des crimes majeurs sait que Jasmin et Cabrini se détestent. Toutefois, Mercier a choisi de l'ignorer. Du moment que le boulot est fait!

Tanguay imagine la torture que ce doit être pour la sergent-détective Cabrini de travailler aux côtés de cet inspecteur misogyne et bourré de préjugés. Le souvenir de leurs affrontements le fait sourire intérieurement. Il est partagé entre l'envie de retrouver leur complicité de travail et la crainte que son désir d'elle ne se soit pas apaisé.

Alors qu'il s'apprête à franchir les portes de l'ascenseur, Ling l'interpelle. La jeune femme lui arrive à l'aisselle, il doit se pencher pour la saluer. Il émane d'elle une énergie positive. Sa courte chevelure noire, coupée au carré, lui donne un air de jeune fille sage. Son regard intelligent, ses manières vives séduisent, malgré un physique vraiment androgyne. L'inspecteur Morel, épaté par ses performances dans l'affaire Sirois, alors qu'elle n'était qu'une simple recrue, a recommandé qu'elle soit rattachée à leur unité. Tanguay l'a maintenant sous ses ordres. Il en est plutôt content, car Ling est une perfectionniste tout comme lui.

3

L'unité d'intervention pénètre en silence dans le squat. Des hommes sécurisent aussi l'arrière de l'entrepôt abandonné, transformé en piquerie par la bande de junkies qui terrorise le quartier depuis plusieurs semaines. Cabrini, protégée par un gilet pare-balles, avance derrière deux agents casqués portant des boucliers. Elle tient à deux mains son arme. L'adrénaline fait son œuvre, sa concentration est totale. D'habitude, elle adore ces moments, quand son cœur bat au rythme de l'action. Son entraînement prend le relais, son corps fonctionne dans une totale adéquation. Ce matin, toutefois, elle se sent dans un état pitoyable, complètement patraque. Elle lutte contre une vague nausée. Cela fait plusieurs jours qu'elle traîne une étrange fatigue. Elle cherche où elle a pu attraper cette saloperie de virus, à moins que ce ne soit quelque chose qu'elle a mangé. Depuis son retour de vacances, elle n'a pas le moral. Les semaines au bord de la mer avec Patrice, à faire de la plongée, à flâner et à baiser à toute heure du jour et de la nuit, ont filé si rapidement qu'elle se demande encore si elle les a vraiment vécues. Elle n'a pas eu le temps non plus de se poser de questions sur cette liaison sans lendemain. Dès leur première nuit, après la fête chez Morel, Patrice lui a dit qu'il ne vivait que pour son boulot. La famille, la maison de banlieue, les REER et le fonds de pension, ce n'était pas pour lui. Carolina lui avait rétorqué que ça lui convenait puisque son métier passait avant toutes choses. Elle ne s'était jamais sentie la fibre maternelle et la trentaine ne faisait pas tiquer son horloge biologique. En outre, son travail n'était guère compatible avec la vie de famille. Le taux de divorce élevé chez les policiers en était la preuve. Elle avait juste envie de vivre intensément. Ça tombait bien qu'il soit si bon amant, lui avait-elle murmuré en se coulant contre son torse, son sexe encore humide pressé contre le sien qui gonflait de nouveau. À présent, elle n'osait pas se demander s'ils se reverraient. Il avait pris un vol pour Tunis, où ça recommençait à barder. Les fanatiques salafistes avaient encore frappé dans les rangs de l'opposition au gouvernement du parti islamiste Ennahda. Ils s'étaient dit au revoir comme de vieux amis.

Cabrini se secoue et fonce avec les autres. Elle retient à grand-peine la nausée qui monte de son estomac, laissant un goût acide dans sa gorge. Elle crie des ordres comme ses collègues, bouscule et menotte les corps des drogués affalés sur des matelas où doivent grouiller les punaises. L'intervention se déroule sans accrocs. Non seulement les deux suspects qu'ils recherchaient pour les invasions de domiciles sont épinglés, mais ils saisissent en prime assez de crack pour mettre tout ce beau monde à l'ombre quelques années. C'est la section antidrogue qui sera contente. Ils viennent de lui faire une fleur. Cabrini se dit également qu'elle en a enfin terminé avec la sale gueule de Jasmin. L'affaire est bouclée. Son rapport terminé, elle va demander à réintégrer l'unité de Morel.

La douche qu'elle vient de prendre dans le vestiaire des femmes lui a fait du bien. Elle enfile sa tenue habituelle : jeans, pull de coton et blouson noirs. Ne plus avoir à porter l'uniforme lui convient parfaitement. Elle ne regrette pas un instant ses années de patrouilleur. Son grade exigerait qu'elle revête plutôt un tailleur-pantalon. Elle y consent parfois, seulement elle a constaté que ces conventions laissaient Morel indifférent. Lui-même enfile le costume-cravate à contrecœur.

Elle hésite sur la suite des choses. La détente que lui a procuré la chaleur de la douche n'a pas totalement chassé la nausée. Et cette bizarre léthargie qui ne la quitte pas commence vraiment à l'inquiéter. Peut-être devrait-elle prendre le reste de la journée et aller voir un médecin ? Le rapport peut attendre vingt-quatre heures… Ou simplement rentrer chez elle et dormir. Demain, elle aura retrouvé la forme.

La pression sur sa vessie la réveille. Carolina ouvre un œil prudent. Elle lève la tête vers le réveil numérique. 6 heures 20. Elle a droit à une petite demi-heure de plus. Elle ressent encore l'état comateux qui l'a fait se mettre au lit, la veille, à 21 heures à peine. L'inquiétude la saisit. Que lui arrive-t-il donc? Alors qu'elle s'extirpe des draps, la nausée monte, cette fois sans retenue. Elle a juste le temps de se précipiter aux toilettes. La tête dans la cuvette, elle vomit, secouée de gros hoquets. Étourdie, elle se laisse glisser sur la céramique froide du plancher. Assise, le dos au mur, une pensée qu'elle repousse fait son chemin. Ce n'est pas possible. Pas elle! Son cerveau embrouillé tente de se rappeler à quand remontent ses dernières menstrues. Pas depuis son retour au boulot. Elle revoit la scène où, embarrassée, elle avait taché les draps dans lesquels elle dormait au côté de Patrice. Il avait haussé les épaules en souriant.

— Et alors! Ce n'est pas un peu de sang qui va m'arrêter, à moins que toi, ça te gêne.

C'était un peu plus d'une semaine avant la fin de leur séjour en Martinique. Ils mettaient toujours des préservatifs, pourtant! Sauf cette nuit torride, l'avant-veille de leur départ. Entre deux phases de somnolence, il l'avait pénétrée. Juste un peu, avait-il réclamé. Plus tard, il s'était retiré pour mettre un condom. Cette nuit-là, elle avait souhaité que le temps s'arrête. Carolina, le cœur affolé, se lève péniblement. Elle se répète comme un mantra: «Ça ne peut pas m'arriver!» L'incertitude la ronge. L'estomac encore vaseux, elle se brosse les dents. La pharmacie sur Mont-Royal n'ouvre pas avant 8 heures.

4

Paul observe Geneviève du coin de l'œil. Elle conduit nerveusement, avec impatience. Il retient tous les commentaires qui lui viennent à l'esprit. «Rien ne sert de coller le taxi, il n'avancera pas plus vite dans cet embouteillage!» Il se dit aussi qu'elle a beau être nulle au volant et être la fille la plus bordélique qu'il ait rencontrée, il n'a jamais été aussi heureux de toute sa vie. Non seulement elle a accepté d'emménager avec lui, mais elle ne compte pas retourner travailler en France. Lorsqu'elle lui a annoncé qu'elle quittait Châteauroux Danse pour fonder sa compagnie et créer ses propres chorégraphies, il a compris qu'elle lui revenait pour de bon. Le Québec, ses amis, sa famille lui manquaient trop. Surtout, elle ne supportait plus cette mentalité typiquement française où l'autoritarisme et la hiérarchie permettaient aux chorégraphes et directeurs artistiques toutes les dérives d'un pouvoir presque absolu. Elle était bien trop rebelle pour se plier à ces ego surdimensionnés. Dans un premier temps, en attendant de trouver un studio de répétition adéquat, elle avait donc envahi l'appartement avec sa bande de danseurs pour répéter en utilisant la mezzanine. Il lui avait fallu presque tout l'été pour trouver un local, les tarifs de location étant devenus prohibitifs. Les ateliers d'artistes, studios de création du Mile End et du Plateau-Mont-Royal, surtaxés par la Ville de Montréal, n'étaient plus à la portée que des compagnies solidement subventionnées. De guerre lasse, Geneviève avait décidé de migrer vers le seul quartier dont les loyers étaient encore abordables : Parc-Extension. Situé au nord du Mile End, cet arrondissement est ceinturé par les voies ferrées du Canadien Pacifique. Une enclave multiethnique où se côtoient la plupart des émigrés fraîchement arrivés d'Asie et d'Afrique. C'est aussi le quartier le plus pauvre de l'île. Elle y a trouvé un espace assez vaste dont le plafond est suffisamment haut pour permettre l'accrochage de perches d'éclairage, car le lieu ne possède que de minuscules fenêtres si crasseuses qu'on ne songerait même pas à tenter de les nettoyer. Une piscine, plutôt vétuste, voisine leur nouveau studio et diffuse non seulement des odeurs de chlore dans tout le bâtiment, mais aussi les cris des enfants du quartier qui viennent y prendre des cours de natation. Paul a passé plusieurs soirées à aider les danseurs à transformer le local en studio de danse. Geneviève y transporte ce matin de gros ballots de tissu qui serviront de décor et d'accessoires. Ils roulent à présent sur Saint-Urbain, et Geneviève soupire de soulagement tout en se garant devant l'entrée du quartier général du SPVM.

— Tu vas être en retard, désolée!

— Ça va. Je ne pointe pas, tu sais! lui répond Paul en souriant.

— Tu m'appelles si tu veux que je passe te chercher en fin de journée?

— Garde la voiture. Je me débrouillerai. J'ai pas mal de paperasse à rattraper, je finirai sûrement tard.

— Moi aussi, il y a encore tant à faire. Je suis un peu folle de me lancer dans une telle entreprise, tu ne penses pas?

Paul s'attarde sur le regard anxieux qu'elle lui lance. Elle veut se faire rassurer. Il prend sa jolie tête dans ses mains et l'embrasse en riant.

— Folle? Probablement, mais c'est une belle folie! Je me sauve. J'ai toute l'équipe qui m'attend ce matin.

La grande salle divisée en une dizaine de postes de travail est presque vide bien qu'il soit passé 10 heures. Tanguay s'y attarde. Après avoir constaté que Morel n'était pas encore arrivé, il a décidé de faire une pause. Il sirote son café, une fesse posée sur le coin du bureau de Losier, qui lui relate sa randonnée dans les monts Chic-Chocs, où ils ont fait de l'escalade, sa femme et lui, pendant leurs vacances. Ling, assise tout à côté à sa table de travail, les écoute d'une oreille tout en passant en revue les notes internes sur les affaires en cours.

— Les gars, je sais pourquoi l'équipe de Jasmin n'est pas là ce matin. Ils ont fait une descente hier dans une piquerie. On dirait que c'est bien cette bande de junkies qui vandalisait les maisons de Pointe-aux-Trembles.

— Alors Cabrini devrait nous revenir, lance Losier sur un ton espiègle. J'ai entendu dire qu'elle faisait une tête d'enterrement depuis que Mercier l'a obligée à se mettre sous les ordres de Jasmin.

— On voit bien que ce n'est pas toi qui dois subir les commentaires de ce phallocrate raciste, rétorque Ling.

— Eh, je blague ! Je connais ce genre de gars. Il y en a encore trop parmi nous. C'est grâce à eux si on a cette réputation de brutes mal dégrossies.

— Des brutes mal dégrossies et feignantes, à ce que je vois ! tonne Morel en entrant, son sourire contredisant l'accusation qu'il leur lance.

— Tu sais bien, quand le chat n'est pas là… blague à son tour Tanguay.

— Et puis c'est plutôt calme en ce moment. Encore un peu, et on devra sortir des dossiers du frigo, poursuit Losier.

— Justement, tu lis dans mes pensées. Il y a des enquêtes non résolues qui mériteraient un nouvel effort, répond Morel en s'avançant vers eux, nonchalant, le veston sur l'épaule. Sa chemise blanche met en valeur son teint basané et sa carrure athlétique. Il émane de lui une joyeuse assurance et un air de santé que Tanguay ne lui a pas vu souvent. Décidément, l'amour lui réussit, songe-t-il.

— On pourrait encore brasser la cage du gang des Bloods de Montréal-Nord. Selon mes sources dans l'escouade Éclipse, le meurtre du mois dernier était leur réplique à l'assassinat de leur caïd, suggère Losier.

— Je sais, l'enquête piétine. Au départ, Éclipse a été créée spécialement pour traiter la question des gangs de rue. Le problème, c'est qu'ils en ont maintenant plein les bras. Depuis le début de l'été, ces rivalités de territoires entre les Crips et les Bloods se transforment en guerre de tranchées…

— Ah! Morel! Content de te trouver là! les interrompt Gérald Mercier.

L'entrée inopinée de l'inspecteur en chef, qui ne se déplace jamais jusqu'à leur étage, étonne la petite équipe. Ils se tournent tous vers le quinquagénaire à l'abondante chevelure blanche et bouclée. Sa haute stature fait paraître moins lourde une panse qui lui donne une démarche chaloupée. Il salue de la tête Losier et Ling, et porte son regard sur Tanguay.

— On doit discuter. Dans ton bureau, Morel. Et toi aussi, Tanguay, dit-il en se retournant vers le couloir où il s'engage sans les attendre.

Le soleil matinal, filtré par le film de crasse des vitres, jette un éclairage peu flatteur sur l'ameublement de la pièce rectangulaire. Morel et Tanguay empruntent l'étroit passage entre une série de classeurs métalliques, une table basse couverte de dossiers et un sofa aux nuances fanées de bleu. Ils atteignent les chaises glissées sous le plateau de leur poste de travail situé contre la fenêtre. Mercier s'est approprié le sofa qu'il fait grincer de tout son poids. L'inspecteur-chef ne semble pas pressé d'entrer dans le vif du sujet. Sa venue est si inhabituelle que ni Morel ni Tanguay n'osent en demander la raison.

— Paul, tu me connais, je ne suis pas du genre à tourner autour du pot, lâche Mercier en affrontant les regards intrigués de ses subalternes. Mais là, je ne sais pas trop quoi penser de ce qui nous tombe dessus. C'est une affaire délicate. J'aimerais que tu l'examines et que tu me dises rapidement ce que tu en penses. Voilà, soupire-t-il : très tôt ce matin, vers 5 heures, le cadavre d'une jeune fille de quinze ans a été découvert, pendu au tremplin d'une piscine. C'est l'homme de l'entretien du centre de loisirs qui a fait la découverte. Toute une vision qu'il a eue là! Il a tout de suite alerté le poste 33. C'est la détective Josée

Fortier qui est sur le coup. Ne vous méprenez pas! Je ne doute pas de ses compétences. Elle a été sur Montréal-Nord et sur Côte-des-Neiges, alors les communautés multiethniques, les accommodements raisonnables[3] et tout ce bataclan, elle connaît.

— Le 33, c'est Parc-Extension, dit Morel.

— Le quartier le plus densément peuplé de nationalités différentes de l'île et le plus sensible, question religion. L'homme de ménage est Ghanéen, poursuit Mercier. Le Ghana faisant partie du Commonwealth, il parle donc, heureusement, assez bien l'anglais.

— Ce n'est plus un quartier à majorité grecque? demande Tanguay.

— Plus depuis une quinzaine d'années. L'immigration a changé complètement. Les résidents viennent majoritairement du sous-continent indien, le Pakistan, le Bangladesh et l'Inde, bien sûr. Et aussi de partout. Josée Fortier m'a dit que la mairie a répertorié près de soixante-dix nationalités différentes sur le 1,6 kilomètre carré que couvre ce quartier. Bref, c'est un milieu où les susceptibilités peuvent facilement faire la une des médias en un rien de temps.

— Gérard, à quoi a-t-on exactement affaire, pour que tu songes à nous refiler l'enquête?

— Justement, c'est trop tôt pour le savoir. Ça peut être un suicide, comme ça peut être un homicide. On en saura plus après l'autopsie.

— Vous pensez à un crime d'honneur, c'est ça? émet prudemment Tanguay.

— C'est une possibilité que Josée Fortier a évoquée. Je ne veux pas que vous lui repreniez l'enquête, je veux que vous travailliez conjointement. Elle a ses sources dans la communauté qui pourraient nous être utiles, et c'est une bonne enquêtrice.

— Je suppose que l'Identification judiciaire a déjà fait ses prélèvements, suggère Morel.

---

3. Appellation d'un concept de droit qui a soulevé la controverse au Québec à partir de 2006.

— L'équipe de nuit s'est rendue sur place. J'ai demandé que ce soit Wendy Connolly qui supervise. C'est notre meilleure scientifique. Même si le médecin légiste devait conclure au suicide, je voudrais bien comprendre pourquoi une gamine de quinze ans en arrive à se pendre avec son foutu hijab!

— D'accord, chef. Qu'est-ce que tu ne nous as pas encore dit? demande Morel, toujours sceptique.

Gérard Mercier le regarde un long moment dans les yeux.

— Cette petite fait partie de la famille d'un membre de l'ambassade du Pakistan, à Ottawa. Je ne suis pas certain du lien de parenté exact. Ils ont été prévenus très rapidement par le père de la victime qui s'insurge et tente d'empêcher l'autopsie. L'ambassade fait des pressions pour que les médias ne s'emparent pas de l'affaire comme ils l'ont fait pour le crime d'honneur de la famille Shafia. Pour le moment, très peu de gens sont au courant. Et on n'a pas encore les médias sur le dos. Mais ça va inévitablement leur parvenir aux oreilles. Aussi, j'ai demandé que l'autopsie se fasse d'urgence. Depuis ce matin, la haute direction me talonne pour que l'on gère ça «avec doigté», si tu vois ce que je veux dire. Josée Fortier est prévenue que vous allez vous pointer et je lui ai dit qu'on la gardait sur l'enquête. Appelle-la, elle va t'en dire plus, conclut-il en se levant. Tu me tiens au courant, Morel. Va voir dans quelles conditions tout ça se présente et si nous devons lancer une enquête majeure. Je compte sur toi pour traiter ça avec tout le discernement dont tu es capable, poursuit Mercier en sortant.

L'inspecteur regarde son adjoint en soulevant les sourcils, d'un air entendu. Ils savent ce qui les attend. Un tas d'embêtements.

— J'appelle Josée Fortier. Tu préviens Losier et Ling qu'on part s'occuper d'une requête du chef.

— Ils vont poser des questions…

— On leur en dira plus en temps voulu.

5

Malgré l'heure avancée de la matinée, la voiture banalisée réclamée par Morel circule à pas de tortue sur l'avenue du Parc. La moitié de l'artère est bloquée par des travaux. On y change toutes les canalisations usées par près de quarante ans de négligence. Tanguay se trémousse sur son siège et soupire.

— On aurait dû prendre Saint-Laurent…

— Stef, c'est du pareil au même. Sur Saint-Laurent, tu as tous les camions qui font la livraison dans les restos et se garent en double file. On arrive trop tard de toute façon pour voir la scène *in situ*. On aura les photos et la vidéo. Et pour être franc, je préfère rencontrer Fortier au 33.

— C'est pas de chance que le studio de Geneviève soit voisin de la piscine où on a trouvé la victime.

— Elle m'a envoyé un texto, il y a une heure, réplique Paul. J'ai préféré ne pas lui répondre plutôt que d'avoir à lui mentir. C'était le chaos, semble-t-il, dans tout le bâtiment lorsqu'elle est arrivée ce matin. Le studio est juste derrière la piscine. C'est un ancien gymnase qui a servi ensuite d'entrepôt, puis de salle de culte pour les sikhs avant que ceux-ci se dotent de leur propre centre communautaire. L'arrondissement a besoin d'argent, alors ils louent tous les espaces disponibles. La piscine est en mauvais état, comme tout le reste, dans ce quartier. J'y ai jeté un œil quand je suis allé les aider pour l'installation des perches d'éclairage et du tapis de danse. Le carrelage, les murs, tout montre des signes d'usure, faute de fonds, je suppose. Geneviève a discuté avec une des responsables. C'est, paraît-il, une des seules piscines qui offrent des plages horaires de

30

baignade réservées uniquement aux femmes et aux fillettes. Les femmes musulmanes et hindoues qui fréquentent cette plage horaire y sont majoritaires, bien sûr. Je t'avoue que j'ai eu une drôle d'impression en marchant dans le quartier. On rencontre surtout des hommes, et quand on voit une femme, elle porte le sari, le hijab ou même le niqab.

— Tu veux dire la burqa?

— Non, le niqab. La burqa, c'est ce qu'elles portent en Afghanistan et que l'on a vu dans les films. La tente bleue avec une grille devant les yeux qui recouvre tout de la tête au pied. Le niqab, c'est une longue robe noire ou brune et un voile qui ne laisse voir que les yeux.

— Tu es devenu un spécialiste, on dirait bien, se moque Tanguay.

— C'est Geneviève, plutôt! Elle m'a dit être à la fois fascinée et ébranlée de côtoyer ces femmes dans le quotidien. Croiser, dans la réalité, le regard d'une femme dont le visage est totalement occulté, c'est autre chose que de voir ça aux infos.

Tanguay, dont la tablette électronique n'est jamais bien loin, effleure quelques icônes du bout des doigts.

— J'ai fait une recherche rapide pendant que tu remplissais la paperasse pour la bagnole. ONU Femmes, une entité au sein des Nations Unies pour la défense des droits des femmes, établit des critères très spécifiques pour définir un crime d'honneur. Le plus souvent, le crime est planifié et pratiqué avec la complicité de plusieurs membres de la famille. Le fait de restaurer l'honneur aux yeux de la communauté justifie toutes les violences commises en son nom. De notre point de vue, c'est inadmissible, mais du point de vue de ces familles dont l'honneur a été bafoué, c'est un devoir. Les tribunaux islamistes invoquent la charia pour dédouaner l'assassin qui a voulu sauver l'honneur de sa famille. La communauté valorise le crime, et ceux qui l'accomplissent font même figure de héros. Et ce que je te dis là n'est qu'un aperçu de toute la documentation qui existe sur le sujet!

— J'avais déjà une vague idée de tout ça. Je me souviens avoir lu quelques analyses au moment de l'affaire Shafia.

Josée Fortier ne m'a pas dit grand-chose au téléphone, sauf qu'elle marche sur des œufs. Elle propose de nous faire un topo, et ensuite, on ira rencontrer le médecin légiste. J'ai cru comprendre que l'autopsie se fera aujourd'hui. Chez les musulmans, la tradition exige que le corps soit inhumé dans les vingt-quatre heures suivant le décès. La famille tempête et crie au scandale parce que Fortier a osé leur dire que le corps ne leur serait pas rendu tant que l'enquête ne sera pas terminée.

— Et je suppose que l'autopsie est considérée comme une profanation. La famille a dû penser que des pressions venant de leur parent de l'ambassade influenceraient notre décision.

— Fortier m'a dit qu'elle n'avait rencontré que le père, jusqu'à maintenant. Il était assez en colère. Elle n'a pas pu en tirer grand-chose. Je sens l'enquête alambiquée qui se pointe!

L'agent à l'accueil les oriente rapidement vers le bureau de la détective Fortier. Malgré l'ancienneté du bâtiment où loge le poste 33, les murs semblent avoir été repeints récemment et le mobilier n'est pas trop détérioré, à la différence de beaucoup de postes de quartier. Morel et Tanguay patientent sur le seuil, hésitant à pénétrer plus avant dans la petite pièce dont la porte grande ouverte affiche le nom de la détective sur un petit écriteau. Une grande fougère en angle de la fenêtre accompagne une orchidée en pleine floraison. Sur quelques rayons adossés au mur, des livres, parmi lesquels Stéphane reconnaît des titres d'éminents criminologues. Sur le bureau, la photo de deux adolescents. Une fille de treize ou quatorze ans à l'abondante chevelure blonde et bouclée entoure de ses bras son jeune frère dont la peau est semée de taches de rousseur. La lumière estivale jette des éclats miroitant sur l'eau d'un lac en arrière-plan.

Une grande femme mince, à l'allure décidée, s'avance vers eux. La même chevelure bouclée que sa fille, retenue dans un catogan. Le même regard pers et le sourire engageant du garçon. Elle tend la main vers Morel en s'excusant de son retard. Ce dernier lui présente Tanguay. Quelques secondes de flottement s'égrènent entre eux lorsque celui-ci lui serre la main. Sa timidité le rattrape trop souvent. Josée Fortier les devance dans la pièce et les invite à s'asseoir alors qu'elle prend place derrière sa table de travail.

— Je viens d'avoir le médecin légiste Robert Guérin au téléphone. Il ne pourra pas nous donner ses conclusions avant plusieurs jours, mais il pourra nous faire un compte rendu partiel vers la fin de la journée. Il n'écarte pas le suicide, seulement il veut attendre certains tests et les résultats des analyses toxicologiques avant de se prononcer.

— Et toi? Ta première impression?

— Pour être franche, répond la détective, c'est mon premier cas de pendaison. J'ai eu des suicides par balle, du fusil de chasse au revolver. Et aussi à l'arme blanche. Le gars qui se tranche la gorge, la fille qui se cisaille les poignets, sans compter tous ceux qui se jettent des ponts ou devant le métro… Je vous montre les images.

Après quelques clics de souris, Josée Fortier tourne l'écran de son ordinateur afin que tous trois puissent voir les images de la vidéo. La scène, hyperréaliste, défile devant leurs yeux. Le corps d'une jeune fille, en maillot de bain fleuri, rose et bleu, pend au bout d'un long foulard vert émeraude, sa longue chevelure noire déployée cachant en partie son visage. L'autre extrémité du hijab est nouée à la barre du garde-fou qui permet aux plongeurs de s'avancer sur le tremplin. Le sang qui s'est écoulé de ses poignets incisés a rougi l'eau.

— Il fallait être vraiment désespérée, pour souhaiter mourir dans une telle violence, murmure Tanguay. Si, bien sûr, c'est un suicide.

— Si ce n'est pas le cas, c'est ce que l'on essaie de faire croire, commente Josée Fortier.

— Mais comment est-elle entrée dans l'édifice? À quand remonte sa mort? Grands dieux! Il y a tant de questions! Tu as parlé à ses parents? Tu nous fais un topo du début, qu'on s'y retrouve un peu?

— Désolée. C'est par là que j'aurais dû commencer. Donc, je me suis rendue sur les lieux autour de 6 heures, juste après que les patrouilleurs ont constaté le drame.

— C'est bien le concierge qui a découvert le corps? questionne Morel.

— Il se nomme Kobena Kotoko et est d'origine ghanéenne. Il vit au pays depuis une quinzaine d'années déjà, répond la détective en feuilletant son carnet de notes. Je n'ai pas encore eu le temps de rédiger un rapport préliminaire, je vous en enverrai une copie.

Tanguay a sorti sa tablette électronique. Il note les informations que Fortier leur livre.

— Il travaille pour le centre de loisirs depuis au moins sept ans. J'ai fait une brève recherche sur lui : il n'a aucun casier et il a maintenant la citoyenneté canadienne. Marié, trois enfants. Ils habitent le quartier et fréquentent une église protestante, des pentecôtistes, je crois. Il s'exprime très bien en anglais et il affirme avoir déjà vu Noor Maryam Khan – c'est le nom de notre victime. La directrice du centre m'a confirmé que Noor fréquentait régulièrement la piscine. C'était une nageuse exceptionnelle qui rêvait de faire du plongeon de compétition, ce que sa famille lui interdisait. En principe, on ne lui permettait de venir à la piscine que pendant les heures strictement réservées aux femmes.

— Comment est le père?

— Oh! Tout ce que tu peux imaginer d'ultraconservateur. Beaucoup de musulmans dans le quartier peuvent être qualifiés de modérés. Pas lui. L'homme de l'ambassade à qui j'ai parlé dit être le cousin de sa femme au troisième degré. La famille de Noor est arrivée au Canada il y a environ cinq ans. Avant, ils vivaient en France. Khan travaillait dans l'entreprise d'exportation de vêtements que possède sa belle-famille, ce qu'il fait également ici, si j'ai bien compris. Il parle donc assez bien le français. Je n'ai pas pu tirer grand-chose de lui. J'ai senti qu'il ne me faisait pas confiance parce que je suis une femme. Je connais ce genre d'hommes, ils sont légion dans le quartier. Paul, tu aurais peut-être plus de chances de lui tirer les vers du nez. Je compte bien interroger sa femme et la sœur de Noor, qui a douze ans et qui fréquentait aussi la piscine, selon ce que m'a dit la directrice. C'est d'ailleurs ce que je voudrais faire dès que possible. Si vous m'accompagniez chez eux, vous pourriez discuter avec le père.

6

L'appartement baigne dans la pénombre. Geneviève n'a laissé que la lueur des lampes encastrées au-dessus de l'îlot de cuisine. Paul pose son sac sur un des trois tabourets et accroche sa veste au dossier. Il pousse doucement la porte de la chambre. Elle dort, les bras au-dessus de la tête, dans un total abandon. Paul se sent fourbu. Ses pensées se bousculent dans tous les sens. Il se sait trop fébrile pour se mettre au lit. Il ne dormira pas. Il traverse le séjour et ouvre la porte qui donne sur la terrasse. Des feuilles trempées de pluie jonchent le sol, une odeur d'humus et d'herbe monte vers lui alors qu'il se penche au-dessus de la rambarde. Les jardiniers ont probablement coupé le gazon au cours de la matinée. Sûrement l'une des dernières fois avant que l'automne ne s'installe pour de bon. Derrière la clôture qui ceinture le terrain en terrasses et rocailles de l'immeuble à appartements, un parc et une piste cyclable longent les rives du fleuve. Morel contemple le ruban d'eau noire dont il connaît les moindres méandres pour les avoir observés pendant des heures depuis son emménagement. Les flots se fracassent à mi-courant sur de gros rochers à fleur d'eau. Certaines nuits, quand la lune les éclaire, des gerbes de lumière éclatent, hypnotiques. Ce soir, les nuages lourds de pluie masquent la moindre lueur. Paul frissonne dans sa chemise de coton et revient dans le séjour tiède. Bientôt arriveront les nuits froides. Le long tunnel en étau de l'hiver. Paul s'assoit sur le sofa qui fait face aux fenêtres. Il regarde le faîte des arbres oscillant sous le vent. C'est ainsi chaque fois que démarre une nouvelle enquête. La peur d'échouer, malgré des années d'expérience. Il a le trac comme un débutant qui affronte son premier cas.

Il a pourtant été d'une efficacité redoutable toute la soirée. Distribuant les tâches, assignant les rôles à chacun des membres de l'équipe. Après leur avoir présenté Josée Fortier, ils ont fait le point, réexaminant le peu d'information qu'ils détiennent sur l'«affaire Noor Khan».

En début d'après-midi, la visite chez Farid Khan a été plus ou moins un échec. Le logement en rez-de-chaussée sentait l'ail et le cumin. On les a reçus dans un salon meublé à l'orientale – divans et fauteuils aux tissus damassés, guéridons de bois tarabiscotés. Khan, muré dans un silence agressif, a refusé de répondre à la moindre question. Il n'a fait que répéter qu'il attendait de discuter avec l'avocat que devait lui envoyer son cousin de l'ambassade. Buté, il exigeait qu'on lui rende le corps de sa fille. Josée Fortier a tenté en vain de parler avec la mère, qui est restée aussi muette que prostrée. La sœur de Noor, Zahra, lui a dit que de toute façon sa mère ne parle ni français ni anglais. Elle tenait la main de la femme dont le niqab couvrait le visage. Fortier pouvait lire la détresse dans les yeux de cette mère anéantie par la mort de son enfant. La jeune fille, que son père surveillait de l'autre bout de la pièce, a murmuré : «Je n'ai pas le droit de vous parler.» Elle a baissé la tête et pris un pan de son hijab pour se couvrir le visage, appuyant la tête sur l'épaule de sa mère.

Morel, bouillant de colère, s'est contraint à la patience. Il ne pouvait les forcer à un interrogatoire en règle tant que le médecin légiste n'avait pas écarté l'hypothèse du suicide. Il a quand même joué la carte de la menace.

— Monsieur Khan, puisque vous refusez de coopérer, vous devrez vous présenter au quartier général du SPVM avec ou sans votre avocat. Je vous donne jusqu'à demain 10 heures, sans quoi ce sont les agents patrouilleurs qui viendront vous chercher tous les trois.

L'inspecteur lui a tendu une carte où étaient inscrites les coordonnées du Q.G.

— Que vous le vouliez ou non, vous devrez vous soumettre aux lois qui régissent ce pays, lui a-t-il rappelé.

Morel n'a lu dans ses yeux qu'une froide détermination. Fortier et lui sont sortis en silence. La porte sitôt refermée, des voix se sont élevées, une femme criait et pleurait. Ils ont vite marché vers la voiture de la détective, pressés de se protéger de l'averse qui crépitait à grosses gouttes. Après leur départ du poste 33, Tanguay est rentré au Q.G. pour entreprendre des recherches sur la famille Khan et, surtout, pour examiner ce téléphone prépayé trouvé par les techniciens de l'Identification judiciaire dans le sac de la victime. Ils ont découvert un sac à dos sur un banc aux abords de la piscine. Il contenait des vêtements, une trousse de toilette. On y avait caché, dans une pochette, plusieurs centaines de dollars, ainsi que deux passeports à son nom, français et canadien. Assez pour imaginer que Noor songeait à fuguer. Et ce téléphone prépayé qui contenait des dizaines de textos en langage abrégé.

Installé dans le véhicule, Morel a appelé l'inspecteur-chef pour lui signifier qu'il souhaitait lancer officiellement une enquête. «Je vais avoir besoin de toute mon équipe et de quelques agents du 33 pour l'enquête de voisinage.» Ils ont décidé de se rendre à l'école que fréquentaient les deux filles Khan. Les couloirs de la polyvalente étaient bondés et si bruyants que les deux policiers devaient presque crier pour s'entendre. Ils ont péniblement tenté de se frayer un chemin à contre-courant du flot d'adolescents pressés de quitter les lieux en fin de journée. Les bureaux de la direction leur avaient été indiqués après de vaines demandes. Les jeunes haussaient les épaules, quand ils daignaient même répondre. Morel s'était tourné vers Fortier, à peine sarcastique.

— Dis-moi, toi qui en as deux, que c'est seulement quand ils sont en meute qu'ils sont aussi terrifiants!

— Ça dépend de quel pied ils se lèvent, avait-elle répondu en riant. La mienne, à quatorze ans, est dans une phase où tout ce que je dis est devenu une attaque à «sa liberté». Heureusement, il n'est encore question que de tatouage, de piercing et de bustier à balconnet.

Ils sont entrés dans un bureau où une secrétaire tapait sur son clavier tout en discutant au téléphone. Elle a levé les yeux vers eux et a demandé à son interlocuteur de patienter.

— Nous devons rencontrer le directeur, a dit l'inspecteur tout en tendant sa carte d'identité.

— Je te rappelle, j'ai la police ici. C'est au sujet de la petite Noor, je suppose?

— En effet, madame.

— La directrice, Isabelle Léger, est en réunion avec l'équipe des intervenants, mais elle prévoyait que vous viendriez.

La secrétaire les a orientés vers une petite salle où étaient réunies quatre femmes, toutes plus ou moins dans la quarantaine. La directrice, une femme bien en chair et au regard vif, s'est levée lorsque les policiers se sont présentés.

— Nous étions justement en train de nous demander comment nous allions gérer la situation auprès des élèves. La nouvelle s'est répandue si rapidement que nous n'avons pas eu le temps de prendre toute la mesure du drame. Les réseaux sociaux! Vous imaginez toutes les rumeurs qui circulent à présent. Pouvez-vous mettre les pendules à l'heure, que nous puissions enfin savoir comment faire face à la folie qui s'est emparée de l'école?

— Et demain nous nous attendons à ce que ce soit pire, a ajouté Julie Sauvé, la psychologue de l'établissement, une petite femme nerveuse à la courte chevelure rousse. Les médias nous demandent déjà des entrevues. Ils vont bientôt chercher à interviewer les élèves.

Morel et Fortier se sont regardés, prenant soudainement conscience de l'ampleur des conséquences de la tragédie. Meurtre ou suicide, la mort d'une fille de quinze ans bouleversait le cours normal de ce microcosme multi-ethnique. L'école était le miroir du quartier. En plus fragile.

— Eh bien, c'est plutôt nous qui avons des questions, a répondu Morel. Nous devons en apprendre un peu plus sur cette jeune fille. Comment se comportait-elle, ces derniers temps? A-t-elle fait l'objet d'une attention particulière de votre part? Qui sont ses amis?

— Notre enquête ne fait que débuter, a enchaîné Fortier en s'assoyant à la table. Nous avons besoin de votre aide pour comprendre ce qui s'est passé...

— Pourtant vous devez bien savoir si elle s'est suicidée ou pas? a lancé anxieusement la plus jeune des femmes.

Elle avait l'accent caractéristique des gens du Maghreb, et de grands yeux de biche cernés et larmoyants.

— Noor était mon élève, a-t-elle poursuivi.

— Alors nous comptons sur vous pour nous parler d'elle, a insisté Morel. Vous doutez qu'elle se soit suicidée?

— Je n'ai pas dit cela. Je n'en sais rien. Et pour être franche... je suis Algérienne, et si j'ai quitté mon pays au début des années 1990, c'est justement pour fuir le fanatisme religieux. Noor était une jeune fille très intelligente, elle était déchirée entre l'amour qu'elle avait pour sa famille et les préceptes rigides des traditions qui la contraignaient à ne pas vivre comme les jeunes filles de ce pays. Elle se rebellait, mais discrètement. Elle ne portait pas son hijab, ici. Elle le remettait dès qu'elle sortait du périmètre de l'école. Elle était studieuse. Elle voulait faire des études universitaires. Désolée, sa mort me chagrine tellement... a-t-elle fait en retenant ses pleurs.

— Avez-vous rencontré ses parents?

— J'ai rencontré le père, répond la directrice. Il y a quelques semaines à peine, nous avons eu une discussion plutôt orageuse. Pas au sujet de Noor, plutôt à propos de Zahra, qui commence son secondaire cette année. Il avait les mêmes doléances que lors de l'inscription de Noor. Il voulait qu'elle soit dispensée du cours d'éducation physique. À cause des shorts. Nous avons réussi à le convaincre de laisser sa fille jouer dans l'équipe de basket, où il n'y a que des filles. Vous savez, les «accommodements raisonnables», nous avons à les affronter au quotidien.

— On nous a dit, au centre de loisirs, que Noor possédait de grandes aptitudes en natation, a commenté Fortier.

— Elle rêvait de faire de la compétition, a répondu Corinne Valois, la travailleuse sociale. J'ai eu affaire à Noor l'année dernière. Pas parce qu'elle était difficile, mais plutôt parce que sa meilleure amie Léa nous donnait beaucoup de soucis. J'avais remarqué que Noor pouvait avoir une influence positive sur elle. Je suis d'accord avec Fatima, elle était douée et plutôt raisonnable. Ce qui n'est pas toujours le cas à l'adolescence, lorsque les hormones voilent le jugement.

— Sa meilleure amie, vous dites? Vous pouvez nous donner ses coordonnées? a demandé Fortier. J'ai une fille de quatorze ans, et elle n'a pas de secrets pour sa meilleure copine. Elle pourra sûrement nous aider.

— Vous savez que vous ne pouvez pas l'interroger sans la permission de ses parents…

— Nous en sommes conscients, madame la directrice, répond Morel. Je tiens plus que tout autre à ce que les règles soient respectées. Plus vite nous aurons des informations sur l'état d'esprit de Noor…

— Peut-on savoir pourquoi Léa vous donnait du souci? a demandé la détective.

— Elle séchait les cours. Elle ne respectait pas le code vestimentaire. Elle était insolente, a répondu Corinne. Ce qui nous inquiétait, surtout, c'était qu'elle fréquentait des garçons beaucoup plus âgés qui venaient de Saint-Michel. Une bande qui l'attendait souvent à la sortie. Nous avions peur qu'ils cherchent à la recruter.

— Un gang de rue? Les Crips? a suggéré Morel.

— En effet. Mais nous sommes intervenues très vite et Léa a bien terminé son année. Elle vient d'une famille haïtienne établie à Montréal depuis les années 1960. Son frère aîné a suivi toute sa scolarité ici. Il est maintenant au cégep en sciences infirmières. Les parents travaillent très fort pour permettre à leurs enfants de faire des études.

— Est-ce que Noor la suivait dans ses fréquentations?

— Je ne crois pas. C'est justement grâce à elle que j'ai convaincu Léa de cesser de voir ce garçon. Noor aussi croyait qu'il lui jouait la comédie amoureuse pour l'attirer dans son gang. C'est toujours la même stratégie. Ils les fournissent d'abord en drogue, puis s'en servent comme messagères et revendeuses. Et la dernière étape, c'est la prostitution. Mais je ne vous apprends rien, vous en savez certainement plus long que moi sur leurs procédés!

— C'est notre lot, en effet! Donc, a repris en soupirant Morel, Noor ne donnait aucun signe de détresse. C'était une élève modèle, selon vous?

— Eh bien, pas tout à fait, est intervenue Julie Sauvé. Noor était venue me consulter en mai, l'année dernière. Et nous avions décidé, lors de la rentrée en août, qu'elle viendrait me rencontrer une fois par semaine.

La psychologue consulte du regard la directrice et obtient tacitement son accord.

— Je ne suis plus tenue au secret professionnel, puisque Noor est morte. Seulement, j'hésite encore à vous révéler certaines choses, la famille pourrait m'accuser de ternir la réputation de leur fille. Et toute cette question d'honneur…

— Julie! Tu ne vas pas reprendre à ton compte ces arguments barbares? s'est insurgée Fatima. Les policiers doivent savoir ce qui se passait! Et si Noor ne s'est pas suicidée? Nous avons le devoir de lui rendre justice…

Morel a arrêté d'un geste la diatribe de l'enseignante qui semblait touchée personnellement par la mort de son élève.

— Si vous avez des raisons de penser que ce n'est pas un suicide, vous devez nous dire pourquoi.

— Mais je n'ai pas la moindre preuve, inspecteur, s'est défendu Fatima. Je sais seulement de quoi ces fanatiques sont capables!

— Et Farid Khan est un fanatique?

— Tout dépend de ce que l'on entend par «fanatique», a répondu la directrice à la place de son enseignante. Toutefois… sa femme porte le niqab. Il refuse qu'elle apprenne le français, alors que nous offrons gratuitement des cours de francisation aux parents qui souhaitent une meilleure intégration pour leurs enfants. On sait que ses filles portaient le hijab, même enfants. Il est extrêmement strict avec elles. Elles ne sont pas libres de circuler en dehors des heures d'études. Et surtout j'ai eu un sérieux affrontement avec lui lorsqu'il a tenté de retirer Noor de l'école. Je l'ai dissuadé en alléguant que j'allais le dénoncer aux autorités, puisque la loi stipule que l'âge minimum pour cesser les études est de seize ans. Noor aurait eu seize ans en mai prochain et je suis persuadée qu'il ne lui aurait pas permis d'entreprendre sa dernière année pour l'obtention de son diplôme d'études secondaires.

— En fait, a poursuivi la psychologue, Noor croyait qu'il avait décidé de l'envoyer au Pakistan l'été prochain. Elle était promise à un lointain cousin, un homme issu du clan de son père. Elle était obsédée par cette idée. Elle n'en dormait plus. Elle faisait aussi de terribles cauchemars. C'est ce qui l'a amenée à venir me voir. Elle avait découvert que son père projetait de l'expédier dans la famille de son futur mari afin qu'elle apprenne comment une bonne épouse doit se comporter. Au Pakistan, l'âge légal du mariage pour une fille est de seize ans. Noor était terrifiée. Elle se sentait prisonnière de ces tractations entourant son mariage arrangé. Elle me disait respecter son père. Je sentais plutôt qu'elle le craignait. Elle ne voulait pas s'unir à un homme qu'elle ne connaissait pas. Noor est née en France. La famille de sa mère possède des usines de textiles au Pakistan et des commerces de vêtements traditionnels indiens et pakistanais un peu partout en Europe. Elle a suivi le cursus de l'éducation nationale française dans une école de Marseille. Elle se rendait compte combien les jeunes Françaises et elle vivaient différemment.

— Savez-vous pourquoi la famille Khan a émigré au Québec? a demandé Morel.

— Noor m'a expliqué que son père souhaitait depuis longtemps quitter la France, dont les lois et les règles sont «trop laïques». Vous savez, l'interdiction du port du voile et les débats qui ont suivi… Ils devaient aller vivre en Angleterre, où on pratique un multiculturalisme semblable au nôtre, mais un poste s'est ouvert, semble-t-il, dans l'entreprise de l'oncle de sa femme, ici, à Montréal.

— L'Angleterre comme le Canada permettent le port du hijab et du niqab sous couvert de tolérance et de respect de la religion de chacun, explique Fatima. On écarte de cette façon toute réflexion et tout débat sur ses effets pervers et sur la contrainte que subissent les femmes.

Morel a regardé tour à tour ses quatre interlocutrices.

— Selon vous, Noor aurait pu se suicider pour échapper au mariage forcé? Que vous a-t-elle dit la dernière fois que vous l'avez vue? a-t-il demandé en s'adressant à la psychologue.

— Notre dernière séance date de vendredi dernier. Elle était très anxieuse. Elle avait les traits tirés et les yeux cernés. J'ai insisté pour qu'elle voie un médecin. Je lui ai dit que tout pouvait rester confidentiel. Elle avait accepté que je lui arrange un rendez-vous pendant les heures de classe afin que son père n'en sache rien. Je lui ai expliqué que, bien que le mariage forcé ne soit pas un délit au sens strict de la loi, elle pouvait porter plainte. Que ses parents pouvaient être accusés de sévices et poursuivis, si elle se sentait en péril. Mais elle refusait de déclencher un scandale. Je crois aussi qu'elle craignait les répercussions pour sa mère, qui serait jugée responsable de l'avoir mal élevée, et toutes ces questions d'honneur et de honte pour la famille l'angoissaient. Elle se sentait aussi le devoir de protéger sa petite sœur.

— Vous avez parlé de cauchemars tout à l'heure, a demandé Fortier.

Julie Sauvé a hésité à répondre. Elle a bu une longue gorgée de sa bouteille d'eau.

— Noor ne m'a jamais dit formellement qu'elle était battue. Pourtant la description de ses cauchemars me le laissait soupçonner. Nos règlements exigent que je rapporte ce genre de soupçons. J'ai donc tenté d'en apprendre plus avant de lancer des accusations. Je lui ai demandé si l'homme dans ses rêves était son père. Elle m'a juré que non. Elle m'a parlé d'un imam qui visitait la famille lorsqu'elle était petite. Il enseignait les Hadiths et le Coran aux enfants. Il était très sévère et lui faisait très peur. Sa sœur et elle, ainsi que d'autres enfants, le voyaient régulièrement lorsqu'elle vivait encore à Marseille. J'ai cru comprendre que dans beaucoup de familles pakistanaises, lorsque la mère est illettrée et ne peut donc lire le Coran à ses enfants, c'est un imam qui fait office de prêcheur.

— Avez-vous une idée de ce qui aurait pu la désespérer au point de vouloir mourir? a poursuivi la détective. Avait-elle un comportement différent en classe, hier?

— Je n'ai rien remarqué d'inhabituel... sauf peut-être qu'elle et Léa chuchotaient beaucoup. Je les ai sommées de se taire, sinon je les séparerais. Et j'ai pensé, comme toi, Julie, que Noor avait l'air bien fatigué. Vous devriez interroger Léa, que, d'ailleurs, je n'ai pas vue en classe aujourd'hui.

Morel soupire et se passe les doigts dans les cheveux. Il lève les yeux sur Geneviève qui sort de la chambre et le découvre affalé sur le sofa. Il a toujours cette allure décontractée. Même dans un costume trois pièces, il garde sa dégaine de gitan. Le portrait de sa mère née en Camargue. C'est justement cette nonchalance qui l'a séduite dès leur première rencontre. Mais sa belle tête aux yeux sombres, cette fois, se fait soucieuse.

— Eh! Qu'est-ce que tu fais dans le noir à ruminer? se moque Geneviève en marchant vers lui.

Vêtue d'un caleçon et d'une fine camisole de coton, elle vient se blottir contre lui sur le divan. Son corps chaud de sommeil sent la vanille – le parfum de la crème hydratante qu'elle utilise. Paul l'embrasse et la serre dans ses bras.

— Je m'excuse si je t'ai réveillée, lui répond-il en s'extirpant de ses pensées. Il glisse sa main sous sa nuque. Elle y abandonne la tête de tout son poids. Un geste si familier qu'ils n'en prennent plus conscience.

— Non, c'est le vent. Et j'ai fait un mauvais rêve. J'étais inquiète toute la journée. Tu ne m'as pas rappelée parce que tu enquêtes sur cette horrible histoire? C'est ça?

— Ouais! Le texto de trois mots que je t'ai envoyé était le mieux que je pouvais faire. Désolé.

— À voir ta tête, ce doit être plutôt moche. C'est vrai que c'est une jeune musulmane?

— Une jeune fille de quinze ans. Je sens que ça va être une sale affaire. Que sais-tu exactement? Que disent les gens?

— Oh! Certains parlent de suicide, d'autres de crime d'honneur, parce qu'elle est musulmane. Des journalistes ont voulu nous interroger. Je leur ai répliqué que nous ne savions rien et je les ai mis dehors. Je ne veux pas que le nom de ma compagnie fasse la une des journaux à sensations. De toute façon, aucun d'entre nous ne fréquentait la piscine. Nous ne connaissons pas vraiment les gens du quartier. Cela ne fait même pas un mois que nous y sommes installés. Et nous ne savons rien sur cette pauvre fille.

— Cela vaut mieux. Je préfère que tu restes loin de tout ça. Tu comprends?

— Oui. C'est tout de même bouleversant. En France, j'ai entendu parler de ce genre de drame, mais ici!

— Nous ne sommes pas à l'abri. Nous vivons à l'ère des réseaux sociaux, des chocs interculturels. Et dès qu'il s'agit de musulmans, les médias s'emballent. Et pour compliquer les choses, elle était enceinte. Ce qui signifie qu'il faut retrouver le géniteur. On n'a livré cette information à personne, pas même à la famille. Tu gardes ça pour toi, d'accord? insiste Paul en la regardant dans les yeux.

— Bien sûr, je connais les règles. Je vis avec un flic maintenant, dit-elle avec un sourire entendu. C'est pour cela qu'elle s'est suicidée, alors?

— On n'est sûrs de rien. Le médecin légiste n'arrive pas à se prononcer avec certitude. Il veut faire d'autres examens, plus poussés, qui demandent du temps. Il y a des signes qui soulèvent pas mal de doutes.

— Donc, les rumeurs de crime d'honneur…

— Nous n'écartons aucune piste. Nous devons enquêter de toute façon. Découvrir ce qui l'a poussée au suicide, si cela s'avère la conclusion du médecin légiste, soupire Paul en se passant les mains sur le visage.

— Mais pas ce soir, rétorque Geneviève en glissant ses doigts dans l'épaisse tignasse noire de son homme. Viens au lit, Wallander! lance-t-elle tout en le tirant par la main.

— Je ne sais pas si je vais arriver à dormir, se lamente Paul en se levant.

— Ah! Mais tu sais que je peux faire en sorte que tu t'écroules d'épuisement? fait Geneviève en riant.

— Aïe! rit à son tour Paul. J'ai intérêt à assurer!

— Pas du tout, je m'occupe de tout, tout, tout… promet-elle en l'embrassant.

7

Il y a encore une voiture de patrouille en faction au bout de l'allée. Le ruban jaune devant la porte du centre de loisirs flotte sous la poussée du vent. Elle n'ose entrer. La piscine est sûrement encore fermée au public. Le drame qui s'y est produit a suscité tout un émoi dans le quartier, attiré des dizaines de curieux. Elle aimerait bien en apprendre davantage, mais craint de se mêler à eux. Éviter de se faire remarquer, voilà sa priorité. Toutefois, la veille, l'employée de la bibliothèque lui a fait un bref compte rendu. Le corps d'une nageuse a été retrouvé pendu. Elle se dirige de l'autre côté du bâtiment qui abrite la bibliothèque. Elle doit rendre les livres empruntés. Si tout est calme, elle y restera quelques heures. Normalement, elle évite autant qu'elle le peut que son nom soit enregistré sur des documents. Le centre de loisirs est l'un des rares endroits où elle est officiellement inscrite. En présentant le bail de location de son minuscule meublé comme preuve de résidence, elle a eu droit à sa carte d'abonnement. Cependant, son propriétaire, un vieux Grec aux yeux chassieux, a exigé un bail mensuel renouvelable, malgré l'argent comptant qu'elle lui donne tous les mois. Cet écart à sa règle de prudence lui donne accès à tout le centre. Habituellement, elle nage tous les deux jours. À la bibliothèque, elle peut utiliser Internet. Elle aime aussi y lire dans le silence. Une paix qu'elle ne trouve pas chez elle.

Son studio est meublé d'un lit à une place, d'une table, de deux chaises et d'un coin cuisine. La salle de bain est minuscule. Lorsque l'on s'assoit sur la cuvette, on a le nez collé au lavabo. Le bac de la douche en plastique thermoformé est jauni par la rouille qui a suinté de la tuyauterie qui goutte constamment. L'ensemble sent l'humidité et les relents de cuisine indienne. La course constante des enfants dans les couloirs et les escaliers, leurs cris et ceux de leurs mères exaspérées résonnent dans tout l'immeuble. Le son criard de haut-parleurs diffuse en boucle la musique des films de Bollywood. Elle dort avec des bouchons dans les oreilles, de 4 heures 30 du matin à midi. L'après-midi, elle marche dans le parc. Quand il fait beau, elle suit les leçons de français qu'elle a téléchargés sur son iPod – son premier achat dès qu'elle a pu se l'offrir. Elle ne peut risquer de s'inscrire officiellement à un cours de langue. Elle a compris que pour trouver un vrai travail, plus tard, quand elle pourra sortir de la clandestinité, il lui faudra parler français. Elle aime la difficulté de cette langue, sa musique et surtout ce qu'elle représente. Les philosophes des Lumières qu'elle a engendrés, les idées de Liberté, Égalité, Fraternité. Elle veut y croire. Ici, dans cette terre d'Amérique, on dit que ce peuple a survécu malgré les bâillons, malgré la misère. Elle rêve. Elle se permet d'espérer que sa vie peut changer. Il faut qu'elle gagne assez d'argent pour se payer les services d'un avocat. Selon la loi, elle doit vivre au minimum deux ans avec son époux, sans quoi elle perd son statut de résidente permanente et peut être expulsée. Elle croit toutefois qu'elle pourrait accuser son mari d'exploitation et justifier sa fuite.

Dans ce quartier, chacun vit dans l'univers clos de son appartenance ethnique, replié sur ses usages, ne fréquentant que ses pareils. Les femmes musulmanes, les hindoues ou les sikhs ne se mêlent pas aux Grecques ou aux Haïtiennes. Les épiceries ont leurs spécialités, leur clientèle propre. Elle en a fait le tour afin de trouver les meilleurs prix. Partout, elle se sent une intruse. Elle ignore sciemment le regard des hommes qui la jugent. Elle ne porte ni le voile ni le sari. Dans la touffeur de l'été, ses robes, à leurs yeux trop légères, trop courtes, suscitent leur désapprobation ou leur regard lubrique. Cela provoque chez elle une légère paranoïa, alors que partout ailleurs dans la ville, elle peut flâner librement dans l'indifférence totale des habitants d'une métropole. Elle aime cet anonymat, seul garant de sa sécurité.

Le bar, où elle danse nue, cinq soirs sur sept, lui offre cet anonymat. Le gérant n'a pas exigé de permis de travail ou quelque autre document. Il la paie comptant, à condition qu'elle accepte de le masturber de temps en temps. Il ne l'oblige pas non plus à prendre des clients. Alors que les autres filles y sont incitées. Celles-ci sont plutôt gentilles avec elle, mais la traitent en étrangère.

Elles la surnomment l'Esquimaude, alors qu'elle est une authentique Kètes. Qu'on la prenne pour une Inuite du Nunavik la protège de trop de curiosité. Inutile de leur expliquer que les autochtones de Sibérie appartiennent à dix-neuf ethnies différentes. Que son peuple parcourt la taïga avec leurs rennes depuis des temps immémoriaux. Que les femmes de sa famille sont chamanes de mère en fille. L'histoire de la sienne est commune à beaucoup de femmes qui ont voulu fuir la vie dans la taïga. Sa mère a brisé la lignée des chamanes, tourné le dos à la tradition en s'enfuyant vers la ville. À Krasnoïarsk, elle s'est mise en ménage avec un Tatar qui s'est fait la malle dès qu'il l'a vue enceinte. C'est le lot des femmes. Les hommes ont le nomadisme soudé à l'âme. Sa mère l'a donc prénommée Anya, le diminutif de la plus célèbre amante russe. Aussi combat-elle depuis l'enfance l'idée d'un destin aussi funeste.

8

Cabrini tape les dernières lignes du rapport qu'elle compte transmettre à l'inspecteur Jasmin. Son arrivée tardive au Q.G. lui a évité de croiser ses collègues. Les postes de travail ne bourdonnent pas de la rumeur habituelle des interpellations, du raclement de chaises qu'on repousse et des interjections codées que seuls les mâles savent utiliser pour communiquer entre eux. Elle s'est souvent dit que, si les femmes n'existaient pas, le langage n'aurait pas été inventé ou, du moins, il n'aurait longtemps été composé que de grognements et d'onomatopées.

Les gars de Jasmin explorent une nouvelle scène de crime. La veille, les Crips ont de nouveau frappé. Du moins, cela ressemble à la poursuite de cette guerre de territoire qui a déjà fait deux morts. Cette fois, les Bloods ont perdu un homme de main au casier long comme son surnom : «Le Grand». Le malheur, c'est qu'il a été abattu dans un dépanneur. Le caissier vietnamien a reçu la première balle qui lui était destinée. Les dommages collatéraux de ces tueries qui durent depuis le début de l'été font monter d'un cran les tensions dans le quartier Saint-Michel. Jasmin et son unité ont été mandatés pour collaborer avec l'effectif insuffisant de l'Éclipse.

Cabrini, qui avait pris une journée maladie après son malaise matinal, a donc évité de se voir de nouveau sous les ordres de Jasmin. Elle a déjà envoyé un mot à Morel, lui demandant de la réintégrer. Elle ne veut pas perdre la chance de participer à l'enquête qu'il mène depuis deux jours déjà. Ses collègues sont tous sur le terrain, à mener des interrogatoires auprès des voisins de la famille Khan, des élèves de la polyvalente et des employés du centre de loisirs que la jeune Noor fréquentait. Malgré la migraine qui lui bat les tempes, elle s'efforce de lire le bref rapport préliminaire que Ling lui a refilé avant de partir rejoindre Tanguay. Ling était la seule encore au bureau à son arrivée. Cabrini pouvait voir dans ses yeux l'excitation pressentie du travail de terrain. C'est elle qui normalement devrait être là! Seulement, avant, elle doit régler son «problème». La rédaction de son rapport a servi de prétexte. Ling, toujours aussi attentionnée envers elle, lui a dit qu'elle lui trouvait l'air fatiguée. Carolina a parlé d'un malaise gastrique qui l'a tenue éveillée une partie de la nuit. Pressée, Ling lui a conseillé de vite se soigner.

— C'est une affaire compliquée, on va avoir besoin de toi! a-t-elle lancé en sortant de la salle.

Cabrini repousse les boucles brunes qui lui retombent dans les yeux. Une visite chez sa cousine aussi serait nécessaire. Marina Santori possède un salon d'esthétique et de coiffure que Carolina fréquente quand elle n'a plus le choix. C'est-à-dire quand sa cousine la menace de ne plus lui parler si elle ne vient pas au rendez-vous qu'elle a bloqué pour elle. La sœur qu'elle n'a pas, c'est elle. Elles sont nées à un mois d'intervalle, Marina la première. Ce qui lui confère un droit d'aînesse qu'elle utilise à foison quand bon lui semble. Cette fois, Carolina donnerait cher pour se retrouver sous l'avalanche des conseils de sa cousine. La nuit dernière, alors qu'elle n'arrivait pas à trouver le sommeil, elle a failli céder et aller se blottir dans les bras de Marina pour pleurer tout son soûl.

Après le quatrième test de grossesse, elle est restée pelotonnée sur son divan, entourée de mouchoirs en papier roulés en boule. Les tests étaient tous positifs. Elle savait ce que lui aurait dit Marina. «Mais tu ne peux pas faire ça!» Sa cousine, sa mère, son père sont d'avis que les femmes doivent avoir le libre choix. Toutefois, Carolina sait aussi que lorsqu'il s'agit de la *famiglia*, c'est une autre histoire. Elle imaginait sa mère en train de dire: «Mais nous t'aiderons!» Aussi, elle ne supportait pas que

Marina soit témoin de sa détresse. De son incommensurable bêtise! Comment a-t-elle pu être aussi négligente, aussi inconsciente? Elle se cherche encore des raisons. Elle n'est même pas amoureuse de Patrice. Elle s'est juste laissé imprégner de cet état de douce torpeur érotique. Vivre l'instant présent. Le soleil, la mer, la baise, l'alcool. Tous les poncifs d'une pub de vacances y étaient. La chair repue de sexe et les couchers de soleil sur la plage, compris. Elle se sent trahie. Son corps l'a lâchée. Ce corps qui a toujours répondu à tous les défis qu'elle lui lançait. Les plus violents, les plus exigeants. Elle vit cette grossesse comme une injustice, un affront, la punition d'être une femme. Elle s'en veut tellement. On ne devrait plus tomber enceinte sans l'avoir décidé, de nos jours, quand il existe tous les moyens pour l'éviter. Des contraceptifs à la pilule du lendemain. Au milieu de la nuit, après s'être bien apitoyée sur elle-même, elle a consulté sur Internet les coordonnées des centres d'avortement. Au matin, elle a cherché à prendre rendez-vous dès que possible. Au troisième appel au Centre de santé des femmes, on lui a proposé une rencontre avec l'équipe médicale composée uniquement de femmes. L'intervention pouvait se faire le soir même, une annulation lui offrait cette possibilité. Sa décision est prise. Elle compte se servir de ce soi-disant embarras gastrique pour prendre, le lendemain, un deuxième congé. Elle se donne encore une journée pour se remettre sur pied. Ensuite, tant pis pour les maux de ventre! Elle repousse avec révolte toute idée de culpabilité. Elle a fait une erreur. Il lui faut reprendre le contrôle de sa vie.

Elle boit une dernière gorgée à son thermos de café. Elle s'en prépare toujours avant de partir travailler. Quand on a l'habitude du velours parfaitement dosé s'écoulant de sa machine à espresso, on ne peut pas ingurgiter ce qui sort de la machine distributrice. Cabrini soupire. Elle examine une à une les photos de la pendaison. Quelle symbolique derrière ces images! Si Noor s'est suicidée, elle a signé son geste en se pendant à un hijab aux couleurs de l'Islam. La détective se dit également que cela pourrait tout aussi bien être la signature de son assassin. On ne défie pas l'honneur impunément!

Dans son rapport d'autopsie provisoire, Robert Guérin précise que ses observations ne sont pas encore complètes. Plus tard, les résultats des tests toxicologiques pourront mieux orienter ses conclusions. Il confirme toutefois que la victime était enceinte d'environ sept semaines. Il fixe l'heure du décès entre 2 heures 30 et 4 heures du matin. La strangulation par pendaison a, selon lui, provoqué une mort lente et sûrement douloureuse. Sous l'effet de la suffocation et de la panique, la victime a dû se débattre et tenter de soulever le poids de son corps en s'agrippant au foulard. Ses poignets incisés ont laissé de longues traînées de sang sur le tissu.

«Pourquoi avoir choisi la pendaison? Se trancher les poignets ne suffisait donc pas? Quelle limite la souffrance et le désespoir doivent-ils atteindre pour en arriver là?» Cabrini relit le commentaire du médecin légiste. Enceinte de sept semaines. Deux de plus qu'elle. Cette adolescente de quinze ans ne savait-elle pas qu'il existe d'autres solutions? Que, même à son âge, elle a le droit de décider? Elle a dû se sentir totalement acculée. La mort était-elle la seule issue, selon elle? À moins que cette pendaison ne soit qu'une mise en scène?

Cabrini feuillette le rapport où Ling a repris les grandes lignes de l'enregistrement fait par Morel et Fortier lors de leur rencontre avec les responsables de la polyvalente. Cette enseignante, Fatima, doutait de la thèse du suicide. Et Léa, la meilleure amie, affirmait ne pas croire que Noor aurait commis un tel geste. Morel et Fortier l'avaient interrogée au cours de la soirée après être passés voir le médecin légiste. La jeune fille était effondrée, mais leur avait paru pleine de bonne volonté en répondant à toutes leurs questions. Elle avait dit que Noor était devenue secrète depuis la rentrée scolaire. Elles ne s'étaient pas beaucoup vues au cours de l'été parce que Léa avait été en vacances dans sa famille en Haïti. Elles ne se disaient plus tout comme avant. Léa pensait que Noor voyait quelqu'un dont elle refusait de lui parler. Qu'elle le rencontrait à la bibliothèque. C'est le seul endroit que sa mère lui permettait de fréquenter en dehors de la piscine. Noor y faisait du bénévolat auprès des enfants qui avaient des difficultés de lecture. Elle y allait souvent sous prétexte d'y étudier au calme et à cause d'Internet – très utile pour faire certains devoirs. La mère de Noor fermait les yeux sur les absences de sa fille. Elle cachait beaucoup de choses à son sujet à son mari. Léa croyait que si Noor n'était pas encore partie au Pakistan, c'est parce que sa mère s'y opposait. Elle mentionnait également que Noor avait refusé de lui dire d'où provenait l'argent qu'elle dépensait pour acheter de nouveaux vêtements. Elle s'était aussi procuré un téléphone. Elle cachait tout cela dans son casier à l'école.

Donc, se dit Cabrini, la jeune fille avait mis dans son sac à dos ses biens les plus précieux – passeport, argent, téléphone. À quoi bon, si on a l'intention de se suicider? Cela ressemble plutôt à une fugue. Toutefois, les techniciens de la scientifique n'ont pas trouvé d'indices qui laissaient soupçonner qu'il y avait quelqu'un avec Noor à la piscine. Aucune des trois entrées que compte le bâtiment – la bibliothèque, les salles de loisirs communautaires et la piscine – n'avait été forcée. On peut en déduire que Noor s'est cachée au moment de la fermeture de la piscine. Le moniteur qui fait une tournée d'inspection avant de fermer n'a rien noté d'anormal. Et la préposée à la réception ne se souvient pas de l'avoir vue entrer. Noor a pu se faufiler parmi les baigneuses inscrites au cours d'aquaforme qu'on donnait ce soir-là.

Cabrini se dit que la jeune fille a aussi pu entrer par l'une des deux autres portes. Morel a-t-il vérifié s'il est possible de circuler entre les trois sections du centre? La détective se retient de le joindre pour le lui demander. Normalement, c'est ce qu'elle ferait. Normalement, elle serait sur place. Elle vérifierait elle-même la configuration des lieux. Mais plus rien n'est normal. Oui, elle a été inconséquente. Pourquoi devrait-elle payer le prix d'une aventure sans lendemain? Elle ne veut pas de cette grossesse. Elle ne sait même pas si elle voudra, un jour, avoir un enfant. Lorsqu'elle se projette dans l'avenir, elle ne voit jamais l'image d'Épinal de la famille parfaite. Elle rêve d'être inspectrice, elle veut, comme Morel, diriger sa propre équipe. Le discours que lui tiendrait sa mère, les arguments de Marina, elle se les est répétés toute la nuit. Elle refuse que sa vie soit chamboulée à jamais.

9

Ils se sont réunis au poste 33. C'est plus pratique et plus rapide de s'y retrouver après le travail sur le terrain. Ils sont entassés tous les trois, Morel, Tanguay et Ling, dans le bureau de Fortier. Steve Losier est parti à Ottawa enquêter sur les Khan. À l'époque où il était détective à la GRC[4], il avait quelques bonnes connaissances au SCRS[5]. Le nom Khan est aussi courant au Pakistan que Tremblay au Saguenay, mais certaines familles ressortent du lot. Selon ses premières constatations, l'étendue des ramifications du clan Khan est assez surprenante et mérite des recherches plus poussées.

Fortier rapporte à ses collègues les informations recueillies par deux agents qui connaissent bien le quartier et ses bandes d'adolescents. Ces policiers patrouillent aux abords du parc Jarry et de certains points chauds où traînent les ados après l'école. Ils connaissent toutes les fortes têtes, leurs habitudes et leurs usages. La bande de jeunes sikhs qui lorgnent les Haïtiennes. Celles-ci, à la différence des filles de leur communauté, circulent plus librement et flânent autour du centre de loisirs. Le groupe des «Pakis» s'y attardent pour les mêmes raisons, mais ne se mêlent pas aux sikhs, sûrs de leur supériorité de caste. Fortier indique que les hindous, les sikhs et les Pakistanais musulmans sont majoritaires dans cette enclave autour du centre de loisirs.

---

4. Gendarmerie royale du Canada.
5. Service canadien du renseignement de sécurité.

La détective, sur un ton quelque peu professoral, donne à ses collègues un cours 101[6] sur les comportements et les usages des diverses nationalités du sous-continent indien. Ling l'écoute distraitement, amusée par Morel, qui n'ose manifester son impatience et l'interrompre, alors que Tanguay semble subjugué.

— Ces immigrants, pour la plupart, reproduisent les comportements qui font de cette partie de l'Asie une région sous tension constante en proie aux violences communautaristes et aux confrontations religieuses. Les hindous et les Pakistanais musulmans continuent de s'affronter bien qu'ils partagent des origines communes, car les Pakistanais sont, de fait, des hindous qui se sont convertis à l'islamisme lors des invasions musulmanes au XIIe siècle. Mais ils ont préservé les notions de caste caractéristiques de l'hindouisme.

— Tu veux dire que le système des castes, comme le mépris pour les intouchables[7], existe encore? demande Tanguay, que le sujet passionne.

— Pour beaucoup d'entre eux, elles perdurent en effet.

— Sauf chez les sikhs qui n'adhèrent pas au système de castes, commente Tanguay, trop heureux de montrer les résultats de ses lectures.

Fortier poursuit en lui souriant. Ils ne sont plus que deux à se faire la conversation.

— Même si de nos jours la scolarisation et l'éducation ont fait en sorte de briser le carcan des castes et permettent désormais à un intouchable de pratiquer une profession autre que celle où sa naissance l'aurait relégué, l'emprise de la religion prévaut lorsqu'il s'agit de mariage. Bref, il vaut mieux éviter de fréquenter ceux qui ne sont pas du même statut social que soi.

— Cela explique que lors des mariages arrangés, qui sont encore pratique courante, on opte pour une jeune fille ou un jeune homme issu de la famille d'un cousin éloigné

---

6. Expression qui signifie «cours de base».
7. Personnes hors caste perçues comme impures.

ou de parents provenant de la même caste, dit Tanguay en s'adressant à Morel et Ling.

— Dans Parc-Ex, poursuit Fortier, ces idées persistent même si les mentalités évoluent et s'occidentalisent. La ghettoïsation, toutefois, ravive le sentiment d'inégalité. Les beaux discours de tolérance des enseignants et des travailleurs sociaux qui jonglent constamment avec les accommodements raisonnables n'y peuvent pas grand-chose. Sans parler des médias qui en profiteront pour soulever la question du non-respect de la Charte des droits et libertés.

— Et cette enquête ne fait pas exception, la coupe Morel. Les journalistes n'attendent que ça, une bavure de notre part. Bref, selon toi, les patrouilleurs parlent d'une rumeur qui circulait chez les jeunes? Noor voyait un garçon, mais ils ne savent pas de qui il s'agit?

— C'est en effet ce qui se dit, répond Fortier, qui se rend compte que l'inspecteur n'aime pas beaucoup ses longs préambules. Un jeune Pakistanais qui fréquente le centre, Atif Hashmi, prétend qu'elle parlait avec plusieurs garçons en dehors de l'école. Selon l'agent sociocommunautaire, Atif a eu des commentaires méprisants, envers Noor, disant qu'elle n'était pas assez pudique dans sa façon de se vêtir. Elle ne respectait pas les traditions et faisait honte à sa communauté. L'agent Grégoire trouve qu'Atif en sait beaucoup sur la jeune fille. Grégoire dit que c'est un jeune intégriste qui s'enflamme facilement.

— Bien. Tanguay et Ling, retournez interroger les employés du centre et essayez d'en apprendre plus sur cet Atif, suggère Morel. Donc, essayons de nous résumer un peu. Léa et Noor quittent l'école vers 15 heures 30. Léa affirme que Noor transportait un lourd sac à dos et a refusé de s'arrêter avec elle au Pharmaprix pour acheter des chips, comme elles le faisaient souvent. Noor disait avoir promis à sa mère de rentrer directement à la maison. Elle s'est dirigée seule vers le parc Jarry pour le traverser en diagonale. C'est le chemin le plus court pour rejoindre cette section du quartier où elle habite. Tous les jeunes qui vivent de l'autre côté du parc prennent ce raccourci.

Cependant, ce matin-là, selon le témoignage de la mère traduit du pachto[8] par l'interprète, Noor lui a dit qu'elle donnait un cours de lecture aux enfants à la bibliothèque. Il s'avère qu'elle a menti, puisque d'après les responsables de la bibliothèque, les leçons n'avaient lieu que deux fois par semaine, et non pas trois. On peut en déduire qu'elle rencontrait quelqu'un toutes les semaines pendant cette plage horaire de 15 heures 30 jusqu'aux environs de 17 heures 30, heure à laquelle elle rentrait habituellement à la maison. Les bibliothécaires, qui connaissaient bien Noor, soutiennent tous qu'ils ne l'ont pas vue ce jour-là.

— Et personne, non plus, ne l'a aperçue à la piscine, poursuit Tanguay. Ling et moi avons interrogé la monitrice en poste pendant la plage horaire réservée aux femmes et aux fillettes. Elle a fréquemment vu Noor s'entraîner, mais pas cet après-midi-là. Il est plus plausible qu'elle s'y est rendue en soirée. C'est un accès bain libre pour tous. Logique si c'est là qu'elle avait rendez-vous avec l'auteur de tous ces textos que contient son téléphone, un certain Zar. Elle ne s'en servait que pour communiquer avec lui. Et les moniteurs-sauveteurs de la piscine affirment ne pas se souvenir avoir vu Noor ce soir-là.

— La piscine ferme à 21 heures 30, commente Ling. Les salles communautaires où les jeunes jouent au ping-pong et au *shuffleboard*, à 21 heures. Quant à la bibliothèque, le mercredi, elle ferme à 20 heures 30. Ce serait étonnant que personne ne l'ait aperçue à l'un ou l'autre de ces endroits. Peut-être qu'elle était ailleurs pendant tout ce temps et qu'elle est entrée dans l'édifice juste avant la fermeture, sans se faire remarquer.

— Le médecin légiste atteste que ses cheveux et son corps dégageaient une forte odeur de chlore, mentionne Tanguay, tout en relisant sur sa tablette le rapport du médecin légiste. Il n'y avait pas de traces de lutte ou de défense sur son corps. On peut supposer qu'elle a enfilé son maillot

---

8. Langue parlée au Pakistan et en Afghanistan par les Pachtounes (environ vingt-neuf millions de personnes).

de bain et est allée nager. Peut-être après le départ de tout le monde. Ce qui expliquerait que personne ne l'ait vue.

— Le dernier texto qu'elle a reçu de Zar, à 21 heures 28, dit : «Attends-moi.» C'est un téléphone prépayé, impossible à retracer, explique Ling. C'est le seul qu'il lui a envoyé ce jour-là. Ils se sont parlé, par contre. Il lui a téléphoné à 16 heures 10 et à 22 heures 15. Les autres textos qu'ils ont échangés ne sont pas très explicites. Ils servent surtout à prendre ou confirmer des rendez-vous. Les premiers débutent en juillet.

— Elle était enceinte d'environ sept semaines, dit Fortier. La conception remonte donc à la fin juillet, début du mois d'août. On peut supposer qu'elle voyait souvent ce Zar au cours du mois de juillet. On sait que le samedi, elle donnait des cours de natation aux fillettes et qu'elle allait régulièrement à la bibliothèque. Elle a forcément rencontré Zar au centre de loisirs. Il était peut-être moniteur, ou bibliothécaire. Ou simplement quelqu'un qui fréquentait le centre.

— Nous devons trouver quelque chose de mieux que des hypothèses, pour obtenir un mandat de prélèvements d'ADN, leur dit Morel en les regardant tous à tour de rôle. Il nous faut trouver le géniteur. Ce serait déjà un début de piste.

— Si on pouvait seulement tester tous les hommes qui fréquentent le centre! raille Fortier. La détective se reprend en riant. Je sais, c'est absurde, ce que je viens de dire, mais cette enquête ne semble déboucher sur rien de concret. On a une élève modèle souffrant d'anxiété et qui, selon la psychologue, n'avait pas de tendances suicidaires. Elle fugue, ou du moins s'apprête à fuguer, vraisemblablement avec un certain Zar. Une bonne musulmane, nous répète Maira, sa mère, qui lui permettait de faire quelques petits écarts aux diktats d'un père autoritaire et ultrareligieux.

— Lors de la discussion que j'ai eue avec elle, cette femme – dont je donnerais cher pour voir le visage – a soutenu qu'elle souhaitait un mariage arrangé pour sa fille. Toutefois, elle la trouvait encore trop jeune pour quitter sa famille. Elle ne voulait pas que Noor subisse le même sort qu'elle : se retrouver seule dans un pays étranger chez des gens qu'elle n'avait jamais rencontrés. C'est ce qu'elle a vécu lorsqu'elle a épousé Farid Khan. À dix-sept ans, elle a quitté le cocon sécurisant de la famille de sa tante au Pakistan. On l'a exilée en France pour la marier à un des employés de son oncle. Farid venait aussi d'émigrer pour diriger le service import-export de la succursale de Marseille. Elle ne lui avait parlé que quelques fois après leurs présentations officielles organisées par la sœur de sa mère, dont elle était la pupille depuis que cette dernière était morte. Elle s'est retrouvée enfermée dans un appartement à attendre toute la journée que son mari rentre du travail. Elle vivait dans un quartier surtout peuplé de Maghrébins qui parlaient arabe ou français. Lorsqu'elle osait sortir en niqab, elle sentait le regard de réprobation des gens. Elle n'a pratiquement parlé à personne d'autre que son mari jusqu'à la naissance de Noor. Sauf, bien sûr, à sa tante, de temps en temps, au téléphone. Celle-ci était venue la voir et avait passé deux mois avec elle. Grâce à elle, Maira avait fait la connaissance de femmes pakistanaises qui fréquentaient la mosquée. Pourtant elle ne s'était pas fait de véritables amies. Aussi ne voulait-elle pas que sa fille vive un tel isolement. Maira Khan m'a semblé sincère lorsqu'elle a dit qu'elle souhaitait protéger sa fille. Si nous avons affaire à un crime d'honneur, je serais étonnée qu'elle fasse partie de la machination. Mais elle peut aussi mentir. Impossible de le savoir. Elle a catégoriquement refusé de retirer son niqab. Jusqu'à maintenant, nous n'avons pas d'arguments pour l'y obliger, conclut la détective Fortier.

— Justement, lui demande Morel, as-tu des nouvelles de Robert Guérin ? Qu'on sache comment traiter cette affaire ? En suicide ou en homicide ?

— J'ai enfin réussi à le joindre tantôt. Il tergiverse toujours. Bien qu'il soit certain que la mort par pendaison ne fasse aucun doute. Il pense que les incisions aux poignets n'ont peut-être pas été faites par la victime. Il m'assure que le rapport toxicologique nous en dira plus demain. Si elle a été droguée, cela expliquerait qu'elle se soit laissé faire.

— Pourquoi a-t-il des doutes, pour les incisions? l'interroge Tanguay.

— Selon lui, elles sont trop bien faites. D'habitude, on remarque quelques tentatives d'incisions peu profondes parallèles à celle qui sera fatale. Une jeune fille perturbée, désespérée au point d'en arriver à poser un geste aussi violent, n'aurait pas eu la main aussi sûre. Sans oublier que l'on n'a pas retrouvé de couteau ou quoi que ce soit qu'elle aurait pu utiliser. Les coupures ont été faites avec une lame extrêmement fine et tranchante.

— Bien, reprend Morel en faisant reculer sa chaise, le confinement du bureau le rendant encore plus impatient. Ling et Tanguay, vous interrogez les employés du centre de loisirs. Josée, j'aimerais que tu m'accompagnes pour discuter avec la psychologue et la directrice de l'école. J'ai aussi fait une requête pour un mandat de perquisition chez la victime. Le père ne pourra plus nous refuser l'accès à la chambre de sa fille. Khan a intérêt à collaborer!

— Si le père est si buté, c'est peut-être qu'il cache quelque chose, commente Tanguay.

— Ou simplement qu'il refuse de se plier à nos règles. Ce matin, il n'a pas cessé de répéter qu'au Canada, il a le droit de vivre selon les préceptes de sa religion et que la seule loi qu'il reconnaît est celle de la charia. Il parlait de ramener toute sa famille au Pakistan. Il veut même y faire enterrer sa fille. Si nous ne trouvons rien pour l'en empêcher, il est capable de quitter le pays! À ses yeux, Noor s'est suicidée parce qu'elle a subi l'influence pernicieuse de la psychologue. Elle s'est laissé entraîner dans une mauvaise vie par son amie Léa. Guérin doit nous donner de quoi justifier la poursuite de l'enquête, sinon ils vont s'enfuir et nous ne saurons jamais ce qui s'est vraiment passé. Mon instinct me dit que cette petite ne s'est pas suicidée, s'insurge Morel.

— Tu as raison, Paul. L'absence d'un couteau ou d'une lame, les traces de sang sur le tremplin soulèvent de sérieux doutes. Pourquoi se pendre en plus de se trancher les poignets? Et, surtout, pourquoi les parents n'ont-ils pas signalé son absence, lorsqu'ils ont vu qu'elle n'était pas rentrée?

— Encore une question d'honneur et de cachoteries! grommelle Morel. Maira ne voyant pas sa fille de retour pour le repas du soir a exigé que Zahra téléphone à Léa. Quand celle-ci a affirmé ne pas l'avoir vue depuis la sortie de l'école, la mère s'est vraiment inquiétée. Elle craignait aussi la réaction de son mari qui n'est rentré que vers 21 heures. À son arrivée, la mère voulait appeler la police. Khan le lui a interdit. Il avait honte d'admettre que sa fille lui avait désobéi. Il s'est rendu au centre de loisirs. Seulement, tout était déjà fermé. Il jure qu'il a passé la nuit à chercher sa fille dans les rues du quartier.

— Prenons l'hypothèse du suicide, intervient Ling. La logique voudrait qu'elle ait d'abord noué le hijab au garde-fou, puis à son cou. Et qu'ensuite elle se soit tranché les poignets d'un seul geste, sans hésitation. Cela veut dire qu'elle aurait déjà été assise sur le tremplin, et expliquerait le sang sur ses cuisses et le devant de son maillot. Mais d'où viennent les coulées de sang sur la barre du garde-fou? Et que fait-elle du couteau? Elle aurait dû le déposer sur le tremplin avant de sauter.

— Ou le laisser simplement tomber dans la piscine, poursuit Tanguay. L'IJ n'a rien retrouvé.

— Et si quelqu'un a bâti cette mise en scène, argumente Morel, il peut avoir tenu ses mains refermées sur le couteau en se plaçant derrière elle pour bien s'assurer de l'angle des incisions. Mais à condition qu'elle soit inconsciente, sinon elle se serait débattue.

— Et les empreintes de sang sur le hijab? demande Fortier. Le rapport indique que d'après leur emplacement elle s'y serait accrochée.

— L'instinct de survie, reprend l'inspecteur. Elle a tenté de combattre l'étranglement. C'est un scénario bien tentant, seulement il nous faut des preuves! L'analyse toxicologique nous dira si nous voyons juste.

— Guérin me l'a promise pour demain, confirme la détective.

— OK, tout le monde! Pour ce soir, on ne peut pas faire plus, conclut Morel en donnant le signal du départ.

Recroquevillée dans la baignoire, Carolina s'abandonne aux jets brûlants de la douche qui tambourinent sur sa tête et ses épaules. Elle sanglote. Incapable de contrôler les spasmes qui s'échappent de sa poitrine. Elle regarde le sang s'écouler entre ses cuisses. C'est donc ça que sa grand-mère désignait lorsqu'elle marmonnait des phrases comme «le lot des femmes» ou, pire, «le châtiment d'être une femme». Elle n'avait jamais compris ce qu'elle voulait dire, mettant cela sur le compte d'une éducation catholique étriquée. Des mots d'un autre temps. Un monde qu'elle ne connaissait pas, puisque ses parents l'avaient toujours encouragée à relever tous les défis auxquels elle souhaitait se mesurer. Elle tente de se raisonner, de calmer ce flot d'émotions qui la plonge dans un état de détresse dont elle ne se savait pas capable.

Toute la soirée, elle s'est contenue. Elle a présenté à l'équipe médicale du centre d'avortement le visage d'une jeune femme décidée, rationnelle et imperturbable. Elle a subi l'intervention sans desserrer les dents. Engourdie, tout de même, par la sédation qu'on lui avait administrée. Elle est rentrée chez elle en taxi comme dans un état second, à l'écoute de ce ventre crispé par la douleur. Elle se sent moulue. Toutes les fibres de son corps brûlent. Même après la plus dure compétition en combat rapproché, lorsqu'elle avait concouru pour le championnat, elle ne s'était pas sentie aussi mal en point. En combat, l'adrénaline, la fierté de la victoire magnifiaient sa souffrance. Cette fois, l'impression d'être une victime lui donne plutôt le senti-ment d'être souillée. Son sexe n'est plus seulement le lieu de tous les délices. Carolina prend conscience que cet utérus, dont elle ne percevait l'existence que faiblement pendant quelques jours au cours du mois, la rend aujourd'hui vulnérable. Elle comprend qu'elle ne pourra plus jamais vivre aussi légèrement qu'avant, avec autant de gourmandise et d'insouciance. Le poids de la fatalité pèse sur sa poitrine à l'en étouffer.

Elle n'a plus de larmes. Elle sort de la baignoire, se sèche, installe une épaisse protection pour la nuit et enfile un pyjama douillet. Celui qu'elle porte l'hiver lorsqu'elle a la grippe. Elle avale deux comprimés d'analgésique. Au chaud sous le duvet, elle se pelotonne en étreignant un oreiller. Si seulement le sommeil pouvait l'anesthésier pour les prochaines vingt-quatre heures…

Anya feuillette le tabloïd tout en se dirigeant vers un banc du parc. Elle n'achète jamais les journaux, mais la photo de la jeune fille assassinée a aussitôt attiré son attention. Elle examine le visage de l'adolescente. Elle paraît plus âgée que ses quinze ans. N'était le dessin de sa bouche enfantine, on lui donnerait bien dix-sept ou dix-huit ans. Elle est grande. On devine un corps voluptueux malgré les plis et l'ampleur des vêtements traditionnels qui tentent de masquer les courbes. La pose, au pied d'un escalier dans l'arrière d'une cour, est légèrement guindée. Elle ne souhaite pas être dans l'œil de l'objectif, son regard sur le photographe la trahit. Il passe dans ses yeux une ombre qu'Anya connaît trop bien. Un mélange de révolte et de terreur. Cette fille souffre tant qu'elle ne peut qu'esquisser un sourire faux. La légende sous l'image indique que la photo a été prise le jour de ses quinze ans.

Anya ne doute plus à présent de son intuition lorsqu'elle a aperçu la une du tabloïd. Cette jeune fille est bien celle qu'elle a vue, au cours de l'été, nager au même rythme qu'elle dans le couloir des longueurs. Elle a admiré son style impeccable, la puissance de son crawl. Elle l'a revue de temps en temps au vestiaire. L'adolescente a un jour croisé ses yeux, alors qu'Anya se défaisait de son maillot trempé. Pour Anya, la nudité ne provoque, bien sûr, aucun élan de pudeur. Mais la jeune fille avait vite baissé les yeux, embarrassée. Cela l'avait fait sourire intérieurement. Puis elle s'était sentie vieille tout à coup. De son innocence, de son ingénuité, il ne restait plus rien, à peine un vague souvenir profondément enfoui sous d'épaisses strates de violence et d'obscénité.

Anya se lève et marche vers la poubelle pour y jeter le journal. Elle inspire lentement, tentant de calmer les battements de son cœur. Depuis sa fuite, l'anxiété ne la quitte pas. L'angoisse, ce nœud dans son thorax sont si familiers. La sensation ne l'a jamais vraiment lâchée depuis ses onze ans. Elle contemple le jeu de la lumière éclatante sur le jaune vif des feuilles de l'arbre qui lui fait face. Quelle splendeur l'automne revêt dans ce pays! Comme elle aimerait y vivre paisiblement. Pourrait-elle ici reconstruire sa vie mutilée? Combien de temps pourra-t-elle encore se plier aux exigences du gérant du bar et encaisser la perversité des clients sans retomber dans la drogue?

Anya regarde de nouveau la photo de la jeune victime avant de se débarrasser du journal. Elle se souvient d'une des dernières fois où elle l'a vue. Elle traversait la rue, alors que celle-ci courait, souriante, légère, sa magnifique chevelure sombre tombait librement sur ses épaules. Moulée dans un jeans et un corsage échancré, elle s'était engouffrée dans la voiture d'un jeune homme qui l'avait regardée en riant. Il l'avait embrassée et avait vite démarré. Dans l'article, le journaliste affirme que sa mort n'est peut-être pas un suicide. On mentionne que la police fait un appel à témoins. Aucune hypothèse n'est écartée. Elle pourrait être la victime d'un crime d'honneur. Ce pourrait être l'œuvre d'un prédateur qui l'aurait séduite. Anya a la certitude, elle, que ce beau jeune homme dans la voiture y est pour quelque chose. Impossible, toutefois, de s'en mêler. La police n'a qu'à faire son travail. Elle rentre chez elle. Ce soir, une nouvelle nuit de périls l'attend.

12

Tanguay et Ling montent en voiture, silencieux, perdus dans leurs réflexions. Ils se tournent l'un vers l'autre et parlent en même temps.

— Qu'est-ce que tu en penses? disent-ils, avant d'éclater de rire.

— À toi d'abord, reprend Tanguay, alors que Ling démarre.

— Je résume? Le bibliothécaire affirme avoir vu Noor au début de septembre, un samedi, en mi-journée, sortir du centre de loisirs alors qu'il quittait lui-même la bibliothèque. Elle n'était pas couverte de son hijab. Ses longs cheveux noirs pendaient dans son dos, détachés. Elle portait un jeans moulant et un pull léger. Elle souriait en montant à l'avant d'une voiture stationnée dans la rue, près de l'entrée du parc.

— Cela confirme la rumeur et, surtout, les soupçons de Léa, qui croyait que Noor voyait quelqu'un en secret. Il s'agissait vraisemblablement d'un adulte qui lui donnait de l'argent pour s'acheter des vêtements et un téléphone prépayé pour s'assurer de la joindre facilement. Dommage que ce gars ne l'ait pas vu de plus près et qu'il n'ait même pas remarqué la marque de la voiture.

— Cela nous donne quand même une piste. On pourra interroger le voisinage. Vérifier si d'autres l'ont vue monter dans cette voiture grise conduite par un homme brun. Il faut aussi que l'on en apprenne plus sur cet Atif et sur ses fréquentations à la mosquée. Selon plusieurs témoins, il tournait autour d'elle. Il est clair qu'au centre de loisirs il n'est pas très apprécié. Un fauteur de troubles, un intégriste qui tente d'embrigader les jeunes musulmans qui traînent dans les salles de jeux.

— Et si Léa dit vrai lorsqu'elle affirme qu'Atif était amoureux de son amie, qu'il la suivait partout même si Noor le repoussait constamment? Il a pu devenir jaloux et vouloir se venger quand il a découvert qu'elle fréquentait un homme.

— Et tu te souviens, Fortier nous a rapporté qu'il avait eu des propos méprisants sur sa façon de s'habiller. S'il est aussi fanatique que les gens le disent, il a pu vouloir la punir de salir l'honneur de la communauté.

— On va discuter de tout ça avec Morel et Fortier. Tiens, justement, j'ai un message de lui, constate Tanguay en vérifiant son téléphone. Wow! Ça y est, on en a fini de travailler sans savoir sur quel pied danser. Paul me confirme qu'on va traiter l'affaire comme une mort suspecte. Le rapport de toxico atteste la présence d'hydrate de chloral. C'est un sédatif, de la famille des hypnotiques. Paul dit qu'il se présente sous forme liquide, comme un sirop. Il suggère qu'on a pu le lui administrer dans une boisson sans qu'elle s'en rende compte. Morel veut qu'on se réunisse tous au Q.G. pour faire le point et décider d'une stratégie. On a juste le temps de s'arrêter chercher de quoi bouffer.

Au quartier général, la longue table est jonchée des restes du repas que chacun a apporté. Emballages plastiques, croûtes de pizzas, barquettes de nouilles chinoises côtoient les tablettes électroniques et les téléphones portables. Les membres de l'équipe Morel argumentent autour des traces de sang retrouvées sur le montant de la barre du garde-fou. Chacun y va de sa théorie. Noor s'y serait peut-être agrippée. Il n'y a toutefois aucun indice qui atteste la présence de l'assassin. La surface du tremplin ne permet pas de discerner d'empreintes de pieds, le résultat des tests n'est qu'un brouillamini des centaines de pas qui ont souillé la planche.

Morel laisse les voix s'élever sans intervenir. Elles couvrent celles, à l'autre bout de la pièce, des gars de l'inspecteur Jasmin. Paul tente de faire le vide malgré le bruit ambiant. Il revoit le corps de l'adolescente dans la position rebutante du pendu. Une fille de quinze ans dont les seins, les hanches étaient déjà ceux d'une femme. Qui s'est arrogé le pouvoir de lui voler sa vie? Le jeune Atif, l'amoureux éconduit? Son père qui croyait posséder tous les droits sur son destin? Ou cet inconnu qu'elle a aimé? Qui l'a séduite, elle, la jeune fille sage, au point de la pousser à briser les pires interdits? Il sait qu'ils doivent tout revoir depuis le début. Réinterroger tout le monde. L'homicide justifie à présent leur enquête. Farid Khan ne pourra plus se dérober, ni s'enfuir au Pakistan.

Morel revoit les lèvres crispées de Khan lorsque, dans la matinée, il lui a annoncé le verdict du médecin légiste. L'islam réprouve le suicide. La honte est-elle moins grande si son enfant a été assassiné? Cet homme est une énigme. Il maîtrise à ce point ses émotions que son visage en devient vide. Il a insisté pour savoir exactement comment elle avait été tuée. Et a exigé de voir le corps de sa fille. Impossible de savoir s'il cachait quoi que ce soit, ni d'où émanait la fureur dans son regard. La mère, elle, a hurlé et s'est enfermée dans la salle de bain. Fortier et l'interprète n'ont pas réussi à la faire sortir. L'inspecteur a interdit à Farid Khan de quitter le pays. Il n'a bien sûr pas parlé de la perquisition dont le mandat leur sera délivré vers la fin de la journée. Ni de l'interrogatoire en règle qui suivra.

Dans d'autres circonstances, il montre plus de compassion pour les parents d'une victime, quels que soient les soupçons dont ils peuvent faire l'objet. Mais l'antipathie presque physique qu'il ressent pour cet homme le cantonne dans le rôle du flic sans état d'âme. Ce n'est pas tant que Khan soit musulman. Il serait hindou ou chrétien créationniste que son sentiment serait le même. Il s'est toujours méfié des fanatiques, des gens qui s'érigent en censeurs.

Il observe ses collègues. Fortier n'a eu aucune difficulté à se faire la complice de Tanguay et de Ling. En consultant son dossier, il a découvert qu'elle avait fait des études en sciences sociales et juridiques avant d'entrer dans la police. Divorcée, avec deux enfants à charge à trente-six ans, il imagine la masse de travail et de discipline qu'a exigée d'elle son passage au grade de détective. Elle possède une calme assurance, la maturité d'une femme lucide. Elle a travaillé trois ans à la Division des agressions sexuelles du SPVM. Il la sent capable, dans des circonstances extrêmes, de regarder le mal droit dans les yeux. Il sourit intérieurement devant la passion que met Ling dans tout ce qu'elle entreprend. Elle dispute âprement son point de vue avec Tanguay, qui la traite en égale. Le grand garçon, si timide et empêtré dans son corps à son arrivée dans son service, fait montre à présent d'une belle aisance dans ce milieu encore méfiant envers les intellectuels. Il s'est acquis le respect de tous, même celui de Gérard Mercier. L'inspecteur-chef vient d'ailleurs de leur octroyer des ressources supplémentaires. Il veut que l'enquête mène vite à l'arrestation du «meurtrier de la piscine», comme les médias l'ont baptisé. Les réseaux sociaux, les blogues, en plus des journaux traditionnels, se sont emparés de l'affaire. Toutes les théories circulent. Les allégations de toutes sortes font monter l'islamophobie, surtout depuis la révélation des complots d'attentats en sol canadien par des terroristes liés à al-Qaïda. Les paisibles Québécois ne sont pas aussi tolérants qu'ils veulent bien le croire. Les propos haineux, le racisme, la virulence de certains commentaires xénophobes logent à la même enseigne. Les discours des croyants fanatiques jettent leur fiel en s'attaquant à la victime et en prédisant les pires supplices à celles qui se dévoieraient comme elle. Les réseaux sociaux sont devenus une arène où l'ignominieux fait loi.

Certains affirment que Noor se prostituait, qu'elle avait été recrutée par les Crips. D'autres, que l'assassin a lavé l'honneur en souillant de son sang l'eau dans laquelle elle se baignait nue, la nuit, devant des hommes. Tous les fantasmes y passent. Le 2.0-poubelle a remplacé les tribunes téléphoniques des radios poubelles. Les efforts de la police pour garder certains éléments du meurtre hors d'atteinte des médias se sont avérés vains. L'employé d'entretien qui a découvert le cadavre a décrit ce qu'il a vu, incapable de résister à l'attrait de faire la première page des tabloïds. Les enquêteurs ont tout de même réussi à garder secrets quelques indices et, surtout, ils n'ont révélé à personne la grossesse de la victime, pas même aux parents. Morel tient à garder cet élément comme un joker sur lequel il pourra miser le moment venu.

— OK, tout le monde. Si on laissait aux spécialistes scientifiques le soin de faire parler le peu d'indices que l'on a? Wendy Connolly va nous proposer ses conclusions la semaine prochaine. D'ici là, je veux que l'on revoie tout en détail à partir du début. Josée, penses-tu pouvoir tirer un peu plus d'information de la petite Léa? On doit en apprendre plus sur ses fréquentations avec le jeune membre des Crips qui tentait de la recruter, Kévin Bassin. À présent, la direction de l'école va pouvoir nous donner accès à tous les dossiers des élèves susceptibles d'être interrogés. Vérifie s'il existe d'autres informations sur Noor que nous n'avons pas déjà. Il nous faut aussi le dossier de Léa et celui de Kévin, qui, semble-t-il, fréquentait la même école auparavant. Mercier m'a confirmé que nous aurions toute l'aide nécessaire. On a un nouveau budget. Tu peux t'adjoindre deux intervenants qui connaissent bien le quartier. On a besoin de gens que les ados connaissent bien et qui les fassent parler. Ils en savent sûrement plus sur Noor que ce qu'ils nous en ont dit. À travers toutes les calomnies qui s'écrivent sur les réseaux sociaux, il y a peut-être deux, trois trucs de vrais qu'il faut repérer. Ling, je sais que c'est fastidieux, mais tu es la meilleure pour démêler tout ça. En principe, la perquisition chez les Khan devrait se faire ce soir. Je m'en occupe avec Losier. Il devrait être de retour d'Ottawa. Je vais cuisiner le père avec lui. J'espère que Losier en saura un peu plus sur les activités et le passé de cet homme. Tanguay, tu enquêtes sur Atif Hashmi. La mosquée qu'il fréquente et l'imam intégriste qui y prêche. Quand tu en sauras un peu plus, on le fait venir au 33 pour l'interroger officiellement.

— Je demande aussi son dossier à l'école?

— Bon point.

— Nous pourrions faire équipe, nous serons sur le même terrain, suggère Fortier en désignant Tanguay. Paul? Tu vas également interroger la mère? dit-elle en se tournant vers Morel.

— Je sais que tu as déjà établi un lien de confiance avec elle, hésite l'inspecteur, mais j'opte pour jouer le chaud et le froid avec elle. Tu pourrais prendre le relais plus tard. Je veux voir comment elle réagira devant Losier et moi.

La détective se contente de pincer les lèvres. Morel voit bien qu'elle n'est pas d'accord, seulement c'est lui qui mène l'enquête, et Fortier le sait.

— Parfait. Et puis, reprend l'inspecteur en esquissant un petit sourire, j'ai parlé avec Cabrini. Elle se remet d'un sale virus. Elle dit qu'elle sera à pied d'œuvre lundi matin. Elle ne sera pas de trop avec tout ce qu'on a comme boulot! Elle a ses sources du côté des gangs de rue du temps qu'elle était au crime organisé. Je vais la mettre sur cette piste. Et aussi, il faut que l'on corrobore le témoignage du bibliothécaire sur cet inconnu à la voiture grise. On ne peut pas se contenter de sa seule parole. Il est possible que cet homme soit venu attendre Noor régulièrement à cet endroit. Quelqu'un a pu le remarquer. Bien! J'ai oublié quelque chose? conclut Morel en claquant de deux mains sur la table.

Chacun le regarde en silence. Déjà les rouages des tâches à accomplir tournent dans leur tête. L'étendue des possibles est immense, et aucune piste ne semble s'imposer.

Debout devant la fenêtre de son bureau, Morel observe les rebuts poussés par le vent, qui roulent sur l'asphalte du terrain de stationnement. Il vient de relire le premier témoignage de Farid Khan. Il dit avoir cherché sa fille au hasard dans les rues du quartier et dans le parc, le soir de sa disparition. C'est l'alibi le plus nul que Morel ait entendu. Cet homme intelligent aurait trouvé mieux s'il avait décidé de laver son honneur en maquillant son meurtre en suicide. Et sa pruderie lui aurait interdit d'exposer sa fille à demi nue aux yeux de tous. À moins que sa colère ne l'ait emporté et qu'il ne mente. Qu'il ne soit arrivé avant la fermeture de la piscine et ne l'ait surprise en train de nager, ou dans le vestiaire. Il a pu perdre son sang-froid. Attendre pour la confronter que baigneurs et moniteurs soient partis. Mais cela aurait donné le temps à Noor de se changer. Elle attendait quelqu'un. Le contenu de son sac à dos et le texto le laissent croire.

Morel se rassoit. Non, ça ne colle pas! Il cherche les témoignages des moniteurs. C'est en fait une femme qui donnait, ce soir-là, le cours d'aquaforme. En plus de ses élèves, il n'y avait, selon ses dires, qu'une jeune Asiatique d'une vingtaine d'années qui nage souvent dans le couloir réservé aux longueurs. Comme à l'habitude, la monitrice a fait la tournée des vestiaires, des douches et des toilettes avant la fermeture. Elle n'a vu personne d'autre. Cela signifierait que Noor, bien que sur les lieux, attendant son départ, ne serait allée nager qu'après la fermeture de la piscine. Sinon, comment serait-elle entrée? Il leur faut vérifier qui possède les clés de l'établissement. Et si l'un des détenteurs des clés avait transporté Noor inconsciente beaucoup plus tard sur les lieux? Là encore, Morel se dit que ça ne tient pas. Le sac à dos sur le banc de la piscine avec tous ses biens. Qui d'autre qu'elle aurait eu une raison de l'y déposer? Il leur faut également interroger tous ces gens inscrits au cours d'aquaforme et cette nageuse solitaire qui faisait des longueurs. Morel s'ébroue. Plutôt que de bâtir des hypothèses bancales, il doit se concentrer sur le prochain interrogatoire de Khan. Son téléphone sonne.

— Paul, c'est Losier. Je suis en bas. À quelle heure déjà, la perquisition?

— Dans un peu moins d'une heure, répond-il en regardant sa montre. On m'apporte le mandat.

— Je n'ai pas mangé depuis ce matin. Je t'attends au Café République? Je vais te faire un topo de ce que j'ai trouvé.

— Vas-y, je t'y rejoins.

Morel pousse la porte du café et repère Losier au premier coup d'œil, parmi la quinzaine de clients disparates, étudiants de l'université toute proche, employés de la tour du complexe Desjardins et badauds du centre-ville. Assis tout au fond de la salle, le lieutenant-détective, ex-enquêteur à la GRC, a conservé sa posture militaire facilement détectable pour qui sait bien observer. Il est grand et costaud, originaire d'Acadie, issu d'une longue lignée de pêcheurs de homards. Depuis son intégration dans l'équipe de Morel, il a légèrement adouci son allure stricte de gendarme. Ses cheveux châtain clair sont plus longs. Il se permet de ne pas toujours porter la cravate, troque parfois la chemise pour le pull sous des costumes à la coupe impeccable. Losier avale une bouchée de son sandwich et le salue de la tête alors que Paul s'assoit en face de lui.

— Désolé d'avoir raté la réunion. Mais ça en valait la peine. J'ai pu obtenir de nouveaux éléments sur notre ami Khan. Il est sous le radar du SCRS depuis son arrivée au pays. Ils n'ont rien de précis contre lui, quoique, en France, il avait des fréquentations qui ont éveillé l'attention de la DCRI[9]. Il priait avec des radicaux rattachés à des mosquées déjà dans leur mire. Avec tous les attentats de ces dernières années, et l'affaire Merah à Toulouse, le renseignement français reste à l'affût de ce qu'ils appellent «les signaux faibles» de la mouvance salafiste et des Frères musulmans.

— Il serait lié à des groupes terroristes?

— Non, rien d'aussi clair. Mais c'est un ultrareligieux. Depuis son arrivée au Canada, il milite pour l'implantation de tribunaux islamiques basés sur la charia. Il fait partie de ceux qui n'acceptent pas la défaite depuis l'adoption de la loi qui interdit le recours aux tribunaux religieux dans les litiges familiaux.

— Mais ça s'est passé en Ontario, si je me souviens bien. La loi a été adoptée après avoir déclenché toute une polémique, un vrai scandale! Les groupes féministes étaient montés au créneau, jusqu'à la femme de l'ancien premier ministre. Au Québec, de toute façon, notre système

9. Direction centrale du renseignement intérieur.

juridique est différent, le recours aux tribunaux religieux ne passerait pas.

— Je sais. Seulement, je serais étonné que Khan comprenne ces subtilités. On l'a vu participer à des rencontres qui réunissaient des représentants de groupes religieux très conservateurs – catholiques, mennonites, juifs, témoins de Jéhovah. Ses nombreux déplacements laissent croire qu'il se prépare quelque chose au sein de sa compagnie. Il est en relations constantes avec des gens d'affaires musulmans à Toronto. Je ne serais pas surpris qu'il cherche à y installer de nouveaux bureaux ou même qu'il y déplace le siège social de la société de l'oncle de sa femme. La communauté pakistanaise est beaucoup plus prospère et bien plus puissante à Mississauga, en banlieue de Toronto. Et ce gars-là n'est pas qu'un simple commerçant. Il a un cheminement particulier. Avant d'épouser Maira Khan et de se retrouver directeur d'une des filiales d'import-export...

— Comment cela ? Elle se nommait Khan, elle aussi ?

— Mais oui ! C'est un nom très courant chez les Pachtounes. Il avait déjà trente-deux ans lorsqu'on lui a donné en mariage une adolescente de dix-sept ans ! Va savoir quelles tractations financières il y avait derrière cette union. Et le meilleur, dans toute cette histoire, c'est ma source de ce matin qui me l'a fourni ! Farid Khan a servi dans l'armée pakistanaise. Et devine où ? Dans l'ISI, l'Inter-Services Intelligence ! On dit que cette organisation est aussi puissante, sinon plus, que le gouvernement. Une sorte d'État dans l'État. Au Pakistan, le nom seul en terrifie beaucoup. Khan est un ancien soldat originaire des zones tribales à la frontière de l'Afghanistan. Une région que le gouvernement pakistanais ne contrôle pas vraiment. Ce coin-là est une vraie poudrière et le lieu de tous les trafics : armes, drogues. Ils sont contrebandiers depuis la fin du XIXe siècle en réaction à l'occupation britannique. Ces gars-là, mon vieux, sont des montagnards, des guerriers depuis des millénaires.

— Il trafique avec les talibans, tu crois ?

— Non. Au contraire. La majorité des Pachtounes refusent autant la dictature des talibans que l'ingérence des Américains. Ils veulent rester maîtres de leur territoire. Ils ont combattu la Russie des tsars, puis l'occupation britannique, ensuite ç'a été le tour des Soviétiques et maintenant les Américains. Pour eux, la frontière entre le Pakistan et l'Afghanistan est une invention des Occidentaux. Farid Etwar Khan n'est pas un homme ordinaire, rien à voir avec le banal propriétaire du dépanneur de Parc-Ex.

— Merde! Losier, on est dans une foutue galère, là!

13

Tanguay feuillette l'épais dossier d'Atif Hashmi. Il sirote le double espresso que lui a offert le cafetier. À lui seul, ce dernier rassemble tous les stéréotypes du tenancier italien : rond, jovial, bavard. Seul client en cette fin d'après-midi, tout en dégustant une assiette de charcuterie et de bruschetta, Tanguay s'est laissé accaparer par le récit des transformations de la Petite Italie depuis les années 1960. Alfredo Spadzi va bientôt célébrer les cinquante ans de l'ouverture de son *caffè*. À soixante-treize ans, il dit être fier de servir l'un des meilleurs cafés de Montréal. De l'authentique italien. Rien à voir avec ces nouvelles saveurs bâtardes à la mode !

Deux habitués sont ensuite entrés pour leur partie de dominos quotidienne avec le patron. Tanguay a pu alors se plonger dans les dossiers de Léa, Kévin et Atif. La directrice, bien que ce soit samedi, l'attendait à l'école pour lui en remettre des copies. Il a pris rendez-vous avec elle et la travailleuse sociale pour lundi matin. En matinée, Fortier s'était excusée. Elle était coincée à la clinique médicale. Dix points de suture sur la jambe de son fils, tombé de vélo. Les aléas d'une mère monoparentale. Stéphane l'a rassurée. Ils se verraient lundi. Lui pouvait très bien se charger d'aller chercher les dossiers. À la façon dont Josée parle de ses enfants, il a deviné que le père ne fait plus partie du quotidien, pas même sporadiquement. Il pense à sa sœur Maude, divorcée depuis peu, qui jongle tous les jours avec le boulot, la garderie et les tâches domestiques, et surtout son ex, qui trouve trop souvent un prétexte pour se défiler de son tour de garde de leurs jumelles de cinq ans.

Le patriarcat perdure. Les prérogatives que se donnent les hommes sans même y réfléchir règlent encore les mœurs. Le changement des mentalités est encore bien fragile. Pourquoi cet adolescent, Atif, pourtant né ici, a-t-il choisi la voie de l'intégrisme radical? Il a grandi dans le même environnement que beaucoup de jeunes musulmans, suivi les mêmes cours. La plupart de ces jeunes gens s'approprient en grande partie les valeurs occidentales de l'Amérique du Nord. Cependant, Atif accumule les échecs scolaires. Est-ce que cela explique ses difficultés d'intégration? Le criminologue voit là tout un champ d'analyse. Les exemples ne manquent pas. Combien de jeunes hommes, pourtant citoyens de cet Occident tant convoité par les populations asservies ailleurs sur la planète, ont dévié vers la violence, le fanatisme? Atif est-il un de ceux-là? Est-il passé à l'acte pour affirmer la suprématie de ses croyances? Son djihad personnel? Pour Noor, il était invisible.

Tanguay sait combien cela peut être douloureux d'être ignoré. Carolina, pendant deux ans, ne l'a jamais regardé que comme un collègue, au mieux un gentil camarade. Se défaire de l'emprise de cette fascination qu'il avait pour elle a été un combat de tous les jours. Il se croit immunisé à présent. De fait, son sentiment pour elle s'est épuisé, usé à force d'être négligé. Ce nouvel état lui permet peut-être de laisser jouer l'attirance qu'exerce sur lui Josée Fortier. Elle a bien quelques années de plus que lui, mais ce détail n'a pas d'importance à ses yeux. L'important, c'est ce qu'elle ressent, elle. Pas question de se laisser aller encore une fois à rêver d'une femme inaccessible. Il l'a surprise plusieurs fois à l'observer, l'air de rien. Il a si peu l'habitude d'être un sujet de convoitise qu'il ne sait pas trop comment interpréter ces regards et cette gentillesse. C'est elle qui a proposé qu'ils fassent équipe. Tanguay se secoue et repousse ses idées romanesques. «Arrête de te faire tout un cinéma!» Il se lève et va vers le comptoir pour régler l'addition. «Tout de même, soupire-t-il, encore un samedi soir tout seul!»

14

Dès qu'elle sort du havre de sécurité que lui offre le bus de nuit, Anya serre dans son poing sa petite bombe de laque pour cheveux. Dans des rues la plupart du temps désertes, elle a un trajet d'une quinzaine de minutes à faire, de l'arrêt à chez elle. Rester aux aguets, pour elle, est une deuxième nature. Elle pratique depuis son adolescence cette conscience précise de son environnement. Sa vision périphérique scrute tout mouvement qui surviendrait en chemin. Parfois, la silhouette sombre de quatre ou cinq jeunes hommes se profile à un carrefour. Ils tournent autour d'une grosse cylindrée. Des revendeurs qui s'approvisionnent. Le marché de l'héroïne, du crack est florissant dans le quartier. Elle reconnaît les gestes, les manières – les mêmes sur toute la planète, du fond de la Sibérie à cette enclave d'Amérique marquée par la pauvreté. Ici le dénuement n'a rien à voir avec la misère crasseuse des rues de Krasnoïarsk où elle a traîné en quête d'une dose ou d'un client, mais ces immigrants peu scolarisés se butent au chômage et aux fins de mois difficiles. Elle s'est renseignée. Sans permis de travail, il n'y a que des emplois d'esclaves sous-payés dans les usines clandestines et dans la restauration ou, pire, comme domestiques. Danser nue lui permet de gagner le triple de ce qu'on lui offrirait. La prostitution, évidemment, lui donnerait encore beaucoup plus. Elle sait que c'est ce qui la guette.

Le gérant du club lui tourne autour. «Une fille aussi belle!» Il lui parle de clients fortunés. Le métier d'escorte, dit-il, lui rapporterait «un max». Il devient chaque jour plus pressant. De la masturbation, il veut passer à la fellation.

Elle lui a menti, a parlé d'un herpès buccal. Elle a songé à quitter le club, le Québec, mais l'une des danseuses qui connaît bien Toronto l'en a dissuadée. Là-bas, le monde de la «gaffe» est encore plus dur. Alors elle se défile. Discute le moins possible avec lui, ignore ses sous-entendus. L'exotisme de sa beauté et son talent de danseuse l'ont épargnée jusqu'à maintenant. Elle est devenue populaire auprès des clients. Cette soudaine célébrité a aussi des revers. Ce soir, le gérant l'a exhibée. Il lui a ordonné de danser pour un groupe restreint d'hommes réunis dans l'arrière-salle. Un grand et gros homme noir, aux allures de chef de gang, accompagné de ses hommes de main, et trois Turcs. Des Kurdes, plus précisément. Elle sait reconnaître la différence, car la mafia kurde possédait son propre territoire à Krasnoïarsk. Elle a dansé sans s'abandonner à la transe de la musique. Tous ses sens aux aguets, elle a réussi à maîtriser la terreur qui s'immisçait en elle. L'éclair dans les yeux du caïd kurde, posés sur elle, lui a rappelé la lueur qui brillait dans le regard de prédateur de son beau-père quand il lui signalait qu'il lui rendrait visite au cours de la nuit.

15

Morel observe discrètement Cabrini tout en téléchargeant sur le grand écran les photos de l'organigramme de l'enquête Noor Khan – les images de la victime prises sur la scène de crime, les portraits des suspects potentiels et ceux des témoins. La réunion de bilan prévue en soirée se fera dans un décor macabre. Assise à sa table de travail, la tête penchée sur sa tablette électronique, la détective est complètement absorbée par la lecture des derniers éléments de l'enquête. Machinalement, son index et son majeur enfouis dans ses boucles brunes tournent inlassablement une mèche. Paul l'a souvent vue faire ce geste. Mais aujourd'hui elle a un air las qu'il ne lui connaît pas. Son visage, habituellement si lumineux, porte les marques de mauvaises nuits. Des cernes gonflent ses yeux. Il sait par Geneviève qu'elle a passé ses vacances avec Patrice, son baroudeur de frère. Cette liaison ne lui a pas plu. Il a beau se répéter que la vie privée de Cabrini ne le regarde pas, il ne peut s'empêcher de se faire du souci. Carolina n'est pas juste un membre de son équipe. Il la voit comme une amie, parfois trop téméraire, sur laquelle il faut veiller et, s'il est vraiment honnête, une jeune femme qu'il pourrait désirer si Geneviève n'était pas revenue dans sa vie. L'année dernière, pendant l'affaire Sirois, il s'est permis quelques scènes libertines sur l'écran de son cinéma intérieur. Son sens de l'éthique l'a tout de même retenu de franchir les limites du réel. La tentation était là, constante. Il ne pouvait rester insensible aux signaux que Carolina lui envoyait. Il s'inquiète donc pour elle, ne veut pas qu'elle soit malheureuse. Pourtant, égoïstement, il est soulagé que le reporter soit retourné couvrir les suites du printemps arabe au Maghreb.

Ils ne sont que tous les deux dans la salle de l'unité des crimes majeurs. Les détectives regroupés sous la direction de l'inspecteur Jasmin travaillent sur un nouveau meurtre, en plus de ceux liés aux gangs de rue qui les ont tenus occupés tout l'été. La veille, le cadavre d'un homme entièrement nu, déjà en voie de décomposition, a été découvert dans un des fossés qui longent la voie ferrée et le parc Jarry. Un joggeur qui s'entraînait avec son chien a dû extirper des buissons l'animal qui humait des restes humains nauséabonds. Décidément, Parc-Extension a maintenant la cote du morbide.

De leur côté, Fortier et Tanguay rencontrent de nouveau sur le site de l'école tous ceux qui étaient en relation avec Noor : enseignants, élèves, professionnels et employés de soutien. Ils tentent de refaire la chronologie des derniers jours de la vie de l'adolescente. Il leur faut tout revoir en tenant compte qu'il s'agit d'un homicide. Quant à Losier, ayant enfilé sept jours de travail sans repos, il a pris congé aujourd'hui. Lui et Morel ont interrogé Farid Khan pendant plusieurs heures, mais rien de concret ne peut le lier à la mort de Noor. L'homme est resté imperturbable, calme et sûr de lui, à la limite de l'arrogance, ce qui a failli faire sortir Losier de ses gonds. De guerre lasse, ils se sont résolus à le laisser partir.

Les soupçons envers lui ne sont pas dissipés pour autant. Toutefois, la perquisition qu'ils ont menée n'a rien révélé. La chambre que l'adolescente partageait avec sa sœur cadette ne recèle aucun secret. Pas d'ordinateur qui aurait pu les orienter sur ses fréquentations, ses habitudes. Sur un étroit bureau, quelques livres : des romans pour adolescents et des bandes dessinées. Les effets scolaires, manuels, cahiers, tous soigneusement rangés en piles bien droites. Les deux lits à une place disposés en équerre sur un tapis de laine aux motifs typiquement indiens étaient tirés au cordeau. Des dessus-de-lit de cotonnade, bleu et blanc pour Noor, rose et blanc pour Zahra, agrémentés de coussins et de peluches. Au-dessus de chaque lit, un tapis mural tissé et brodé dans un foisonnement de couleurs. Une étagère couverte de babioles, de jeux et des colifichets à trois sous dans des paniers tressés. Une chambre de petites filles sages. Losier, qui a des nièces adolescentes, n'y reconnaît rien de l'univers des jeunes d'aujourd'hui. Il en a fait la réflexion à Morel, alors que les techniciens fouillaient les tiroirs et la penderie – des vêtements traditionnels en quantité, des *shalwar kamiz*, tuniques et pantalons aux couleurs chatoyantes. Les quelques jeans et t-shirts qu'ils y ont trouvés avaient triste mine au côté de ces habits aux riches tissus et nuances. Tout cela est logique. La famille Khan possède l'une des plus importantes sociétés d'importation de vêtements, de textiles et de linge de maison du sous-continent indien.

Morel s'étonne qu'ils vivent si chichement. Pourquoi s'être installés dans un quartier si pauvre? L'appartement de cinq pièces, au rez-de-chaussée d'un duplex, est typique des constructions de briques du quartier. De l'extérieur, rien ne le distingue des autres logements, les petits balcons de fer forgé peint en blanc se répétant en enfilade. Ce n'est qu'en posant les pieds dans le vestibule que l'on se sent projeté en terre indienne. L'ameublement, la décoration, l'odeur de curry, tout contribue à vous dépayser. Khan a aménagé une partie du sous-sol en bureau et en deuxième salon, avec des meubles en bois précieux recouverts de brocart. Ils ont tout inspecté. Toutefois, ils n'ont rien pu emporter des effets du bureau puisque leur mandat ne concernait pas la société d'importation. L'avocat, arrivé rapidement, s'en est assuré. Les deux policiers ne l'ont pas contredit. Ils ont commis une erreur. De toute manière, ils ne possèdent pas assez d'éléments pour justifier auprès du juge la fouille d'une société dont Farid Khan n'est pas le propriétaire. S'ils veulent examiner les finances de la famille de plus près, il leur faudra autre chose qu'une simple intuition de flics.

Carolina lève les yeux, sa lecture terminée, et croise le regard de Paul. Il esquisse un petit sourire complice. Elle se lève et le rejoint au fond de la pièce où est aménagée une longue table qui leur sert pour leur réunion et pour manger un casse-croûte quand les discussions se prolongent. Les cernes et les taches s'additionnent sur le plateau au gré des enquêtes laborieuses. Elle contemple un moment les visages affichés et constate qu'à l'exception des quatre femmes de l'école secondaire, tous les témoins portent les signes de la diversité de leurs origines.

— Alors? Tes premières impressions, Cabrini?

— Ce ne sont pas les suspects et les mobiles qui nous manquent, soupire-t-elle, son regard encore accroché aux portraits. Le père, évidemment, surtout avec ce passé militaire, sait sûrement comment ne pas laisser d'indices. Il doit aussi savoir manier une lame. Ce garçon, Kévin, aurait pu vouloir se venger, puisque Noor s'était opposée à sa relation avec Léa. Elle lui a fait rater une affaire lucrative et perdre le prestige que le recrutement d'une nouvelle fille lui aurait rapporté. Zar, l'amant inconnu, évidemment. Et Atif, l'amoureux transi, fanatique et misogyne. On a une belle brochette! Mais dis-moi, a-t-on découvert comment elle est entrée dans l'édifice?

— On a plusieurs théories. Elle se serait glissée parmi le groupe des participants au cours d'aquaforme. Ou pendant que la préposée à l'entrée était occupée ailleurs. Il n'y a pas de barrière, rien qui interdise l'accès. Les gens se contentent de montrer leur carte d'abonnement. À l'heure des bains libres en soirée, c'est encore plus flou. En fait, la sécurité est nulle dans ce vieil immeuble.

— Aucun signe d'effraction?

— Les techniciens de l'IJ ont vérifié les sorties de secours. En plus des trois entrées de tout l'édifice, il existe quatre portes que tu peux ouvrir de l'intérieur en cas d'incendie. De l'extérieur, elles sont inaccessibles, à moins de forcer l'acier du cadre avec une barre à clou.

— Mais tu peux sortir? Ça déclenche une alarme?

— En principe, oui. Quoique, selon le concierge, il y en a deux dont le filage est si sec que la sonnerie ne fonctionne plus. Donc il était possible de sortir bien après la fermeture sans que personne s'en rende compte.

— Et qui possède les clés des entrées?

— Qu'est-ce que tu crois? J'allais y venir! rétorque Morel en maugréant pour la forme. Ce sont des clés que l'on ne peut copier sans autorisation. Seuls la directrice, la préposée, le chef moniteur et l'homme de ménage en détiennent.

— Je ne crois pas qu'elle soit entrée au début du cours d'aquaforme. Cela l'aurait obligée à attendre toute la durée du cours pour aller nager ensuite. Ça ne colle pas.

— Je le pense aussi. La logique voudrait qu'elle se soit faufilée à l'intérieur juste avant la fermeture, en s'assurant que personne ne la voie. Si elle pensait fuguer avec Zar, il ne fallait pas qu'il y ait de témoins de sa fuite. Elle connaissait sûrement le passé de son père. Elle savait qu'il la chercherait et essaierait de suivre ses traces.

— Donc, imaginons. Elle adore nager. Après la fermeture, elle fait quelques longueurs en attendant Zar. Ils avaient peut-être convenu d'une heure précise. Ce n'est pas leur premier rendez-vous clandestin à la piscine. Ils connaissent le système défectueux de la sortie de secours. Elle peut donc lui ouvrir. Il n'a qu'à la prévenir de son arrivée au téléphone. Elle le fait entrer, et ils ont pour eux tout le centre de loisirs!

— Ton hypothèse implique qu'au cours de l'été elle serait sortie de chez elle durant la nuit, à l'insu de ses parents et, surtout, sans que sa petite sœur s'en rende compte. Elles partagent la même chambre! Mais la fenêtre donne sur une minuscule cour arrière. Et du premier étage, on peut facilement sauter… Ce serait très audacieux pour une jeune fille prétendument si sage!

— Sage? Je n'y crois pas du tout! Je crois qu'elle était plutôt très intelligente et assez rusée pour le faire croire. On continue? demande Cabrini, l'œil allumé par ce jeu qu'elle adore : construire un scénario autour des faits en se basant sur des pistes plausibles. Donc, d'après le rapport de Fortier, ils se seraient rencontrés au cours de l'été. Déduction faite à partir des relevés d'utilisation du téléphone. Début juillet. Ils flirtent. Elle est amoureuse. Peut-être qu'il l'est lui aussi? Tu sais quoi? S'ils se retrouvent à la piscine, c'est qu'ils aiment ce lieu. Je parierais que c'est là qu'ils se sont rencontrés. On a vérifié l'alibi des moniteurs, des sauveteurs?

— On les a interrogés, seulement c'était quand on suivait la théorie du suicide. Il nous faut revoir tout le monde sous un autre angle, maintenant. Je pensais te lancer sur la piste de Kévin et du gang des Crips, mais si tu veux te charger également de cette partie-là de l'enquête… Il faut aussi chercher à joindre les moniteurs-sauveteurs engagés au cours de l'été, des étudiants, pour la plupart, que l'on n'a pas encore rencontrés. De mon côté, je n'ai toujours pas pu interroger Maira Khan avec l'interprète. Hier soir, elle était en pleine crise. La femme médecin que nous avons fait venir pour l'examiner lui a prescrit des calmants. Elle affirme qu'elle est trop sous le choc pour être interrogée. L'annonce de l'homicide l'a complètement démolie.

— Peut-être qu'elle soupçonne son mari? Et qu'elle simule la crise pour ne pas avoir à l'accuser? Tu penses qu'elle va accepter de parler à un homme?

— C'est ce que je vais essayer de savoir. Tu crois que j'ai tort d'insister pour l'interroger moi-même? Bon Dieu! Sa fille a quand même été assassinée! Elle devrait comprendre!

— Ce que, moi, j'ai compris d'elle, c'est qu'elle vit cloîtrée. Elle ne connaît rien à nos règles. Je pense que plutôt que de la prendre de front, on pourrait commencer en douceur. Fortier a déjà discuté avec elle.

— C'est vrai. Elle a déjà établi un bon contact, mais… ça reste entre nous, Cabrini : Fortier n'a jamais traité d'homicide. C'est une bonne détective, je ne la critique pas, mais elle a l'habitude des victimes, pas des meurtriers.

— Alors laisse-moi faire l'interrogatoire avec elle. Je prendrai le mauvais rôle et Fortier celui de la travailleuse sociale. Et n'oublie pas une chose, Paul, cette femme est aussi une victime. On l'a forcée à épouser un homme qu'elle connaissait à peine et qui avait presque deux fois son âge. Elle n'acceptera jamais d'enlever son niqab devant toi. Avec nous, elle le fera peut-être.

Morel hésite. Il soupire et hoche la tête. Il est frustré de ne pouvoir gérer l'enquête comme il le voudrait : enfermer Farid Khan pendant vingt-quatre heures et le pousser dans ses retranchements. Il en a marre de mettre des gants blancs parce que les huiles de la direction craignent d'être accusés de profilage ethnique. Le vide dans la loi sur le port du voile et du niqab ne leur donne aucune prise. La règle du «cas par cas» fait en sorte qu'ils marchent sur le fil du peut-être bien que oui, peut-être bien que non! Le SPVM, en 2009, a déjà permis qu'une femme garde son niqab lors de prise de photo d'identité. Comment alors contraindre Maira Khan à enlever son voile alors qu'elle n'est formellement accusée de rien?

— D'accord. On va essayer ta méthode, lâche Morel à contrecœur, mais si elle ne coopère pas je l'accuse d'obstruction! Et c'est Losier et moi qui allons la faire parler!

— Eh! Qu'est-ce qui se passe? Tu n'as pas l'habitude d'être aussi intraitable!

— J'en ai jusque-là, rétorque Morel en soulignant son impatience d'un geste sans équivoque. J'ai rendez-vous dans une heure avec la haute direction. Je ne sais pas ce qui se manigance. Je déteste qu'on se mêle de mes enquêtes!

— Tu as raison de te méfier. Sois prudent. Gérard Mercier va vouloir protéger ses arrières. Si les choses tournaient mal, il pourrait te faire porter tout le blâme. C'est une bête politique, ce gars-là. Il n'aspire à rien de moins qu'au titre de chef du SPVM. Donc, pour la suite des choses, tu veux que je fasse jouer mes sources du côté des Crips?

— Tout ce qu'on a, c'est le vieux dossier scolaire de Kévin Bassin et quelques arrestations pour possession de marijuana. On le soupçonne de vendre de la drogue aux élèves, mais ça n'a pas encore été possible de le prouver. Il est habile. Il avait même de bonnes notes au début de son secondaire. Quel gâchis! Il va foutre sa vie en l'air pour de l'argent facile, le privilège de conduire une grosse bagnole et de porter des chaînes en or. Il peut aussi se retrouver dans une décharge, la tête éclatée. On a vérifié, il a un alibi pourri. Deux *brothers* du gang qui jureraient n'importe quoi pour lui.

— Et la petite Léa? Que raconte-t-elle sur lui?

— Fortier et Tanguay sont à pied d'œuvre à l'école aujourd'hui. On en saura plus ce soir.

— J'ai envie d'aller sur la scène de crime. Voir la configuration des lieux. Réinterroger les bibliothécaires, les employés du centre de loisirs, en plus de ceux de la piscine. Un nouvel angle peut parfois soulever des réponses différentes. Je pourrais aussi discuter avec mon ancien partenaire, Joël Panier, du poste 31. C'est un agent sociocommunautaire. Les Bloods et lui, c'est une vieille histoire. Ado, il a fricoté avec eux, puis il est passé de l'autre côté du miroir.

— Tu mènes ta barque comme tu le sens, Cabrini. On fera le point ce soir.

— Je suis contente d'être de retour dans l'équipe. Désolée de sauter dans le train en marche, je vais me rattraper, fait la détective d'un air assuré tout en se levant.

— Oh! Mais je n'en doute pas! Fais juste attention où tu mets les pieds, répond Morel en riant comme la jeune femme s'éloigne.

Alors qu'elle lui tourne le dos, il admire sa silhouette. Les hanches sont plus rondes, se dit-il, elle perd ses allures de garçon manqué.

Cela fait deux fois qu'elle fait le tour des petites rues adjacentes au centre de loisirs. Trouver à se garer est encore pire dans ce quartier que sur le chic Plateau-Mont-Royal, où c'est déjà un parcours du combattant! Finalement, une place se libère dans le minuscule stationnement qui jouxte l'entrée de la piscine. Quel contraste avec son propre quartier, la Petite Italie, pourtant voisine. La frontière de la voie ferrée est plus que symbolique. Elle enferme les immigrants comme dans un ghetto. Cabrini se rend compte qu'en fait, elle n'a jamais traversé cette démarcation. En sillonnant les rues, elle n'a croisé que des femmes portant le sari sous un léger manteau, ou vêtues d'un *shalwar kamiz* et d'un hijab. Aussi, quelques vieilles Grecques réfractaires au déménagement. Beaucoup d'hommes portant le turban sikh, ou le sarouel et la calotte des musulmans. Le Montréal cosmopolite, c'est bien ici! Elle a téléphoné à Joël Panier. L'accueil chaleureux, le rire dans la voix. Ils se sont donné rendez-vous dans une heure. Elle n'aura qu'à traverser le parc en diagonale, le poste étant de l'autre côté, sur Saint-Laurent.

La détective décide de faire d'abord le tour du bâtiment. L'entrée de la piscine au nord, à l'ouest, celle de la bibliothèque, au sud, le centre de loisirs avec ses cours de langues, ses salles de jeux et ses bureaux administratifs. Il y a en effet quatre sorties de secours donnant sur le stationnement à l'est et sur le mur aveugle à l'arrière de ce qui semble être le prolongement de la piscine. Des portes solides, en acier, sans poignée. Impossible de les ouvrir sans laisser de traces d'effraction. Son exploration la ramène devant la bibliothèque. Elle y accède au bout d'un hall couvert d'affiches annonçant les activités réservées aux enfants et les services aux familles immigrantes. Alors qu'elle franchit le seuil, une voix robotisée lui souhaite la bienvenue en espagnol, puis en français et dans un sabir qu'elle suppose être de l'hindi. Elle se dirige vers le comptoir derrière lequel une ronde quadragénaire enregistre les bandes dessinées que lui tend une fillette d'une dizaine d'années. Sa tête est couverte de dizaines de petites nattes. La gamine a le regard brillant et la peau de velours des enfants haïtiens. Cabrini se présente et tend sa carte d'identification.

— Je participe à l'enquête sur l'assassinat de Noor Khan, dit Cabrini une fois que la fillette s'est éloignée. Il nous faut réinterroger tous ceux qu'elle a côtoyés. Puis-je savoir si vous la connaissiez?

— Oui, bien sûr. J'ai lu ça dans les journaux! C'est terrible! Déjà l'idée d'un suicide nous bouleversait. Je la voyais toutes les semaines. Presque tous les jours, en fait, après l'école. Elle utilisait beaucoup les postes Internet, en plus de venir simplement pour lire, répond-elle, tout en lui indiquant la série d'ordinateurs tous occupés par des gens de tous âges – Africains ou Haïtiens, adolescents portant le foulard sikh, hommes arborant la calotte musulmane. Noor était aussi bénévole pour les ateliers d'aide à la lecture. C'était une jeune fille si dévouée…

— Elle devait aussi discuter avec des amis. L'avez-vous vue avec des personnes en particulier?

— Je l'ai dit à l'autre policière. Les garçons cherchaient à s'asseoir à côté d'elle. C'était une si jolie fille! Ils commentaient les sites qu'ils consultaient. Il fallait parfois leur demander de faire moins de bruit. Noor accompagnait aussi sa petite sœur. Et je la voyais souvent avec son amie Léa et d'autres élèves de la polyvalente. Mais je ne les connais pas tous par leur nom. Notre bibliothèque est récente et bien mieux dotée que celle de l'école. Beaucoup viennent ici. Vous pensez à un homme, je suppose? Quelqu'un qui l'aurait surveillée et suivie? Pourtant, nous sommes vigilants, vous savez, pour ce genre de choses. À cause des enfants qui circulent un peu partout. Il y a beaucoup de chômage dans le quartier, des hommes qui traînent sans rien à faire. Certains viennent passer du temps ici. L'été parce que nous avons la climatisation, et aussi l'hiver. Nous en surprenons parfois qui s'endorment dans un fauteuil, au fond derrière les allées, sans même un livre dans les mains. Que pouvons-nous faire? Les mettre dehors? Tant qu'ils ne font rien de mal.

— Vous n'avez donc rien remarqué de différent ces derniers temps?

— Le jour de sa mort, nous ne l'avons pas vue. La veille, elle nous avait remis tous les livres qu'elle avait empruntés, bien avant la date d'échéance. Je m'en souviens parce que je lui ai demandé si *Maïna* de Dominique Demers lui avait plu. C'est moi qui le lui avais conseillé. Elle m'a juste dit qu'elle avait aimé. J'ai été surprise parce que nous avions l'habitude de discuter plus longuement des livres que je lui proposais. Elle est partie rapidement.

Cabrini se dit que ce retour de livres conforte la thèse de la fugue: Noor ne voulait pas que s'accumulent les amendes pour des livres en retard. Elle jette un regard sur les rangées de livres et vers la sortie.

— Voici ma carte, si autre chose vous revenait. Vous permettez que je fasse le tour?

— Bien sûr.

La détective pénètre dans la section réservée aux enfants. Les fauteuils et les chaises adaptés à leur petite taille parsèment les allées. Ils sont une vingtaine, leur tête penchée sur la magie des images et des mots, silencieux ou chuchotant. Une classe, sûrement, et leur professeure. L'autre section, deux fois plus grande, est réservée aux adultes. Des dizaines d'étagères de livres en plusieurs langues, en plus du français et de l'anglais. Encore une fois, beaucoup d'hommes de diverses nationalités. Mais où sont donc les femmes? Cloîtrées dans leur cuisine? Carolina ne peut réprimer un élan de révolte. Quel univers les sépare! Elle, la femme flic, une arme à la hanche. Libre et puissante. L'épreuve qu'elle vient de vivre est tellement révélatrice. Le droit, le pouvoir qu'elle s'est donnés, sur son corps, sur sa vie. Noor revendiquait ce même pouvoir. Qui donc l'a trahie? Une bouffée de colère lui étreint la poitrine. Le ventre des femmes serait encore un frein, une embûche à leur affranchissement? Des millions d'entre elles subissaient le déni, sous couvert de religion, de culture.

Carolina repousse ces idées noires. «Fais ton boulot!» Elle quitte la salle, pressée de voir la piscine. Dehors, le vent s'est levé, a chassé les nuages. Une lumière de quartz qui n'appartient qu'à ce pays jette ses éclats sur les arbres du parc. On a envie de se gaver de ces couleurs d'automne, d'en faire provision pour la saison blanche. Cabrini inspire un grand coup. Elle se sait encore fragile, toutefois elle ne doute plus. La passion qu'elle ressent pour ce travail apaise son chagrin.

Elle pousse la porte qui donne sur un hall imprégné de l'odeur du chlore. À la réception, une jeune femme discute avec une mère couverte de la tête au pied d'un long vêtement de toile noire. Son voile descend si bas sur son front que l'on distingue à peine ses yeux. Deux fillettes se font la course autour d'elle. Cabrini s'avance vers elles, puis décide de les ignorer. Elle poursuit plutôt son chemin vers les doubles portes et remarque, sans réel étonnement, que malgré la tragédie de la semaine dernière, la sécurité n'a pas été améliorée. Des affiches indiquent la direction des vestiaires – femmes à droite, hommes à gauche. Un escalier mène à la piscine d'où montent les cris des enfants. Dans le couloir, une galerie vitrée offre une vue en plongée sur deux bassins. Un petit où les enfants s'époumonent et un autre qui ne fait pas plus de vingt-cinq mètres. À l'une des extrémités, l'armature qui soutenait le tremplin a été déboulonnée. Cabrini s'attarde un moment puis constate qu'elle n'apprendra rien de plus. Elle se dirige vers le vestiaire des femmes – une salle humide au plancher lézardé mais propre. Des cabines de douche, d'autres cabines pour se changer en toute discrétion, des toilettes et une rangée de casiers. Rien d'inhabituel. Dans le couloir qui la ramène vers le hall, une porte au fond attire son attention. Une sortie d'urgence avec sa barre déclencheur. Est-ce l'une de celles qui fonctionnent? Ou la muette? Cabrini fait le pari de pousser la barre. Pas un son. Elle se retrouve dehors, à l'arrière du bâtiment, à l'abri d'un muret de béton et des larges bacs des poubelles. Idéal pour se glisser dans l'édifice sans être vu. Elle fait de nouveau le tour de l'immeuble et y pénètre par l'entrée principale. Tout est calme, silencieux. Derrière une vitre à mi-hauteur d'un mur, une femme tape sur un clavier d'ordinateur. Le bureau de l'administration du centre. Cabrini vérifie l'heure à sa montre. Une vingtaine de minutes avant son rendez-vous. Juste le temps d'obtenir la liste de tous les employés, sans oublier ceux qui ont travaillé durant l'été.

Trop pressée, elle a repris sa voiture pour se rendre au poste 31. Il lui a fallu rencontrer la directrice du centre pour obtenir les coordonnées de tous leurs témoins potentiels. Encore des heures d'interrogatoire en perspective! Elle a prévenu Joël de son retard. Il lui a proposé de pique-niquer dans le parc. «Faut profiter de cette belle journée! Je m'occupe du lunch.» Ce gars-là, c'est quatre-vingt-dix kilos de muscles et de joie de vivre. Deux ans dans la même voiture de patrouille, le coéquipier idéal. Une mère québécoise et un père haïtien qui a vite pris la tangente. Joël a grandi sur l'asphalte des ruelles de Côte-des-Neiges.

Ses quelques années comme travailleur de rue avant de faire l'école de police ont enrichi son expérience de policier. De tous les hommes que Cabrini connaît, Joël est celui à qui elle confierait sa vie sans hésiter.

Tout en se garant, elle l'aperçoit, appuyé au dossier d'un banc de parc, ses longues jambes croisées nonchalamment. Son sourire brille jusque dans ses yeux. La beauté africaine dans toute sa magnificence. Un élan d'affection lui monte au cœur. Elle sait pourtant qu'il ne faut pas négliger de telles amitiés. La vie est décidément trop étroite. On pare toujours au plus pressé. Elle s'avance vers lui et il ouvre les bras pour la saisir et la soulever comme il en a l'habitude. Joël ne fait rien à moitié, ses embrassades sont aussi gigantesques que ses éclats de rire.

— Je devrais t'en vouloir. Lâcheuse!

— Je sais, dit-elle, l'air penaud, tout en posant un gros baiser sur sa joue. J'ai eu ton message, mais j'étais en Martinique. Le bébé et Natalie vont bien?

— Impec! On l'appelle petit Bouddha. Il est d'un calme. Nat s'inquiète même qu'il ne pleure pas assez.

— Ça compense pour sa sœur qui vous a fait vivre l'enfer. Toujours une vraie pile électrique, celle-là?

— Toujours. Elle est entrée en maternelle. Ça la tient occupée. On l'a inscrite en natation. Je pense qu'on a une candidate aux Jeux olympiques. Mais toi, raconte. J'ai une bonne heure avant de reprendre mon quart. Je suis passé chez les Portugais. Du poulet grillé et des frites, ça te va?

— Tu es le meilleur! Je suis affamée, répond Cabrini tout en se dirigeant vers une table de pique-nique sous un grand orme. Tu as toujours tes indics chez les Crips?

— Ouais. Sur quoi tu travailles au juste? Le cadavre retrouvé dans le fossé de la voie ferrée? demande Joël, tout en déballant les assiettes d'aluminium d'où monte une bonne odeur.

— Non. C'est l'équipe de Jasmin qui s'en charge, répond-elle en avalant une frite. Je suis de retour avec Morel. L'affaire de l'adolescente assassinée dans la piscine. Une enquête délicate avec tout ce que cela implique de *political correctness* et de pressions de la hiérarchie. On a plusieurs pistes dont un jeune gars, Kévin Bassin. Il vient d'entrer chez les Crips. On pense qu'il aurait pu vouloir se venger de Noor Khan. Elle a tout fait pour que sa meilleure copine, Léa, le jette comme un malpropre.

— Bassin? C'est aussi le nom d'un *hitman* des Crips, Jo Bassin, soupçonné d'un meurtre commis au tout début de l'été. Le cadavre d'un membre des Bloods découpé à la machette. Mais on n'a pu rien prouver pour le moment. On le surveille de près. On attend juste qu'il gaffe.

— Kévin est son petit frère. Il nous a donné l'alibi habituel des *bros*. Tu pourrais te renseigner sur lui?

— Bien sûr. J'ai lu vos notes internes. Pas d'indices. Bien maquillé en suicide. C'est du travail de pro, ça. Pas celui d'un ado incapable de même finir son cinquième secondaire.

— Je suis d'accord avec toi. Seulement, j'y vais par élimination. On a de plus gros poissons dans notre filet, mais ça va demander du doigté.

— Le père? Crime d'honneur?

— Entre autres. Il y a aussi un jeune intégriste qui avait des vues sur la gamine. Sans compter l'amant dont on ne sait strictement rien.

— Tu ne vas pas t'ennuyer! Et Morel? Il est à la hauteur de sa réputation?

— C'est un bon patron. Il te donne toute la latitude voulue, du moment que tu lui prouves que tu sais naviguer. Il est astucieux. C'est le style en finesse. Pas le genre Rambo comme Jasmin. Et toi? Toujours content de patrouiller?

— Toujours. Je sais que je pourrais passer détective, mais j'aime ça, la patrouille. J'aime être sur le terrain. C'est là que je suis bon. La paperasse qui vient avec les grades, ça n'est pas pour moi. Et en ce moment, on a besoin d'avoir l'œil. Ça ne va pas s'arrêter, la guerre des gangs. Je sens qu'il va y avoir de l'escalade, au contraire.

— Qu'est-ce qui te fait penser ça? demande Cabrini, curieuse d'en apprendre plus.

— De nouveaux joueurs qui tentent de pénétrer le marché de l'héroïne. Des Turcs. Je te le dis, on va avoir un automne chaud! dit Joël tout en rassemblant les restes de leur repas.

— C'est une première, ça. Ils viennent d'où?

— La rumeur dit que les gars se fournissent en Europe, l'Allemagne, peut-être. On n'a pratiquement rien sur eux. En fait, ce sont les Italiens à qui ils disputent le marché qui ont ébruité l'information.

— *Madre di Dio!* Avec le clan Rizzuto qui se mutine et s'entretue! Ils ont dû sentir que c'était le moment de s'implanter. C'est du sérieux, tu crois? demande-t-elle en se levant.

— J'en ai bien peur. Ils ont la réputation d'être sans pitié, même pour leurs propres membres. Personne n'a droit à l'erreur. Une histoire de code d'honneur, mais pas comme les Italiens. Plutôt des fanatiques, question convictions politiques. En fait, ces Turcs sont des Kurdes de Turquie. La création du «Grand Kurdistan[10]», tu sais, les combattants du PKK[11]?

— Plus ou moins! Je ne bouffe pas de la politique internationale comme toi au petit-déjeuner! Le PKK, c'est un groupe terroriste, il me semble? dit-elle tout en se dirigeant vers sa voiture.

— Pour beaucoup de pays d'Europe comme l'Allemagne et la France, ils sont sur la liste des organisations terroristes. De fait, les profits du trafic de drogues servent à financer l'achat des armes pour les rebelles qui se cachent dans les montagnes entre la Turquie et l'Irak. Un gars de la section antigang m'a dit qu'une cellule kurde avait ses points de chute chez nous, dans Villeray, et à côté, dans Parc-Ex.

— Voilà pourquoi tu en sais autant! s'exclame Cabrini en ouvrant la portière de sa voiture. Promets-moi de faire attention à tes arrières. Je ne suis plus là pour te les garder, conclut-elle en se soulevant sur la pointe des pieds pour l'embrasser sur la joue.

---

10. Réunion des territoires kurdes de Turquie, d'Iran, d'Irak et de Syrie.
11. Parti des travailleurs du Kurdistan.

— C'est plutôt à moi de m'inquiéter pour toi, rétorque Joël tout en lui rendant sa bise. Je te le fais savoir dès que j'en aurai appris un peu plus sur ton suspect.

16

Stéphane Tanguay n'a jamais aimé conduire. Il n'est pas comme ces hommes fous de bagnoles. Une voiture, pour lui, ça sert à se déplacer d'un point à un autre. Il voudrait vivre dans un futur où la télétransportation serait possible, comme dans *Star Trek*. Cette enquête l'oblige à prendre sa voiture, alors qu'il utilise normalement le métro. Lequel n'est pas vraiment confortable, car il y fait trop chaud, en hiver comme en été, mais au moins c'est plus rapide. Il se sent de mauvaise humeur. Il s'en veut. Il se trouve maladroit et trouillard. Sa maudite timidité! Josée Fortier est rentrée chez elle sous prétexte qu'elle devait voir ses enfants au moins pendant l'heure du repas. Elle viendra les rejoindre à la réunion qui n'est prévue qu'à 20 heures. Il n'a pas osé lui offrir d'aller manger dans ce restaurant indien qui prépare, selon elle, des currys fabuleux. Il a bien senti qu'elle n'était pas obligée de s'occuper de ses enfants, puisqu'elle avait affirmé plus tôt que sa mère était en visite pour plusieurs jours. Ça ne les aurait engagés à rien d'aller dîner ensemble, comme deux collègues. Ils auraient pu discuter un peu, parler d'autre chose que de l'affaire. Ils se sont retrouvés sur le stationnement du poste 33 et, au moment de se séparer, il a été incapable de le lui proposer. Paralysé, muet, à lambiner devant sa voiture. Elle lui a souri, patienté une bonne minute, puis elle s'est dirigée vers son véhicule et lui a lancé qu'elle passait voir ses enfants avant la réunion. La trouille de se voir refuser une invitation plus personnelle l'avait figé dans le silence.

Tout s'était pourtant bien déroulé au cours de la journée. Ils avaient fait du bon boulot, découvert des informations cruciales qui allaient leur ouvrir d'autres pistes pour l'enquête. Ils avaient même envoyé les requêtes pour de nouveaux mandats. Josée avait insisté pour qu'ils interrogent Léa, à l'école, dans le bureau de la psychologue, loin du jugement et des interventions de ses parents. La jeune fille avait finalement avoué qu'elle en savait bien plus qu'elle ne l'avait admis lors de leur première conversation. Elle disait que Noor parlait de s'enfuir depuis l'année précédente, quand elle avait surpris cette dispute entre ses parents au sujet de son départ pour le Pakistan. Son père voulait l'envoyer là-bas, d'abord dans sa famille à lui, puis ultimement dans celle de son futur mari. Les deux familles vivaient dans la même région. L'objectif principal de cette union était de permettre la réunification de terres qui appartenaient autrefois à un même clan. Les dissensions et les diverses successions avaient morcelé cet héritage. Avec ce mariage, le clan retrouverait la grandeur et le prestige des siècles passés. Elle permettrait à Farid Khan de restaurer la suprématie de sa famille, perdue au fil des luttes fratricides. Léa ne cachait pas sa colère, son indignation. Le père de Noor ne pensait qu'à lui, pas au bonheur de sa fille! Il la vendait pour devenir riche!

Elle disait aussi que Noor se sentait abandonnée et piégée. Si elle dénonçait son père, sa mère serait châtiée. Elle serait tenue responsable, car sa fille apportait le dés-honneur. Même dans sa propre famille, on la blâmerait. Maira et sa petite sœur n'auraient plus personne pour les défendre. Et elle-même deviendrait l'objet de la vengeance que le clan de son père pourrait fomenter. Noor lui avait dit que beaucoup d'argent était en jeu. La vie de son père aussi pourrait être menacée, car la transaction était conclue. La parole donnée était sacrée.

L'été dernier, lorsque Léa était partie pour Haïti, Noor s'était presque résignée à obéir à son père, terrifiée à l'idée d'être responsable de la déchéance de sa mère et de sa sœur. Elle cédait sous la pression et l'intimidation. Et puis, au retour des classes, Noor était revenue transformée. Elle ne parlait plus que de s'enfuir. Elle refusait de lui dire qui elle voyait, mais elle était amoureuse d'un homme qui lui promettait de la sauver de ce cauchemar. Il lui avait acheté des vêtements et un téléphone qu'elle cachait dans un casier à la piscine ou à l'école. Tout l'été, Noor et cet homme s'étaient vus en secret. Elle prétextait aller au centre de loisirs. Sa mère fermait les yeux sur ses retards. Elle sortait même parfois la nuit pour le rejoindre. Léa jurait que Noor ne lui avait jamais dit où. Que c'était un endroit sûr, et qu'elle avait promis à Zar de ne jamais le dire à personne. Pas plus que son véritable nom, ou quoi que ce soit le concernant. C'était trop risqué. L'entourage de Zar n'approuverait pas non plus leur liaison et encore moins leur union. Ils n'avaient d'autre choix que de s'enfuir. La dernière chose qu'elle avait confiée à son amie concernait leur fuite. C'était la veille de sa mort. Elle avait donné à Léa un bracelet fait de perles de verre et de billes en argent. Son bracelet préféré. Elle lui avait dit qu'elle serait toujours sa meilleure amie. Elle avait parlé d'un endroit en Ontario où il était plus facile de franchir la frontière américaine. On payait des Amérindiens qui connaissaient les passages. C'était tout ce qu'elle savait.

Tanguay pensait que ces révélations mettaient au jour une nouvelle hypothèse : le fameux entourage de Zar était peut-être responsable du meurtre de la jeune fille. Un nouvel élément à ajouter à leur liste déjà trop longue. À moins que tout cela ne soit qu'une fable truffée de clichés romanesques. Peut-être que ce Zar était un prédateur. Qu'il avait menti pour séduire une jeune fille naïve et effrayée par le mariage forcé. Mais Tanguay en doutait. Après tout, Noor avait percé à jour les mensonges de Kévin, vu ses manigances pour recruter Léa. Elle n'était pas éblouie par l'argent, les grosses bagnoles et les chaînes en or. Elle appréciait l'intelligence, l'instruction. Zar devait nécessairement avoir ces qualités.

Une autre entrevue leur avait apporté de précieux éléments. Accompagnés par Julie Sauvé, la psychologue, les policiers étaient allés chercher Zahra, dont la mère était toujours alitée. Le père, qui les avait reçus, ne s'y était pas opposé. Son avocat l'avait persuadé qu'il valait mieux collaborer s'il ne voulait pas être inculpé d'entrave à la justice. Installées dans l'atmosphère rassurante de son bureau, Fortier avait lentement amadoué la jeune fille. Tanguay jugeait, comme sa collègue, que sa présence musèlerait la petite. Aussi avait-il assisté à leur discussion dans une autre pièce, via l'écran de sa tablette électronique. Un ordinateur et sa caméra captaient discrètement l'entrevue. Perspicace, Julie Sauvé avait su deviner la délicatesse de la situation et était restée en retrait, silencieuse. Au début, Zahra répondait par monosyllabes, les yeux baissés sur ses mains. Fortier la questionnait sur ce qu'elle préférait à l'école. Zahra, comme sa sœur, était une bonne élève. L'adolescente aimait les mathématiques et les sciences. Elle avait avoué avec timidité vouloir devenir médecin. Fortier lui avait dit que c'était un très beau métier. Que sa propre sœur était chirurgienne et qu'elle travaillait pour Médecins sans frontières. C'est alors que la jeune fille s'était animée. Elle connaissait le nom de l'organisme. Elle avait vu des reportages à la télévision. Elle voulait, comme ces médecins, soigner les enfants et les femmes de son pays. Il y avait beaucoup de blessés. La guerre, les bombes et les drones américains tuaient beaucoup de gens. Les hommes se battaient au nom d'Allah, mais elle ne croyait pas qu'Allah voulait que tous ces gens meurent. Allah n'approuvait certainement pas toute cette violence. Sa mère lui disait que ce sont les hommes qui aiment la violence. Les hommes aiment se battre, tout leur sert de prétexte, l'honneur, la vengeance, Allah.

C'est à ce moment que Fortier lui avait demandé si elle savait qui avait voulu punir Noor. Fortier avait intentionnellement utilisé le mot punir. Zahra avait haussé les épaules. Elle était restée silencieuse un long moment à triturer les pans de son hijab. Puis, les yeux baignés de larmes, elle avait murmuré que tout était de sa faute. Elle était fâchée contre sa sœur qui s'absentait tout le temps. Leur mère était inquiète, ne savait plus quoi faire pour empêcher Noor de sortir. Celle-ci avait insulté Maira.

Elle lui avait crié qu'elle ne serait pas, comme elle, une analphabète, incapable de les défendre contre la folie d'un homme prêt à vendre sa propre fille pour servir ses intérêts. Elle ne serait jamais une esclave aux mains d'un homme si arriéré qu'il se croyait le droit de battre sa femme et ses enfants si elles s'opposaient à lui. Elle se tuerait plutôt que de céder. Maira craignait tout autant la colère de Farid que celle de sa fille qu'elle croyait capable du pire. Zahra savait que sa sœur sortait par la fenêtre pour rejoindre son amoureux. Elle faisait semblant de dormir. Au début, elle trouvait ça terriblement romantique. Seulement, Maira pleurait tout le temps, et la tension dans la maison était devenue insupportable.

Noor et elle s'étaient disputées à la sortie de l'école. Noor pouvait être très méprisante, glaciale. Et, par malheur, Atif avait surpris leur dispute. Atif avait été renvoyé de l'école, l'année précédente. Il s'était battu au couteau avec un Italien qui l'avait traité de sale Arabe. Mais il revenait toujours rôder à la sortie des classes dans l'espoir d'apercevoir Noor qui l'ignorait ostensiblement. Il avait insisté auprès de Zahra pour savoir ce qui se passait. Il se croyait des droits sur elles parce qu'ils faisaient partie de la même tribu et qu'il travaillait de temps en temps pour leur père. Il se prenait pour leur aîné, à leur faire des reproches, à donner des conseils quand ce n'était pas des ordres. Tout ça au nom d'Allah! Zahra était tellement en colère contre sa sœur qu'elle avait dit à Atif que Noor leur attirerait les pires ennuis avec ses fréquentations.

Elle avait eu tort de lui parler. Elle savait qu'Atif était ce genre d'homme qui encensait la violence au nom d'Allah. Il suivait les prêches du même imam que leur père. Il participait aussi aux réunions que Farid Khan organisait dans le salon de réception du sous-sol. Des hommes venaient pour discuter pendant des heures. Ils priaient ensemble, attentifs au sermon de l'imam, derrière la porte close. Lorsque ces hommes les visitaient, Maira préparait le thé et servait des *halwa* et des *mithai*. C'est toujours Zahra qui descendait le leur porter. Son père voulait qu'elle montre combien elle savait bien se tenir, combien elle était bien éduquée. Puis Maira les entraînait, elle et Noor, dans le parc ou au supermarché. Elle ne voulait pas que ses filles entendent ce que pouvaient se dire ces hommes.

— Pourquoi as-tu dit que tout était de ta faute, Zahra? Crois-tu qu'Atif a révélé à ton père que Noor lui désobéissait?

— Non. Si Atif avait dit quoi que ce soit à mon père, il aurait enfermé Noor dans la chambre de la cave. Ensuite, il l'aurait emmenée au Pakistan. Atif voulait éviter ça. Il s'imaginait que s'il prouvait à mon père qu'il était digne de confiance, il pourrait un jour épouser Noor.

— Pourtant ta sœur était déjà promise à un homme au Pakistan, n'est-ce pas?

— Oui, mais Atif ne se doute pas que l'alliance a été conclue l'été dernier, quand mon père est allé là-bas pour ses affaires. Ça ne le regarde pas, nos histoires de famille. Et de toute façon, reprend Zahra sur un ton méprisant, la famille d'Atif est bien inférieure à la nôtre. Mes parents n'auraient jamais voulu d'une telle alliance.

— Alors que penses-tu qu'Atif a fait? lui demande la détective sur un ton de confidence.

— Je ne sais pas, dit Zahra en levant les yeux vers elle. Il a pu lui faire tellement honte et lui dire que l'honneur exigeait qu'elle se suicide.

— Zahra, tu sais que les indices que nous avons découverts prouvent que Noor ne s'est pas suicidée.

— Mais Noor m'a dit le matin… ce jour-là… on traversait le parc pour se rendre à l'école. Elle m'a dit qu'elle regrettait que l'on se soit disputées la veille. Elle m'a demandé pardon. Il y avait longtemps qu'elle n'avait pas été aussi gentille avec moi. Je lui ai répondu que c'est à maman qu'elle devait dire ça. Que notre mère ne pouvait pas comprendre, comme nous, ce qui se passe à l'école, chez les autres gens. Elle ne peut même pas comprendre ce qui se dit à la télévision. Noor m'a avoué qu'elle était malheureuse de chagriner autant maman, mais a ajouté qu'elle n'avait pas le choix de refuser de se marier. Elle m'a répété ce qu'elle avait crié à notre mère : « Si père m'oblige, je me trancherai les veines ! » C'est ce qu'elle a fait ? À l'école, ils disent que la piscine était rouge de tout son sang.

— Nous pensons plutôt que c'est quelqu'un qui l'a fait à sa place. Est-ce qu'Atif savait qu'elle allait à la piscine en dehors des heures réservées aux femmes seulement ?

La jeune fille lui lance un regard désespéré.

— Il a pu la suivre. Surtout après ce que je lui ai dit. Il nous surveillait tout le temps, il devait le savoir.

— Que lui as-tu dit précisément ? Essaie de te souvenir des mots exacts.

— Que Noor était égoïste, soupire Zahra. Qu'elle ne pensait qu'à elle et à son amoureux.

— Tu lui as parlé de son amoureux ? Que sais-tu de cet homme ?

— Je regrette tellement ! se lamente-t-elle.

— Zahra, tu ne pouvais pas deviner ce qui se passerait. Ce n'est pas de ta faute, ce qui est arrivé. C'est très important que tu me dises tout ce que tu sais de l'amoureux de Noor. Absolument tout !

— Il s'appelle Zar. Il a une voiture. Il a les cheveux noirs...

— Tu l'as vu ? l'interrompt Fortier, se reprenant aussitôt, craignant de briser le fil de la confidence.

— Non. J'ai vu sa photo. Noor la cachait dans une petite pochette de tissu qu'elle portait tout le temps sur elle. Je l'ai vue parmi ses vêtements, un soir qu'elle était allée prendre son bain.

Fortier sourit. Enfin une piste !

— Ensuite ? Est-ce qu'il est beau ? De quelle couleur sont ses yeux ? demande la détective d'un ton léger et complice.

— Oh ! Oui, il est beau ! Il ressemble un peu à Ali Zafar. Mais sa peau est plus foncée.

— Et qui est Ali Zafar ? demande Fortier en souriant devant le regard soudain brillant de la gamine.

— C'est une grande vedette ! Il a des chansons géniales ! Il fait aussi du cinéma... Vous ne pouvez pas le connaître parce qu'il est Pakistanais.

— Donc Zar, selon toi, est Pakistanais.

— Hum… non, je ne pense pas. Il ne ressemble pas tant que ça à Ali Zafar.

— Il ressemble à un Québécois? À un hindou ou à un sikh? Quel âge a-t-il, crois-tu?

— Pas du tout un Québécois. Ni un sikh. Il a peut-être vingt ans. Il a un blouson de cuir sur la photo, avec un écusson, comme les joueurs de foot. Et des yeux très noirs.

— Tu sais ce que nous allons faire? Dans la police, nous avons un dessinateur très habile qui pourrait dessiner son visage. Il se fait aider d'un logiciel. Tu accepterais de décrire Zar pour lui? Je resterais avec toi tout le temps que cela prendra. Tu saurais te rappeler son visage?

Zahra hoche la tête, et Fortier lui sourit d'un air rassurant.

— J'aimerais que tu me racontes à présent ce qui s'est passé après l'école ce jour-là. Tu as vu Noor? Vous avez marché ensemble pour rentrer à la maison?

— Non. J'ai traversé le parc avec mes amies. Noor avait dit à maman qu'elle allait à la bibliothèque pour l'atelier de lecture et qu'ensuite elle irait nager. Maman a cédé parce que père n'était pas là. Il ne devait pas rentrer avant le lendemain.

— Comment cela? Ton père n'était pas là dans la soirée?

— Oui. Finalement, il est arrivé de Toronto plus tôt que prévu. Il y va tout le temps maintenant. Pour ses affaires, et aussi pour nous chercher une maison. Il a promis à ma mère que lorsque Noor serait au Pakistan, il nous achèterait une belle demeure dans une ville où il y a beaucoup de femmes pakistanaises et aussi des Pachtounes comme nous. Maman pourrait les inviter chez nous et aller chez elles, comme les femmes font au Pakistan. Et moi, j'aurais ma propre chambre que je pourrais décorer comme je veux. Et aussi, j'apprendrais l'anglais mieux que les cours à l'école ici.

— Donc, ta mère ne savait pas que ton père serait de retour ce soir-là?

— Noor non plus. Quand père reste à Toronto, elle sort la nuit pour rejoindre Zar. Jamais elle n'oserait le faire sinon. Mon père se lève toujours pour faire Al-'icha[12], la prière de nuit. Alors que ma mère prend des somnifères, sinon elle ne dormirait pas du tout.

— Bien. Que s'est-il passé lorsque ta mère a constaté que Noor n'était pas là pour le souper?

— Elle m'a demandé de téléphoner à Léa. Moi, je me doutais bien que Noor était avec son amoureux, mais j'ai appelé Léa quand même. Je ne voulais pas le dire à maman. Elle s'inquiète trop, et ça la rend malade. J'ai pensé que ma sœur rentrerait au cours de la soirée. Et puis mon père a téléphoné de l'aéroport. Il voulait que maman lui prépare à manger parce qu'ils ne servent rien sur les avions maintenant. Alors nous sommes sorties avec maman pour aller chercher Noor au centre de loisirs. Nous avons été partout, à la bibliothèque, à la piscine, même dans les salles de jeux où je savais que Noor ne mettait jamais les pieds. Elle n'était nulle part! Nous sommes rentrées parce qu'il fallait préparer le repas, mais aussi parce que père serait encore plus en colère s'il rentrait avant que l'on soit à la maison.

— Quand il se met en colère, que fait-il? demande prudemment la détective.

— Il nous punit, répond Zahra tout aussi prudemment. Et devant le silence et le regard insistant de la policière, l'adolescente poursuit. Il emmène ma mère dans la chambre de la cave et il la frappe.

Fortier ne se souvient pas que dans le rapport de perquisition, il soit fait mention d'une chambre au sous-sol, seulement d'un bureau et d'un salon d'apparat.

— Une chambre? Tu veux dire le bureau de ton père?

— Non. Derrière le tapis mural dans le salon, il y a une porte que père garde verrouillée. On n'y entre que pour être punies. Moi, je n'y ai jamais été parce que j'obéis toujours. Parfois il me gifle, mais c'est tout. Noor, elle, y est allée souvent. Parce qu'elle discute constamment. Elle répond. Père dit qu'elle a toujours été une enfant rebelle.

_____
12. L'une des cinq prières qu'un musulman doit faire tous les jours.

Quand elle était petite, mère demandait à être punie à sa place. Mais, depuis que nous habitons ce pays, père refuse. Il dit que Noor doit apprendre à lui obéir parce qu'elle devra se soumettre aussi à son mari.

Le malaise dans la pièce devient palpable. Fortier ne peut s'empêcher de croiser le regard de la psychologue, dont le visage reflète toute la réprobation. Le plus terrible, à ses yeux, c'est que Zahra ne mesure pas combien ces sévices sont révoltants. Ils font partie de son quotidien.

— Et Noor, comment réagissait-elle après la punition? demande la détective en déglutissant.

— Eh bien… Tout dépendait de la faute… Parfois elle venait pleurer dans notre chambre. Elle se mettait au lit et refusait de me parler. Père interdisait à maman d'aller la consoler. Mais l'année dernière, lorsqu'elle a dit à père qu'elle refusait de se marier et de partir au Pakistan, il l'a frappée devant nous tellement il était en colère. Il l'a traînée dans la cave et il l'a battue. Elle y est restée enfermée pendant trois jours parce qu'elle ne voulait pas céder. Chaque fois qu'elle le bravait, il la frappait. Mais elle s'entêtait. Alors mère a menacé père de téléphoner à sa tante au Pakistan s'il n'acceptait pas d'attendre que Noor soit plus âgée. Elle n'avait que quinze ans. Et, même au Pakistan, il faut avoir seize ans pour se marier. Père craint notre grand-tante, même s'il la déteste, parce qu'elle est riche et que, depuis que mon grand-oncle est mort, c'est elle qui décide de tout dans la compagnie. Mon père n'aime pas être sous ses ordres.

— Donc, ce soir-là, vous êtes rentrées à la maison? Ensuite, que s'est-il passé? demande Fortier en tentant de garder un masque d'indifférence.

— Moi, je voulais que l'on ne dise rien à père. Je voulais m'enfermer dans notre chambre, et si père nous demandait, maman dirait que nous dormions déjà. Seulement, elle n'était pas d'accord. Elle craignait que si Noor revenait sans qu'elle lui ait dit qu'elle était sortie, ce soit pire que tout. Et aussi elle ne cessait de répéter que peut-être Noor avait eu un accident, qu'il lui était arrivé malheur. Elle voulait convaincre père de prévenir la police. Naturellement, il a refusé. Il est venu dans ma chambre et a exigé que je lui dise où était Noor. J'ai décidé de faire comme maman, de parler d'accident. Peut-être s'était-elle fait attaquer en sortant de la bibliothèque. J'ai pensé qu'il allait m'emmener à la cave et je me suis dit que je n'étais pas forte comme Noor. Elle ne crie même pas sous les coups. Moi, je dirais tout. Mais père ne m'a même pas frappée. Ni maman. Il lui a juste dit : téléphone-moi si elle rentre. Et il est parti en voiture.

— Est-ce que tu sais à quelle heure il est revenu ?

— Maman est restée avec moi dans ma chambre. Nous avons attendu. Nous avons prié et j'ai fini par m'endormir. Ce sont les cris de maman qui m'ont réveillée, le matin. Il y avait des policiers dans le salon qui disaient que Noor était morte. Mon père ne parlait pas. Il n'y avait même plus de colère sur son visage.

— Bien. Tu vas rester avec Julie un petit moment. Le dessinateur devrait arriver bientôt. Moi, je dois partir régler certaines choses, conclut Fortier en faisant un signe de connivence à la psychologue.

Fortier était sortie dans le couloir. Elle s'était appuyée au mur un petit moment. Elle tentait de faire le tri parmi les informations que venait de lui livrer si naïvement Zahra. Tanguay, venu la rejoindre aussitôt, avait respecté son silence. Il était aussi bouleversé qu'elle.

— J'ai prévenu Morel que l'on a de nouveaux éléments, avait-il finalement lâché. On ne peut pas la laisser avec ce bourreau. Qui sait ce qu'il pourrait faire d'elle ? On doit aussi retourner perquisitionner, découvrir cette chambre au sous-sol.

— Je sais ! Mais la mettre entre les mains de la DPJ[13], ce n'est pas tellement mieux ! Si on l'éloigne de sa mère, elle va se sentir trahie et elle ne voudra plus nous parler. Elle sait sûrement beaucoup de choses sans même en être consciente.

---

13. Direction de la protection de la jeunesse.

— Il doit bien y avoir moyen de les mettre en lieu sûr, elle et sa mère. On peut faire valoir le fait qu'elles sont désormais des témoins essentiels, qu'on doit les garder sous protection. Mais ça va prendre au moins vingt-quatre heures, sinon plus, avant d'obtenir toutes les autorisations.

— Rappelle Morel. Explique-lui tout ça. Il faut faire les réquisitions dès que possible. De mon côté, je vais m'assurer qu'il y ait des patrouilleurs constamment devant l'appartement. Il n'osera tout de même pas battre sa femme et sa fille s'il voit la police en face de chez lui!

Son cœur bat au même rythme que celui de la *house music*. Anya sent son corps couvert de sueur bouger en parfaite harmonie avec la musique. Elle aime par-dessus tout ce moment où la transe prend possession de chaque fibre, chaque muscle. Cet état second la transporte. Loin de la réalité sordide de sa vie. Elle arrive parfois à ne même plus penser. Sa danse devient méditation.

Elle n'a pas besoin, comme les autres filles, d'une ligne de coke pour tenir toute la nuit. Elle réussit à s'en passer à force de volonté. Elle n'a qu'à se rappeler l'adolescente de quatorze ans qu'elle a été, il y a douze ans de cela. La morte-vivante, shootée à l'héro, prête à accepter tous les fantasmes que ses clients lui imposaient pour se payer sa dose. C'était avant la quasi-overdose, avant la désintoxication que lui avait imposée sa grand-mère qui l'avait recueillie. Elle avait traversé le Styx. Pourtant, la revoilà aujourd'hui plongée dans le monde interlope. Quand peu après son arrivée elle a surpris Camille, une des danseuses, à négocier sa drogue, elle a fait semblant de n'avoir rien vu. Ici, les manières et un certain confort font écran. On en oublierait presque qu'on est dans un milieu de truands. Des hommes dont la violence peut être aussi brutale que celle des mafieux de Krasnoïarsk.

Sur le qui-vive, Anya cherche à cacher sa frayeur. Funambule, elle marche sur le fil de sa résolution. Tenir un autre jour, sans faillir, alors que tout la pousse vers le nirvana factice de la drogue.

Anya déteste avoir des regrets. Elle s'en veut, pourtant. Elle a fait de si mauvais choix dans sa vie. Croyant se libérer des journées de dix heures pour un salaire de misère, dans cet hôtel bas de gamme de l'Oural, elle a épousé un geôlier. Elle aussi lui a menti. Elle voulait seulement qu'il paye ses études. Ensuite, avec la citoyenneté canadienne en poche, elle l'aurait quitté. Jamais elle ne lui aurait fait d'enfant comme il en rêvait. Il voulait une famille, une boniche, une employée modèle pour sa boucherie. Elle voulait la liberté de choisir. Sa vie n'a jamais été autre chose qu'une fuite. Fuir son beau-père, ses coups et ses viols. Fuir l'aveuglement volontaire de sa mère et sa vénalité. Fuir dans le brouillard de l'héroïne.

Ses seules années de paix ont été celles qu'elle a vécues dans la taïga avec *Babouchka*. L'affection bourrue de la vieille femme avait eu raison de sa rébellion. Elle l'avait accompagnée tout au long de sa brutale désintoxication. Anya était retournée à l'école dans l'espoir d'aller un jour à l'université. Elle avait retrouvé le goût des études. Elle s'y était jetée, affamée de comprendre, dans l'exaltation. Le savoir, un nouveau salut. Elle s'était mise à croire que l'avenir pouvait prendre un autre visage que celui, menaçant, qui peuplait ses cauchemars. La mort la guettait au tournant. Le vieux cœur malmené de *Babouchka* avait cédé. À dix-neuf ans, sans diplôme, dans un pays en déroute, son avenir ressemblait à celui de millions de femmes. Une vie de labeur.

Pour l'heure, sa peur revêt les traits d'un caïd kurde mégalomane qui s'est mis à fréquenter le club. Les filles racontent qu'il s'appelle Bijar Kardou et qu'il sera bientôt le nouveau propriétaire. Elles affirment qu'il est à la tête d'un gang puissant, plus redoutable encore que la mafia italienne. Elles parlent de partir. Même Camille, la plus aguerrie d'entre elles, ne veut pas tomber sous sa coupe. Finies les petites passes avec les clients qu'elles choisissent elles-mêmes. Tant que le gérant prenait son pourcentage, il laissait faire. Mais Camille dit qu'avec cet Arabe-là – elle ne fait pas la différence, pour elle, tous les musulmans sont forcément des Arabes – il faudra se plier aux nouvelles règles. Anya sait ce que cela signifie. Cet homme-là ne se contentera pas d'une branlette vite faite. Pas à la façon dont il la regarde, quand il vient s'asseoir juste en face de son podium.

18

Losier soupire de fatigue. La tête appuyée sur le dossier du sofa, il ferme les yeux. Les ressorts malmenés grincent sous le poids de son corps et de celui de Morel. Tanguay, debout devant la fenêtre, regarde, dans la rue en bas, le miroitement des phares des voitures sous l'averse. La pluie tombe dru. Une pluie d'automne, froide. Tanguay sirote une bière, tout comme ses collègues, avachis et silencieux. Il est passé 23 heures, et ils traînent encore dans le bureau qu'il partage avec l'inspecteur. Il sait qu'il devrait rentrer chez lui, pourtant il se sent trop fébrile et maussade. Losier les squatte, car il n'a pas envie de se retrouver dans un appartement vide. Sa femme est en mission en dehors du pays. Il ne sait pas où, pas plus qu'il ne sait pour combien de temps. Sara est de plus en plus secrète. Son affectation à l'escouade antiterroriste de la GRC l'amène à faire des filatures et à travailler sous couverture. Impuissant devant l'inéluctable, Losier la voit se détacher du couple qu'ils ont si brièvement formé. Tout l'été, il a tenté de raviver leur amour. Sara s'est abandonnée à la tendresse pendant leurs vacances. Puis la frustration et les reproches sont revenus aussi vite que les contraintes de leur boulot. Il se dit que bientôt il n'aura plus la patience d'attendre. Ce soir même, il s'est surpris à observer Cabrini. Il la regardait non plus comme une collègue, mais comme une «maudite belle fille». Elle discutait avec enthousiasme avec Morel, les yeux brillants, le rire facile. Il s'est d'ailleurs demandé s'il n'y avait pas déjà eu quelque chose entre eux. Une complicité teintée de tension sexuelle vibrait toujours entre eux. Lorsque Morel a lancé son rituel «On ferme boutique pour ce soir», Fortier s'est empressée de partir rejoindre sa famille. Tout comme Ling, qui se disait abrutie par ses vaines recherches sur les réseaux sociaux. Morel a d'ailleurs eu pitié d'elle et lui a permis de faire équipe le lendemain avec Cabrini. Elles vont interroger les témoins potentiels de la liste remise par la direction du centre de loisirs. Quant à Cabrini, elle a annoncé qu'elle partait rejoindre Joël Panier, qui avait d'autres infos pour elle.

Morel avait dirigé leur réunion, tout en tentant de calmer l'excitation qui montait chez chacun d'eux. Ils avaient tous des opinions à formuler, et c'était à qui couperait la parole à l'autre. Le témoignage de Zahra, corroboré par celui de Léa, leur ouvre la voie à d'éventuelles accusations. Farid Khan devient leur suspect numéro 1, suivi d'Atif Hashmi, dont il faut démêler l'implication. Ils doivent monter un solide dossier avant d'accuser formellement Khan. Leurs nouveaux mandats indiquent clairement la société d'importation qu'il dirige et le logement d'Atif Hashmi, mais ils ne leur seront délivrés que le lendemain. Ils auront accès à toutes leurs plateformes numériques ainsi qu'à un examen de leurs finances. L'argent est toujours une piste de choix.

Cabrini leur a parlé de son hypothèse sur la façon dont Noor faisait entrer son amant dans le centre de loisirs, la nuit venue, par la sortie de secours dont l'alarme était inopérante. Le lieu étant désert de 22 heures à 5 heures du matin, les amoureux pouvaient sans risque y passer la nuit. Cabrini a l'intention de montrer aux gens du centre de loisirs le portrait-robot de Zar dessiné par l'expert d'après les renseignements donnés par Zahra. On a demandé à Wendy Connolly de fouiller encore une fois les vêtements et le sac à dos de la victime. Peut-être que la fameuse pochette de tissu contenant la photo s'y trouve encore cachée. Zahra, qui insistait pour retrouver sa mère, a été ramenée chez elle, malgré la réticence des policiers. On lui a dit qu'une voiture de patrouille serait en faction devant sa maison. Elle pouvait faire appel à eux à tout moment.

Malgré son impatience, Morel a donc décidé d'attendre le fameux mandat pour justifier le nouvel interrogatoire de

Farid Khan. Il veut profiter de la perquisition pour éloigner Maira et sa fille de lui. Le mariage forcé ne constitue pas un crime au Canada comme c'est le cas en Grande-Bretagne et en Belgique. L'inspecteur ne peut donc pas s'en servir comme délit. Cependant, Noor a été victime de sévices, puis assassinée. La présomption d'un crime d'honneur devient fondée.

L'inspecteur se sent frustré de ne pouvoir agir plus vite. Dans d'autres circonstances, il aurait pu «tourner les coins ronds». Cependant, depuis sa réunion avec Gérard Mercier, dans l'après-midi, il se sent les mains liées. Mercier lui a fait comprendre que non seulement les médias surveillaient leurs moindres gestes, mais qu'en outre le «politique», c'est-à-dire les ministres, tant au palier fédéral qu'au palier provincial, demandaient, à mots couverts évidemment, que cette enquête reste au-dessus de tout reproche. On veut calmer les ardeurs xénophobes qui polluent les réseaux sociaux. Les représentants des communautés culturelles se plaignent déjà auprès de leurs élus. Tous ceux qui portent des signes religieux distinctifs se sentent stigmatisés.

Paul Morel n'est pas de ceux qui ne pensent qu'à leur carrière. Il n'a jamais eu de plan, ne s'est pas imaginé grimpant les échelons. Il est devenu inspecteur tout simplement parce qu'il possède l'instinct du chasseur. Il est aussi entêté que fin stratège. Il traque sa proie, la débusque, tend ses pièges et donne l'assaut final. Dans cette affaire, pourtant, son fameux instinct lui dicte de se méfier de tout et, surtout, des apparences. Selon lui, Farid Khan n'est pas seulement un croyant intégriste poussé à l'assassinat dans un élan de rage pour laver son honneur. Khan est un soldat, d'une lignée de guerriers farouches, des montagnards guerroyant depuis plus de quatre cents ans pour protéger leur territoire. S'il a tué sa fille, il avait d'autres motivations que le fanatisme religieux. Morel avale une dernière gorgée de sa bière, maintenant tiède, quand la sonnerie de son téléphone annonce un texto entrant. Les deux autres se tournent vers lui, attendant les ordres. Leurs mandats seront prêts dès 6 heures.

— Allez, dit-il en s'extirpant des coussins décidément devenus trop mous. On devrait pouvoir lancer la perquisition autour de 7 heures demain matin. Ça te va, Losier, de superviser chez Atif Hashmi? Je me charge de Khan. Stéphane, dès que Fortier t'aura envoyé l'adresse du centre d'hébergement, tu y emmènes Maira et sa fille. Fortier devrait avoir réglé les derniers arrangements avec les intervenantes. Trouver une chambre dans une maison destinée aux femmes immigrantes tient du tour de force. Ses années dans l'escouade des victimes d'agressions nous servent drôlement.

Morel, debout à côté d'une voiture de patrouille, fulmine. Il éteint son téléphone, respire un grand coup, tentant de se calmer. Tanguay s'avance vers lui, conscient de la gravité de leur situation. Ils sont, depuis l'aube, à pied d'œuvre dans l'appartement des Khan.

— Je viens d'avoir Fortier. Elle m'a donné l'adresse du centre d'hébergement. Je peux y amener madame Khan et sa fille. On ne peut pas les laisser éternellement dans la voiture de patrouille. Tu veux encore les interroger?

— Tu crois sérieusement qu'elles vont nous en dire plus? lance l'inspecteur sur un ton acerbe. Il est évident que Khan ne leur a pas dit où il allait! Cette femme ne comprend rien, elle est terrifiée. Et la petite, malgré sa bonne volonté à nous servir d'interprète, est tout aussi désemparée.

— Fortier saura gérer ça. Elle a l'expérience de ce genre de situation. Il y a, semble-t-il, là-bas, une intervenante qui parle plusieurs langues du sous-continent indien. Espérons que cela pourra les rassurer. On a déjà eu assez de mal à les convaincre de prendre des effets personnels pour quelques jours! Maira Khan ne voulait pas quitter sa maison. Zahra m'a dit que sa mère tient à être là quand Farid Khan va rentrer. Elle ne pense donc pas qu'il s'est enfui. Elle affirme qu'il a dû partir à Toronto pour ses affaires.

— Ouais, c'est ça, au milieu de la nuit! Ah! Excuse-moi! Je n'ai pas à passer mes nerfs sur toi. J'ai fait vérifier, il n'était pas sur le premier vol du matin, Tanguay. Désolé…

— Ça va. Je suis aussi furieux que toi. Mais la plus en colère, c'est Josée. Elle a passé un de ces savons aux patrouilleurs!

— Ce n'est pas vraiment de leur faute. Khan a pu s'enfuir par l'arrière, en se faufilant dans la cour du voisin. Sa femme prend des somnifères, et Zahra dit n'avoir rien entendu. Khan doit avoir les moyens de se procurer une autre voiture que celle restée dans son stationnement. C'est moi le coupable. J'aurais dû passer outre aux atermoiements de Mercier et le boucler dès hier soir, sans attendre le mandat. L'accusation de maltraitance aurait pu suffire.

— Écoute, tu as lancé le mandat d'arrêt. L'agence du service frontalier est prévenue, les aéroports, le service portuaire, ils ont tous sa photo. Il ne devrait pas pouvoir quitter le pays.

— J'ai prévenu Losier. Il vient de me confirmer que la GRC et le SCRS sont alertés. Espérons au moins que la perquisition de son bureau donnera quelque chose. La seule bonne nouvelle, c'est qu'Atif Hashmi est entre nos mains. Et je n'ai pas l'intention de prendre des gants! Mercier peut aller se faire voir, avec ses scrupules de politicard.

Tanguay et Fortier observent le prévenu derrière la vitre occultée de la salle d'interrogatoire. Atif Hashmi, chétif, vêtu d'un pantalon de survêtement au tissu avachi et d'un sweatshirt à capuche, semble se délecter de l'attention qu'on lui porte. Il crâne, déverse son fiel. Il répond à côté des questions que lui posent Morel et Losier. Il a enfin un auditoire. Il en profite. Il prêche. L'Occident, selon lui, court à sa perte. Sa décadence l'entraîne vers la défaite. Les combattants d'Allah triompheront. Leur foi se répandra partout sur la planète.

Morel patiente, le laisse se prendre au jeu de sa propre exaltation. Il glisse une question de temps en temps, l'air de rien. Atif admet avoir surveillé Noor et Zahra. À la demande de leur père, affirme-t-il. Puisque celui-ci n'a pas de fils, Farid Khan lui permettait de garder un œil sur ses filles en son absence. Toutefois, il nie avoir eu de vrais sentiments pour Noor. Elle se dévoyait. Jamais il n'aurait voulu d'une épouse impure. Oui, le jour de sa mort, il l'a suivie à travers le parc vers la station de métro. C'est là qu'il a perdu sa trace. Le temps qu'il achète un billet, la rame était passée. Il n'a pas pu la suivre plus loin. Ce soir-là, il soutient être rentré chez lui après avoir été prier à la mosquée. Il vit seul avec sa mère, celle-ci pourra en témoigner.

— Il faut qu'on vérifie si Noor a vraiment pris le métro, commente Fortier…

— Les caméras nous permettront de découvrir où elle est descendue, poursuit Tanguay. J'appelle la STM[14]. Depuis les échauffourées dans les stations avec les étudiants, la Sécurité stocke les images pendant plusieurs mois.

— Je préviens Losier qu'on lance les recherches.

Steve Losier se lève de la table où il était assis au côté de Morel pour répondre au téléphone qui vibre sur sa hanche. Il s'éloigne vers le fond de la pièce et lève les yeux vers la vitre. Un petit sourire complice se dessine sur ses lèvres à mesure qu'il entend les propos de Fortier.

Il a roulé les manches de sa chemise et dénoué sa cravate. Les muscles de ses avant-bras encore bronzés saillent quand il revient s'appuyer sur la table, le corps menaçant, penché au-dessus d'Atif.

— T'as intérêt à nous dire la vérité. N'oublie pas qu'il y a des caméras dans les stations. On peut vérifier ton itinéraire. Si tu n'as pas suivi Noor, où es-tu allé?

Le jeune homme blêmit et bredouille. Il n'est plus aussi suffisant. Il avait oublié les caméras.

— Je suis juste allé faire un tour. J'avais déjà acheté le billet de métro!

— Un tour où? insiste Morel, dont la patience commence à manquer.

La ventilation déficiente des salles d'interrogatoire les rend étouffantes. Morel aussi a laissé tomber la veste. Sa

---

14. Société de transport de Montréal.

tignasse noire boucle sous la chaleur. Ses traits sont tirés. Les nuits de mauvais sommeil s'accumulent.

— À Berri-UQAM. J'ai traîné dans le quartier.

— T'es allé acheter du *shit*? À moins que tu préfères les *pills phantom* ou les *always fresh*?

— Je touche plus à ça! Je suis *clean*!

— Là aussi, on peut facilement s'en assurer. Tu sais qu'un seul de tes cheveux peut nous dire depuis combien de temps tu t'es payé un trip!

— Vous n'avez pas le droit! Je… je suis mineur! Vous ne pouvez pas me garder ici! C'est… c'est du profilage racial! Je veux un avocat!

— D'après ton dossier, répond Morel en ouvrant plusieurs fenêtres sur sa tablette électronique, tu vas avoir dix-huit ans dans trois semaines. On ne va pas chipoter pour quelques jours. Et on n'est pas dans une foutue série télé! Les avocats n'apparaissent pas quand on claque des doigts. Tu vas répondre à nos questions, ou je te boucle pour entrave dans une enquête pour homicide!

— Honnêtement, je m'en fous que tu te brûles les cellules avec cette merde de synthèse, enchaîne Losier. Ce que je veux savoir, c'est où Noor se rendait après l'école. Qui est-ce qu'elle allait rencontrer? Parce que ce n'est pas la première fois que tu t'amusais à la suivre!

Atif évite de fixer les yeux bleu métallique du policier blond. Cet homme-là lui fait peur. Toute son attitude reflète l'assurance de ceux qui possèdent le pouvoir. Il sent intuitivement qu'il sait briser qui lui résiste.

— Elle allait jusqu'à McGill, sur la rue University. Elle entrait dans une grande bâtisse. Je pense que c'est une résidence universitaire. Mais je n'ai jamais vu qui elle y rencontrait! Elle portait des vêtements immodestes, ne se couvrait plus dès qu'elle quittait les rues du quartier. Sa mort a lavé l'honneur de la tribu! répète Atif comme un credo.

Fortier tourne la tête vers Stéphane Tanguay. Il n'a pu retenir un grognement de révolte à l'écoute des propos du jeune fanatique.

— Ça me dépasse, cet obscurantisme ! Comment peut-on encore penser comme ça au XXIᵉ siècle ? Il ne vit quand même pas au fond d'un village, dans les montagnes du Waziristan !

— C'est un refuge pour lui. Cette idéologie le rassure. Elle lui donne une identité, elle justifie sa différence. C'est le bouclier qui lui permet d'affronter son incapacité à s'intégrer. La société dans laquelle il est né ne veut pas de lui. À l'école, il a échoué. Il n'est qu'une statistique parmi d'autres. Sa mère est veuve. Elle vit de l'aide sociale. Il n'a aucune perspective d'emploi. Il fait la livraison en triporteur pour l'épicerie du coin. L'avenir est bouché, pour lui. Ses tendances au mysticisme l'ont mené vers un islam qu'il juge plus pur. Les imams intégristes de la mosquée ont fait le reste. Je te dirais qu'il est la proie idéale pour être recruté par un groupe terroriste et leur servir de martyr.

— Mais comment sais-tu tout ça ? demande Tanguay, admiratif.

— Je lis beaucoup, lui répond en souriant la détective. Et travailler dans ce quartier m'a incitée à essayer de comprendre, plutôt que de juger à l'emporte-pièce.

— Alors, dis-moi, que penses-tu de Maira Khan ? J'ai compris qu'il valait mieux que je m'éclipse. Les hommes ne sont pas les bienvenus dans les maisons d'hébergement. Tu as pu la voir sans son niqab ?

— Finalement oui ! L'infirmière, Gita Banerjee, qui reçoit les victimes de violence à leur arrivée, est d'origine indienne. Du Pendjab, je crois. Elle est à la retraite et elle travaille bénévolement auprès de ces femmes. Elle a parlé un bon moment avec Maira. Celle-ci s'est mise à pleurer. Elle s'est laissé faire lorsque Gita lui a enlevé son voile. Une femme algérienne m'a dit, un jour, que certaines femmes apprécient le hijab ou le niqab parce qu'il cache leur statut social. Le voile est, disons, démocratique. Pratique si tu n'as pas d'argent pour aller chez le coiffeur ou pour entretenir ta coloration lorsque le gris apparaît, par exemple. Ou pour cacher quelque chose de bien pire, comme c'est le cas pour Maira. Tu as vu les quelques photos de Noor ?

Même dans la mort, on devinait sa beauté. Sa mère est tout simplement époustouflante. Une icône. Elle ferait des ravages dans un film de Bollywood. Et elle est jeune. Enfin, elle n'a que trente-quatre ans! Mais elle avait la pommette fendue et les lèvres tuméfiées. Le voile devait souvent masquer ses contusions. Zahra m'a avoué que sa mère l'a défendue lorsque son père a voulu savoir ce qu'elle nous avait dit. Elles ont réussi à s'enfermer dans la salle de bain. Si elles ne savaient pas où et quand il a quitté la maison, c'est qu'elles sont restées là toute la nuit. Notre voiture de patrouille devant chez eux n'a pas servi à grand-chose!

— Tu as pu recueillir des preuves de son agression?

— J'ai pris rapidement quelques photos avec mon téléphone pour donner du poids à notre inculpation. Je n'ai pas voulu insister et humilier Maira en lui demandant de se déshabiller. L'infirmière m'a promis de la faire examiner par une femme médecin. Elles ont l'habitude de recueillir les preuves des agressions pour de futures poursuites.

— Et la petite? Le médecin légiste mentionnait dans son rapport des indices de coups sur le corps de Noor. Sur les photos, on voit des traces d'hématomes et des cicatrices sur ses fesses et le bas de son dos.

— Je ne sais pas pour Zahra. Elles vont aussi s'en charger. Elles évitent la cohue des hôpitaux, à moins que la gravité des blessures ne l'exige. Les victimes n'ont pas besoin d'une agression supplémentaire. Je connais bien la directrice du refuge et j'ai confiance en son jugement. Lorsque je travaillais à l'Unité des agressions sexuelles, je lui ai amené bien des victimes dont l'état ne requérait pas qu'on les garde à l'hôpital. Je suis d'accord avec elle, Maira est trop traumatisée pour que je puisse l'interroger maintenant. Elle a besoin de se sentir en sécurité et de se reposer avant d'être assez forte pour me parler.

La journée de Cabrini et Ling s'achève sur une découverte. Le portrait-robot a permis d'identifier Zar. Le responsable des moniteurs de la piscine du centre de loisirs affirme qu'il s'agit de Zarav Acar, un étudiant inscrit depuis deux ans à la faculté de génie de l'Université McGill, qui a travaillé, l'été précédent, comme professeur de natation. Le site des permis de conduire leur a fourni son adresse : Douglas Hall, l'une des résidences mythiques que propose l'université aux étudiants fortunés. La résidence, à l'imposante façade de pierres grises, évoque l'époque, au siècle dernier, où les jeunes gens de la bourgeoisie anglaise apprenaient comment régner sur ce pays que leurs ancêtres avaient conquis. Après s'être butées à la porte verrouillée de la chambre de Zar, puis à des voisins de palier ignorants ou indifférents, les policières se sont résolues à glisser un message sous la porte de l'étudiant. Au bureau du registraire, on a confirmé l'inscription de Zarav Acar. On leur a donné la liste de ses cours et de ses professeurs. Elles vont pouvoir le traquer en fonction de son horaire. En principe, Zar devrait assister à 19 heures à un cours de physique. La faculté de génie, située rue McTavish, n'est pas très loin. Ling propose d'aller s'asseoir dans un des cafés qui abondent dans le quartier étudiant. Manger un morceau, boire un thé. Rassembler leurs informations. Souffler un peu. Au cours de la journée, elles ont interrogé une bonne dizaine de personnes, mais n'ont pas appris grand-chose de nouveau. Au centre de loisirs, Noor a bien été vue à discuter avec Zar au cours de l'été. Personne, toutefois, n'a pensé à faire le rapprochement, lors des premiers interrogatoires. Les policières ont aussi montré une photo de Noor aux voisins de palier de Zar. Là également, elles ont fait chou blanc.

— Décidément, ils étaient drôlement prudents, déclare Ling en s'asseyant. Ils ne se montraient jamais ensemble.

Cabrini, perdue dans ses réflexions, s'interroge.

— Qu'est-ce qu'elle a dit, la secrétaire? Zarav Acar est de nationalité turque. Il a un visa étudiant et vit ici depuis deux ans seulement. Un Turc. Et une Pakistanaise. Qu'avaient-ils donc en commun? C'est vrai que dans le genre beau ténébreux, il peut avoir la cote, dit Cabrini en examinant la photo du permis de conduire sur sa tablette. Dix-neuf ans, c'est jeune pour être déjà à l'université.

— Pas si c'est un élève doué.

— Comme toi, par exemple! Tu as passé ton bac à quel âge? demande Cabrini, curieuse.

— Vingt ans, répond Ling en rougissant et en haussant les épaules.

— Eh! Je ne me moque pas. Au contraire, j'admire les gens comme toi et Tanguay. Moi, les études, ça a vite fini par m'ennuyer. J'ai besoin de me dépenser physiquement, de sentir que je suis dans l'action.

— Alors comment on va procéder lorsqu'on l'aura trouvé? demande Ling qui préfère changer de sujet, les yeux fixés sur le menu plastifié que la serveuse leur a remis.

— Je le coince contre le mur et je lui passe les menottes! lance Cabrini, l'air méchant.

Ling la regarde, la bouche ouverte, prête à répliquer, lorsqu'elle constate que sa coéquipière plaisante.

— Sérieusement, se reprend la détective, on ne peut pas l'embarquer comme ça! On va devoir lui demander de nous suivre bien gentiment, en espérant qu'il coopère. S'il n'obtempère pas, là, on pourra toujours faire comme au cinéma. Bon, moi, service ou pas, j'ai envie d'un verre de rouge. On partage une pizza? On n'a pas beaucoup de temps.

Cabrini se faufile dans la circulation dense du boulevard Saint-Laurent, en direction de la Petite Italie. Elle a déposé Ling devant chez elle, rue Saint-Dominique. Rentrer à la maison bredouille lui donne le cafard. Elle était persuadée de pouvoir arriver au Q.G. avec son témoin-clé sous le bras. Offrir à Morel la preuve qu'elle obtient des résultats. Ling et elle ont dû se résoudre à l'appeler pour lui annoncer que l'amant présumé de Noor a disparu depuis plusieurs jours. Ses professeurs ne l'ont vu à aucun des cours qu'il suivait pourtant avec assiduité. Elles sont ensuite retournées à la résidence. L'étudiant, voisin de sa chambre, a admis ne pas l'avoir croisé ni entendu de musique depuis plus d'une semaine. Est-ce que sa disparition est le signe de sa culpabilité? En apprenant la nouvelle, Morel a mal caché sa mauvaise humeur. Ils ont convenu de faire une requête de mandat de perquisition pour la chambre de Zar et de vérifier si sa disparition a été signalée. L'étudiant a peut-être de la famille dans la métropole. Pour les tests d'ADN de l'embryon qui prouveraient la paternité, il leur faudra attendre de le retrouver pour faire les comparaisons. Les détails des procédures réglés, l'inspecteur a marmonné : «Du bon boulot, Cabrini, rentre chez toi. Demain, on avisera.»

La détective a dû se contenter de ce compliment. Cédant à son insistance, Morel lui a raconté ses propres déboires : la fuite de Farid Khan, l'ordinateur, abandonné par le fuyard, dont les données semblaient avoir été effacées par un logiciel. Morel garde malgré tout espoir. Tanguay et Ling vont opérer un de leurs tours de passe-passe. À eux deux, ils pourront peut-être faire rendre gorge au disque dur. La perquisition leur a tout de même donné accès à cette chambre au sous-sol dont Zahra parlait. Une pièce minuscule au plancher de ciment qui ne contenait qu'un meuble typiquement indien. Un *charpoy*, selon Wendy Connolly, qui a fait plusieurs séjours en Inde. Elle décrivait comme un «lit de sieste» cette banquette étroite faite de cordes tressées. Elle affirmait y avoir décelé des éclaboussures de sang. On l'avait donc emportée.

Dans un grand coffre-fort encastré dans le mur, il y avait un fusil d'assaut assez lourd ainsi que des boîtes de munitions de différents calibres. Une découverte qui laissait supposer que d'autres armes s'y étaient déjà trouvées. Khan avait dû emporter ce qui convenait le mieux à sa fuite à pied. Une arme de poing ou un fusil automatique léger. L'imaginer armé avait fait surgir chez Morel une sourde colère. Cabrini n'avait jamais senti chez lui cette rage contenue. Elle avait eu envie de lui dire qu'il n'était pas responsable de la fuite de Farid Khan, mais s'était retenue, sachant très bien que Paul Morel la rabrouerait. Est-ce qu'à sa place, elle aurait défié les ordres pernicieux de Gérard Mercier? Si elle voulait accéder un jour au poste d'inspecteur, il lui faudrait relever ce genre de défi.

Elle lui avait plutôt posé des questions sur l'interrogatoire d'Atif Hashmi. Morel pensait qu'il se montrait plus bête qu'il ne l'était. Il sentait chez lui le double jeu. Même les menaces de Losier ne l'avaient pas fait révéler ce qu'il savait de Farid Khan. Selon lui, cet homme est un bon musulman, pieux et respectueux des écrits du Coran. Atif a juré que les réunions chez Khan n'étaient que des assemblées de prières. La perquisition du petit logement qu'il occupe avec sa mère n'a rien mis au jour qui puisse leur servir à l'accuser de quoi que ce soit. La fouille rapide de son ordinateur n'a révélé que la visite quotidienne de sites porno et de sites pour intégristes exaltés ou servant à l'apprentissage de l'arabe, l'ambition d'Atif étant de lire le Coran dans le texte. Au final, son témoignage aura au moins servi à confirmer que Noor s'était bien rendue à la résidence universitaire de Zar. On peut donc supposer que c'est là qu'elle est allée l'après-midi de son assassinat. Morel s'est résigné à libérer Atif Hashmi, faute de pouvoir le détenir plus longtemps.

— Je l'ai quand même mis sous filature. Il nous mènera peut-être à Khan, a conclu Morel d'un ton morose.

La détective a préféré faire l'impasse sur sa conversation de la veille avec Joël Panier, car la piste Kévin Bassin ne semble mener nulle part. Joël lui a dit que la bande de

Jo Bassin est soupçonnée de vouloir jouer dans la cour des grands. Le gang ne se contenterait plus d'écouler de cette drogue de synthèse dont les adolescents sont si friands. Les informateurs de l'unité antidrogue parlaient d'héroïne. Les Crips tenteraient de servir d'intermédiaires auprès des Kurdes, dont l'implantation dans tout le nord de la métropole ne fait plus de doute. Cabrini ne voit pas comment Noor a pu être mêlée à ces trafics. La vengeance de Kévin Bassin qu'elle avait imaginée ne tient pas la route. Avoir raté une proie comme la jeune Léa ne devait pas lui importer. Ce ne sont pas les jeunes filles crédules qui manquent.

Cabrini n'a décidément pas le moral. Sa conversation avec Morel n'a rien fait pour l'améliorer. Son appartement vide ne lui fait pas envie. Elle bifurque et se dirige vers l'est. À cette heure-ci, Marina est sûrement chez elle. Carolina appuie sur la touche correspondant au numéro en mémoire de sa meilleure amie.

— *Ciao, bella mia !* Ça t'ennuie si je débarque?

20

La nuit va bientôt tomber. Anya marche dans le parc, malgré la pluie. Elle ne sait plus où se réfugier. Les murs de son studio vibrent des vies tonitruantes de ses voisins. Tout ce bruit exacerbe son anxiété. Elle n'ose plus aller à la piscine depuis qu'un des moniteurs lui a dit que la police cherchait à interroger tous les gens qui étaient présents le soir de l'assassinat de cette fille. Elle y était. Elle s'en souvient, c'était un soir de congé pour elle. À la bibliothèque également, elle se sentait épiée. Les employés du centre pouvaient se souvenir d'elle, en informer la police. Elle se répète qu'elle est en pleine crise de paranoïa, mais l'air dans ses poumons se raréfie. Elle craint de connaître de nouveau ces accès de panique qui l'amenaient jusqu'au bord du vertige et lui donnaient envie de se jeter du haut du pont ferroviaire de Krasnoïarsk.

Quel aveuglement de s'être imaginé qu'elle pourrait travailler dans un bar de danseuses nues tout en restant loin de ce qui s'y trame! Elle devine qu'elle ne pourra rester au Tropical encore bien longtemps. Le gérant va bientôt exiger d'elle bien plus que «de trémousser son petit cul», comme il le lui a beuglé la veille. «Y a des clients qui te demandent.» Il lui a parlé de «salons de massage» auxquels le bar est affilié. Pour la coincer encore plus, il lui a proposé de lui faire un prix pour de la blanche. «De la qualité!» Il trouve suspect qu'elle ne se drogue pas. Elle boit de la vodka, bien sûr. Le barman lui garde sa bouteille au congélateur. L'alcool glacé lui procure la torpeur nécessaire pour affronter le podium. Elle se répète qu'elle peut contrôler sa consommation d'alcool. Elle sait par contre que l'héro la jetterait dans un gouffre dont elle ne sortirait pas vivante.

Le Kurde la guettait hier soir. Il était attablé avec le même grand Noir qui fréquente le bar de plus en plus souvent. Ils discutaient avec un autre Kurde, plus jeune, et un homme dans la cinquantaine qu'elle avait eu l'impression d'avoir déjà vu dans son quartier. Il portait la barbe et la calotte des croyants musulmans. Une incongruité, dans un club de danseuses nues. Les hommes parlementaient ferme. Même depuis son podium, elle pouvait sentir la tension qui émanait d'eux tous. Le Kurde ne la quittait pas des yeux pendant qu'elle dansait, n'écoutant que d'un air distrait les arguments que lui assénait le musulman. Elle percevait, malgré l'éblouissement des projecteurs, toute l'attention qu'il faisait peser sur son corps.

Dans la loge, Nancy, un grande Haïtienne qui semble connaître tous les chefs à la tête des trafics du milieu, expliquait à son amie Camille ce qui, selon elle, se manigançait. Non seulement Bijar Kardou, le Kurde, allait acheter le Tropical, mais il s'associait avec un des chefs des Crips, Jo Bassin, pour s'approprier le marché de l'héroïne. Ça ne présageait rien de bon, au contraire. Elle connaissait Jo depuis toute petite. Il terrorisait déjà tout le quartier à quinze ans à peine. Un sadique qui marquait ses initiales au couteau sur les filles qu'il recrutait. Il l'avait approchée alors qu'elle n'avait que treize ans, mais elle était déjà grande pour son âge. Elle avait réussi à lui échapper grâce à son frère qui était plus redouté que Jo.

Anya courbe la tête sous l'assaut glacial de l'averse. Son capuchon, où le vent s'engouffre, ne la protège plus. Elle accélère le pas pour retourner chez elle. Avant son quart au Tropical, elle aura juste le temps de manger cette soupe de légumes qu'elle a cuisinée ce matin avec les restes du poulet acheté il y a deux jours. Dans ce pays, la vie est chère. Avec ce qu'elle gagne, elle mettra des années à économiser de quoi payer les frais d'un avocat. Le cercle de ses pensées morbides tourne à vide. Une course dans un labyrinthe sans issue.

Il y a l'odeur du café, puis la voix de Marina pénètre le brouillard dans sa tête. Le carillon joyeux de son cellulaire lui arrache une plainte. Carolina ouvre les yeux sur le visage pimpant de son amie et le portable qu'elle lui place sous le nez.

— C'est Morel. Tu ferais mieux de répondre à ton patron!

La jeune femme se soulève sur un coude, repoussant les coussins du sofa où elle a dormi. Elle place l'appareil contre son oreille et croasse un «allô» peu convaincant.

— Cabrini, on a un nouveau cadavre. Atif Hashmi a réussi à semer la filature, hier soir. Il est allé prier à la mosquée, puis il a soudainement disparu pendant la cohue de la fin de la prière. Je ne sais pas ce qu'il a trafiqué, mais son escapade lui a valu de se faire trancher la gorge.

— Et merde! Où ça? parvient-elle à articuler, d'une voix pâteuse.

— Derrière le Loblaws de Parc-Ex. Dans une benne parmi les légumes avariés. Un clochard qui fouillait les poubelles du supermarché a alerté le 33.

— Tu es déjà là?

— Non. Je fais du surplace sur l'autoroute Décarie. Fortier a déjà sécurisé la scène et prévenu l'IJ. Mais comme tu habites tout près, j'aimerais bien que tu ailles lui prêter main-forte.

— Je ne suis pas chez moi. Mais moins loin que toi, répond-elle d'une voix assurée cette fois.

Marina, qui a suivi la conversation, lui tend un café bien corsé. Son sourire éclaire un visage déjà maquillé.

Ses ancêtres, originaires du nord de l'Italie, l'ont dotée de cette blondeur unique, le fameux blond vénitien.

— Bois ça, tu en as besoin. Des ennuis?

— Merci! Un cadavre pour démarrer ma journée! *Madre di Dio!* Quelle heure il est?

— 6 heures 43, réplique-t-elle en regardant sa montre. Je t'avais dit que le prosecco et la grappa ne font pas ménage! lui dit son amie d'un faux air compatissant.

— Je prends une douche express, réplique Carolina en se mettant debout.

Seulement vêtue d'un court t-shirt portant le slogan *No Thanks*, elle examine ses vêtements de la veille, jetés en pagaille par terre.

— Tu me prêtes un chemisier? J'ai sué hier dans le mien. S'il te plaît, rien d'extravagant. Ou plutôt juste ton pull noir, suggère Carolina en songeant aux goûts vestimentaires de son amie, beaucoup trop chic pour se balader parmi les ordures d'une arrière-cour.

Le médecin légiste, Robert Guérin, dont l'embonpoint n'entrave étonnamment pas les mouvements, examine, agenouillé, la cheville du cadavre entièrement nu. Une profonde entaille y trace une ligne brunâtre. Plus loin, Fortier discute avec un patrouilleur et un homme portant une veste à l'enseigne du supermarché. Cabrini s'accroupit au côté du légiste, avec qui elle a souvent collaboré.

— Ça donne quoi, Robert?

— À première vue, exsanguination. Les poignets ont d'abord été incisés, puis les chevilles. On a fini le travail avec la carotide. J'en saurai plus lorsque j'aurai examiné les organes internes, mais je dirais qu'on l'a laissé se vider de son sang pendant un long moment avant de l'achever. Il a aussi été sauvagement battu, comme l'indiquent les contusions à la poitrine. Et sa mâchoire semble fracturée.

— On l'a battu… pour le faire parler?

— Ça, c'est ton domaine! Moi, je ne m'aventure pas sur ces territoires. C'est tout de même bizarre. Fortier m'a dit que c'est un jeune musulman, un de vos témoins? Il s'acoquinait avec les gangs de rue?

— Pas que l'on sache. Pourquoi?

— Les incisions aux poignets. Elles ressemblent étrangement à celles d'une autre victime que l'on n'a pas encore réussi à identifier. C'est Jasmin qui s'en occupe. Un jeune homme, trouvé nu, lui aussi, dans un fossé en bordure de la voie ferrée. Tout près d'ici, en fait! De l'autre côté de la gare, vers le parc Jarry. Jasmin pense que c'est un règlement de comptes…

— Comment ça? Comment se fait-il que l'on ne soit pas au courant?

— Oh! Ma chère! Moi, je ne me mêle pas de vos petites guéguerres!

— C'était quand?

— Une semaine, ou un peu plus. Demande à Jasmin, rétorque Guérin, un vague sourire aux lèvres.

Cabrini préfère ignorer cette raillerie. Ses conflits avec l'inspecteur font déjà l'objet de trop de commérages.

— Dis-moi tout de même ce que les deux victimes ont en commun.

— Eh bien… Deux hommes jeunes. Retrouvés nus comme des vers. Les poignets incisés, la gorge tranchée. Tous les deux jetés comme des déchets…

— Mais, ici, ça ne peut pas être la scène de crime. Il y aurait des litres de sang! remarque Cabrini en examinant les alentours.

— En effet. Les deux hommes ont vraisemblablement été tués ailleurs. Et que je sache, dans le cas de l'autre victime, Jasmin n'a pas encore trouvé où.

— Le même assassin, selon toi? demande Morel arrivé entre-temps. Debout derrière la détective, il se penche vers le cadavre qui repose sur une bâche. Après la séance photo d'usage faite par les techniciens de l'IJ, on a sorti le corps de la benne afin de faciliter l'examen du médecin légiste.

— C'est possible. Les incisions sont semblables, franches, je dirais très… professionnelles, si tu me permets l'expression.

— Comme celles de Noor? suggère Cabrini.

— Hum. Maintenant que tu m'en parles... Je vais examiner les bordures des plaies de plus près. Je te dirai ça ensuite.

— Il me faut le dossier de ton inconnu, rétorque Morel.

— Je t'envoie ça tout de suite. Tu règles ça avec Jasmin. Tu sais combien il est susceptible.

Le médecin légiste fait signe à ses adjoints. Le corps peut maintenant être emporté à la morgue.

Morel se tourne vers Cabrini. Perdue dans ses pensées, inconsciente du regard qu'il lui jette, elle tournicote une boucle de cheveux.

— Tu penses comme moi à Khan?

Elle lève la tête vers lui et fait un signe d'assentiment.

— Un ancien militaire qui faisait partie des renseignements. Il doit savoir comment faire parler les gens. Mais que cherche-t-il?

La détective Fortier s'avance vers eux en longues enjambées.

— Vous savez pourquoi les caméras qui pourraient nous servir sont toujours celles qui sont en panne?

— Parce que ce serait trop facile, répond Morel, sarcastique. Elles sont toutes en panne?

— Non, celles de devant fonctionnent. On aura peut-être quelque chose. Et il y a des traces de pneus, dans la boue. Il a bien fallu transporter le corps jusqu'ici. L'IJ a fait des moules des empreintes. Et aussi, j'ai appris que les bennes à ordures devaient être vidées ce matin. Ils espéraient peut-être que leur cadavre se retrouve à la décharge et disparaisse parmi les déchets.

— Tu as recueilli tout ce qu'il nous faut ici, Josée? J'aimerais bien qu'on fasse le point sur la situation. On peut squatter ton bureau?

— Bien sûr.

— Mais, avant, j'achète du café. Je n'ai pas eu ma dose ce matin, maugrée Cabrini.

134

— Hum. Tu as une drôle de tête, en effet. Tu n'aurais pas fait des excès hier soir? lui dit Morel, d'un ton taquin, tout en posant une main amicale sur son épaule.

— Eh! Ce n'est pas ce que tu crois! C'est mon amie Marina qui a ramené de la grappa artisanale de son voyage en Italie.

— Aïe! La pire gueule de bois de ma vie, commente Josée, compatissante.

Carolina, les bras chargés de sacs de viennoiseries et de gobelets de café, pousse de la hanche la porte entrouverte du bureau de Fortier. Cette dernière est au téléphone, le dos tourné. Morel, la tête penchée sur sa tablette électronique, contemple le cadavre d'un jeune homme couché dans l'herbe haute d'un talus. Le visage tourné vers le ciel, il semble regarder les nuages. Cabrini se décharge de son fardeau sur le coin de la table de travail et jette un œil sur les photos que l'inspecteur agrandit de deux doigts. Elle en laisse presque tomber son café.

— *Madre di Dio!*

— Eh! Oui! Zarav Acar! alias Zar, confirme Morel en se tournant vers elle. Il était là sous notre nez, dans un frigo de la morgue! D'après le rapport d'autopsie, il est mort la même nuit que Noor.

Cabrini tire une chaise au côté de l'inspecteur et s'assoit lourdement.

— Khan les aurait surpris à la piscine et tué tous les deux? Il faut que ce soit là, sinon pourquoi cette mise en scène pour Noor?

— En effet, il ne l'aurait pas amenée à la piscine si ce n'est pas à cet endroit qu'il les a découverts. Si Khan voulait faire croire à un suicide, il ne pouvait pas laisser de traces de la présence de Zar. Il s'est débarrassé du cadavre dans un fossé, à moins de cinq cents mètres, le long de la voie ferrée. Jasmin m'a dit que le talus est profond et couvert de broussailles. C'est un fichu hasard que quelqu'un y soit passé avec son chien.

— Il n'est pas trop en rogne que l'on marche sur ses plates-bandes?

— Pas du tout. Il est même soulagé. Il m'a dit : «Tu me décharges de cette affaire! Moi, j'en ai plein les bottes avec la mafia calabraise de Toronto qui jette ses filets jusqu'ici!»

— Donc on reprend son enquête?

— En quelque sorte. Il n'est pas allé plus loin que le rapport d'autopsie. Ça t'intéresse? demande l'inspecteur, l'air narquois, sachant pertinemment combien sa jeune subordonnée carbure à la compétition.

Surprise, Carolina n'a pas le temps de se fabriquer un masque d'indifférence. Elle opte pour la franchise. Le regard allumé et le sourire satisfait.

— Évidemment! Et puis comme j'ai déjà interrogé quelques personnes à la résidence étudiante…

— Tu prendras Ling avec toi. Vous faites un bon tandem toutes les deux.

— Elle n'est pas accaparée par la fouille de l'ordinateur avec Tanguay?

— Il peut se débrouiller tout seul. Ling a besoin de formation sur le terrain.

— Et Losier, il en est où?

— Il rencontre ses relations au SCRS, ce matin. Ensuite, il va aller interroger le cousin de Maira Khan à l'ambassade, à Ottawa. Il faut que l'on sache quel type de moyens possède Khan et vers qui il peut se tourner pour se cacher. La bonne nouvelle, c'est qu'on est à peu près certain qu'il n'a pas quitté le pays. De mon côté, je vais aller avec Josée voir madame Khan. Je dois lui annoncer que son mari fait l'objet d'un mandat d'arrêt. Il va bien falloir qu'elle coopère. J'oubliais : lors de notre deuxième perquisition, on a trouvé de l'hydrate de chloral. C'est ce qu'elle utilise comme somnifère.

— Justement, cette histoire de somnifère qu'on a trouvé dans le sang de Noor, pourquoi Khan lui en aurait-il fait boire? Pour qu'elle ne souffre pas? Par compassion?

— Ou pour qu'elle ne résiste pas… C'est étrange, en effet. Il la battait, il battait sa femme. C'est un homme violent qui exige de tout contrôler. Ça ne colle pas avec le personnage. On loupe quelque chose. Et pourquoi tuer Atif? J'ai senti, quand on l'a interrogé, qu'il nous mentait. Comme on n'avait rien pour le détenir plus longtemps, je me suis dit qu'en le faisant suivre on découvrirait ce qu'il nous cache.

— Les gars de la filature se sont fait berner par un ado! C'est incroyable!

— Oui et non, intervient Fortier, qui en a terminé avec son appel téléphonique. Il y a des caméras à l'avant de la mosquée. L'agent sociocommunautaire Ranjit Grégoire, que j'ai envoyé pour visionner les images de la sortie de la prière, nous rapporte des copies. Il dit qu'on y voit Atif Hashmi qui sort au côté de deux hommes habillés de vêtements traditionnels. Il est lui-même vêtu d'une djellaba à capuchon qu'il a enfilée par-dessus ses habits. Nos agents cherchaient un gars en jeans et sweatshirt! Atif portait un gros sac en bandoulière. Or, il n'avait pas ce sac en entrant.

— Donc, propose Morel, cela veut dire que soit quelqu'un le lui a remis, soit le sac était déjà dans la mosquée, et il n'a eu qu'à le cueillir.

— Il faut qu'on aille interroger les dirigeants de cette mosquée, suggère Cabrini.

— Je m'en charge avec Josée. Merde, c'est le double d'effectif qu'il nous faudrait! On passe d'un homicide à trois! Cabrini, tu t'occupes de Zar. Passe chercher le mandat pour la perquisition. Avec Ling et un technicien de l'IJ, tu écumes sa chambre, tu nous trouves tout ce qu'il y a à savoir sur lui.

— Ne t'en fais pas, on va se débrouiller.

22

Le centre de loisirs a retrouvé son calme. Anya ne s'aventure plus à la piscine, mais le mauvais temps de ces derniers jours rend ses promenades dans le parc moins agréables. Aussi prend-elle le risque de s'isoler dans le silence de la bibliothèque. Elle surfe sur Internet, incapable de s'empêcher de chercher de l'information sur le meurtre de cette jeune Pakistanaise. Elle en sait un peu plus à présent. Dans la mesure, bien sûr, où ce que racontent les médias est vraiment fiable. Des photos de la mère cachée sous un niqab et de la jeune sœur coiffée du hijab ont été prises alors qu'un agent de police les faisait monter dans une autopatrouille. On dit que la fuite du père de la victime conforte les soupçons qui pèsent maintenant contre lui. L'homme, un intégriste, aurait assassiné sa fille pour laver son honneur.

Anya se sent liée à cette fille. Est-ce parce qu'elles ont partagé le même besoin de nager jusqu'à l'épuisement, repoussant leurs limites afin d'anesthésier leurs angoisses? Car c'est ce qu'elle a lu sur le visage de Noor. Quelques jours avant sa mort, elles se sont retrouvées de nouveau au vestiaire. La jeune fille discutait au téléphone. Encore en sous-vêtements, la peur dans la voix, elle demandait à son interlocuteur d'être patient. «Il part mercredi pour Toronto, avant, c'est impossible, c'est trop risqué!»

Anya a l'intuition que pour aller jusqu'à défier ses craintes, cette fille devait posséder de solides raisons. Et quel autre mobile, pour une adolescente de quinze ans, que l'amour aveugle pour ce jeune homme dans la voiture grise? Il devait lui promettre la lune. Ce qu'elle avait fait de si dangereux lui avait-il coûté la vie? Son père, que les médias décrivent comme un religieux fanatique, avait-il découvert leur idylle? Anya ressent une telle révolte. Cette fille et elle ne sont pas si différentes. Comme elle, on tente de la soumettre. Lorsqu'elle se refusait à son beau-père, il la frappait. Noor s'est rebellée, on l'a tuée.

Anya soupire, elle clique machinalement sur un autre lien qui relate les propos d'un représentant de la police. Elle y lit que c'est le Service des crimes majeurs qui mène l'enquête. L'appel à témoins mentionne le nom du responsable, l'inspecteur Paul Morel. «On sollicite tout renseignement susceptible d'aider à l'interpellation du suspect, Farid Khan.» Une photo en médaillon montre l'homme en gros plan, comme sur les photos de passeport. Une épaisse chevelure striée de gris, une barbe sombre, l'air sévère et revêche. Anya reçoit un coup au cœur. Elle ne peut retenir un petit cri. L'adolescent, assis au poste voisin, la regarde, interloqué. Anya lui sourit bêtement, masquant tant bien que mal son trouble. Ce Farid Khan, c'est l'homme qui était assis à la table de Bijar Kardou et tentait de le convaincre de quelque chose. C'est lui qui argumentait avec Jo Bassin, le chef de gangs qui fait si peur à Nancy, au point qu'elle a refusé de danser sur le podium devant lui. Anya avait dû la remplacer. C'est bien lui. Il n'y a aucun doute. Ces hommes-là sont des brutes. Ils n'hésitent pas à tuer qui ose les défier.

23

Le vent pousse la pluie en rafale. En vingt-quatre heures, l'automne s'est résolument installé. Les chaudes journées et les nuits tièdes ne reviendront plus. Ou seulement pour quelques jours, si l'été des Indiens veut bien offrir cette grâce. Morel s'engouffre dans sa voiture, suivi de près par Josée Fortier qui s'installe sur le siège passager. Elle secoue son chignon trempé qui se défait en longues boucles blondes. Elle tente de redonner à sa coiffure une allure plus stricte, la remettant en place.

— La pluie, ça les fait friser encore plus! confesse-t-elle, embarrassée.

Morel la regarde. Cette lourde masse bouclée de cheveux qui retombent sur ses épaules la rajeunit, lui fait perdre son allure de femme énergique et réservée.

— Mais c'est plutôt joli, lui répond-il pour la rassurer. Moi aussi, j'ai une tignasse rebelle, poursuit Morel, tout à coup conscient qu'elle pourrait penser qu'il enfreint les règles de la conversation entre collègues.

Il ne sait pas comment se comporter avec cette femme qui, malgré sa gentillesse dans ses rapports avec les autres, garde toujours cette distance qui laisse entendre qu'elle ne souhaite pas davantage de camaraderie.

Fortier le regarde pendant qu'il essuie maladroitement du revers de la main les gouttes de pluie qui coulent sur ses tempes. Elle éclate de rire.

— On est vraiment trempés! Mais notre expédition en valait la peine! Ranjit Grégoire est un bon agent socio-communautaire.

Sa mère d'origine indienne a épousé un Québécois et lui a enseigné l'ourdou et l'hindi. Son travail auprès des représentants des différentes communautés musulmanes qui fréquentent la mosquée a facilité la tâche aux policiers. La majorité des musulmans de ce quartier n'approuvent pas les harangues de ce petit groupe d'intégristes qui tentent de prendre les rênes de la mosquée. Il y a, là aussi, des dissensions et des batailles pour le pouvoir.

— Je pense que l'assassinat de Noor a polarisé les désaccords, avance Fortier. Et celui d'Atif vient de faire pencher la balance vers les modérés qui ne veulent pas être associés à ses manières de faire et, surtout, à ses fréquentations.

— Tu as raison, commente Morel en démarrant. Je ne m'attendais pas à ce qu'ils nous remettent les affaires d'Atif sans qu'on produise un mandat. Ils veulent vraiment écarter tout soupçon de complicité. Mais je ne crois pas beaucoup à leur version qui fait d'Atif Hashmi un simple fidèle qui assistait au cours d'arabe, en plus de venir prier tous les jours. On lui permettait tout de même de remiser des effets personnels dans le vestiaire. Alors, il y a quoi dans ce sac à dos?

Fortier, qui a enfilé des gants de latex et fait glisser la fermeture éclair, déplie un vêtement de soie damassée ivoire, brodé et incrusté de dorures. Cela semble être une longue chemise d'homme, un *sherwani*. Elle en a vu des images sur Internet au cours de ses recherches sur les traditions des gens du quartier.

— Wow! Ces chemises coûtent cher, plusieurs centaines de dollars. C'est un vêtement de cérémonie ou même de mariage. Pauvre garçon! Il n'aura pas eu l'occasion de la porter.

Morel examine le vêtement, tout en gardant un œil sur la route détrempée. Il hoche la tête. Il aimerait bien avoir autant de compassion que sa collègue, mais son antipathie primaire pour le jeune homme l'en empêche.

— On le remettra à sa mère lorsque nous pourrons lui rendre le corps de son fils. C'est plutôt cette pauvre femme

141

que je plains. Elle m'a fait pitié ce matin, lorsqu'on lui a annoncé la nouvelle. Heureusement que la travailleuse sociale nous accompagnait. Je déteste devoir dire à qui que ce soit qu'un proche est mort, et encore plus à la mère de celui qu'on soupçonne de délits. La mère d'Atif n'imagine pas que celui qu'elle voit toujours comme un enfant innocent était prêt à toutes les violences. Elle ne comprenait pas que des policiers envahissent encore une fois son appartement. Je crois qu'elle ne sait même pas ce qu'est une perquisition.

— J'ai bien peur que tu n'aies raison, admet, abasourdie, la détective. Sous les cahiers d'exercices dont les pages sont couvertes des lettres de l'alphabet arabe, d'un Coran aux pages écornées aussi en arabe, Fortier découvre le poids d'une arme enveloppée dans un foulard.

Morel ralentit, puis tourne la tête, les yeux sur le pistolet semi-automatique que tient Josée.

— Tu t'y connais en armes? Je n'ai jamais vu ce modèle, dit Fortier. Makarov, lit-elle sur la crosse.

— Je crois que c'est une arme que l'armée soviétique utilisait. Les Pachtounes sont les meilleurs contrebandiers de la planète. Et on sait que la débandade des Soviétiques en Afghanistan a laissé des stocks d'armes que les Afghans se sont empressés de récupérer.

— Mais qu'est-ce qu'il trafiquait? soupire Fortier. Elle libère le chargeur et constate qu'il est vide.

Elle fouille le sac jusqu'au fond. Il ne contient plus que des papiers et un vieux lecteur MP3. S'il avait des munitions, elles ne sont pas là.

— Sur la bande vidéo, il transportait un sac...

— Et ce n'était pas celui-ci. C'était un sac de sport noir et rouge, bien plus gros.

— On n'a rien retrouvé aux abords des bennes à ordures. C'est peut-être le contenu de ce sac qui intéressait son assassin.

— Il y a eu de la mari dans cette pochette, constate Fortier en reniflant le rabat de la poche arrière du sac.

— On va faire examiner tout ce bazar par l'IJ. On file au centre d'hébergement. Il faut que l'on arrive à faire parler

Maira. On ne peut pas se permettre plus de cadavres que l'on n'en a déjà!

Dans le petit bureau de la directrice du centre d'hébergement, une fenêtre s'ouvre sur une minuscule cour gazonnée. Des enfants s'ébattent dans une aire de jeux composée de toboggans et de balançoires encore humides de la pluie qui a enfin cessé.

La directrice, une petite femme ronde au regard déterminé, répète sans ciller son raisonnement, que Morel tente encore de contrer.

— Je comprends vos réticences. Votre devoir est de veiller sur elle. Et le mien aussi. Pour cela, nous devons retrouver son mari! Laissez au moins la détective Fortier essayer de l'interroger. Je vais rester en retrait. Elle gardera son niqab, si elle le souhaite. Elle sait peut-être où se cache Khan. Le moindre indice nous serait utile. Je veux lui faire comprendre que nous pouvons la protéger, elle et sa fille.

— D'accord, je vais l'envoyer chercher. Mais si elle refuse de vous parler, je ne veux pas que vous l'y contraigniez. Cette femme est tellement traumatisée qu'elle ne sait plus penser par elle-même. Les photos que vous avez là parlent d'elles-mêmes! Elle a été isolée et battue depuis au moins quinze ans. Notre médecin affirme que certaines marques dans le dos remontent à de nombreuses années! Elle n'a pas la capacité, en ce moment, de même imaginer qu'elle pourrait faire autre chose que d'obéir aveuglément à cet homme. Toute son éducation, toutes ses croyances l'empêchent de penser autrement.

— Je comprends votre point de vue, Josiane. Pourtant, j'ai vu des femmes changer lorsqu'elles ont pris conscience qu'elles pouvaient faire en sorte que leur fille ne subisse pas le même sort, insiste Fortier. Je veux lui démontrer qu'elle peut sauver Zahra. Que sa fille a un avenir ici. Nous pouvons leur donner une nouvelle identité. Enfin, vous connaissez nos programmes de protection des témoins!

— Vous seriez prêts à aller jusque-là?

— Évidemment! réplique Morel. Il n'est pas question pour nous de les laisser sans défense. Khan est jugé extrêmement dangereux et nous ne savons pas jusqu'à quel point sa famille et même celle de Maira peuvent être impliquées. J'ai besoin de savoir si, selon vous, Maira possède des notions qui l'aideraient à comprendre nos lois, les mesures que nous pouvons prendre pour garantir leur sécurité…

— Ah! Inspecteur, voici Gita Banerjee, l'interrompt la directrice alors qu'une femme dans la soixantaine entre en poussant la porte laissée entrebâillée. Je lui ai demandé de venir vous rencontrer. C'est elle qui a reçu les confidences de Maira. Elle peut vous répondre mieux que je ne le ferais.

Une Indienne au teint sombre portant une blouse médicale sur un chemisier de soie rose et un pantalon de fin lainage gris tend la main à Paul Morel qui s'est levé à son arrivée. Elle salue Josée Fortier de la tête. Ses cheveux noirs, striés de gris, sont tirés vers l'arrière dans un lourd chignon. Josiane lui avance une chaise tout en la mettant au fait des demandes des policiers.

L'infirmière, en s'assoyant, jette les yeux sur les photos étalées sur la table. Elle les connaît bien pour les avoir prises elle-même pendant que sa collègue médecin examinait Maira Khan. La jeune femme avait d'abord résisté, refusant de se dénuder, honteuse des marques sur son dos et ses cuisses. La convaincre d'accepter un examen gynécologique avait été encore plus ardu. Mais Gita avait l'habitude, tout n'était qu'une question de patience. Son attitude maternelle finissait par abattre les murs. Les femmes, privées depuis trop longtemps de bienveillance, s'abandonnaient entre ses mains. Léthargique, mutique, Maira Khan s'était finalement résignée. Gita avait vu passer cette absence dans son regard. Les victimes de sévices se déconnectaient de la réalité lorsqu'elles se rendaient compte qu'elles étaient impuissantes. Gita soupçonnait que cette jeune femme subissait les attouchements de son mari sans y prendre le moindre plaisir. L'examen gynécologique révélait la cicatrisation de fissures vaginales. Est-ce que cette femme avait la moindre notion de ce qu'était un viol conjugal ? Prudemment, à petits pas, Gita avait interrogé Maira sur sa vie au Pakistan.

Maira Khan lui avait raconté avoir perdu sa mère à l'âge de neuf ans. Sa tante, la matriarche de la famille, l'avait recueillie. On l'avait assignée à des tâches domestiques et on lui avait enseigné tout ce qu'une bonne épouse doit savoir. On l'avait élevée dans l'idée d'un mariage avec un homme honorable qui pourvoirait à ses besoins. Sa dot n'était pas bien élevée, car son père, remarié, n'avait presque rien laissé pour elle. Sa tante s'était chargée de tout. Elle lui avait fait confiance. Farid Khan était un bel homme. Il venait d'un clan qui possédait de vastes terres d'élevage et il avait fait des études. Ses relations avec de hauts gradés dans l'armée, proches de certains membres du gouvernement, faciliteraient l'obtention de permis dont la famille de Maira avait besoin pour l'expansion de leurs sociétés d'exportation et l'implantation de nouvelles usines de textiles. Farid, qui souhaitait quitter l'armée, avait accepté de travailler pour sa belle-famille. Il était doué pour les langues. Non seulement il parlait l'anglais, que les Pakistanais instruits pratiquaient couramment, mais il avait étudié le français et le russe pendant ses années au sein de l'Inter-Services Intelligence. Maira croyait que Farid serait un bon mari, même si, dès le début, il s'était montré sévère et exigeant. Elle avait essayé d'être une bonne épouse, cependant ses colères devenaient de plus en plus violentes. Il reprochait à son oncle de ne pas tenir ses promesses. On lui refusait les postes les plus prestigieux pour le reléguer à la direction de chaînes de magasins qui rapportaient peu et exigeaient beaucoup de travail. Ses insatisfactions s'étaient transformées en rancœur à la mort de l'oncle, quand il avait compris que la matriarche prenait la direction des affaires.

Le portrait brossé par Gita jette un nouvel éclairage sur les motivations de Khan. L'ambitieux floué voulait prendre sa revanche en mariant Noor à ce lointain cousin. Selon Gita, la majorité des cas de mariages forcés reposaient sur des motifs liés à l'argent et à l'immigration. Le futur marié vivant à l'étranger était prêt à payer le prix fort pour l'obtention tant convoitée d'un passeport canadien. Noor, née en France, en possédait la nationalité. Elle avait aussi acquis la citoyenneté canadienne lorsque toute la famille Khan avait été naturalisée. Sur le marché noir de l'immigration, Noor valait une petite fortune. Cependant, Maira lui avait dit que son mari n'aurait jamais tué celle qui pouvait le libérer de l'asservissement de sa belle-famille.

— Justement, madame Banerjee, nous devons lui demander qui elle soupçonne, si ce n'est pas son mari. Qui a voulu laver l'honneur bafoué par sa fille, selon elle?

— Je lui ai expliqué que vous souhaitiez la questionner. Elle a peur, mais je crois qu'elle va tenter de vous répondre. C'est Zahra, en fait, qui l'a convaincue. Cette jeune fille est d'une étonnante maturité pour ses douze ans. Elle comprend les dangers qui pèsent sur elles deux tant de la part de la famille de Farid Khan que de celle de sa mère. Maira n'a pas su «tenir sa fille aînée». Zahra a passé la soirée d'hier sur Internet. Je me demande si elle n'en sait pas plus que moi à présent sur les droits des femmes au Canada et sur les lois censées les protéger! J'ai expliqué certaines de ces règles à Maira, mais ce sont des notions tellement étrangères à son univers qu'il est difficile pour elle d'en prendre toute la mesure. Et je vous dirais qu'elle est… comment dire… Zahra m'a expliqué que sa mère consomme beaucoup de calmant. De l'hydrate de chloral qu'elle mélange à toutes les boissons qu'elle ingurgite. Nous avons fait des prises de sang. Nous verrons les résultats, mais j'ai bien peur qu'elle ne soit totalement dépendante. C'est sûrement ce qui la rend si apathique. La petite m'a dit que Maira en mettait même dans le jus d'orange du matin de Noor pour la rendre moins rebelle.

— Justement, les analyses toxicologiques en révélaient la présence! affirme Fortier, tout en tournant les yeux vers Morel qui échange avec elle un signe d'intelligence.

— Je préférerais que nous interrogions d'abord Maira sans sa fille.

146

— Je vais la chercher, dit la directrice en se levant.

Morel regarde la détective qui, depuis leur départ de l'entrepôt, se tait. Un malaise persiste entre eux. Fortier lui en veut d'avoir malmené Maira Khan qui n'est à ses yeux qu'une victime. Mais Morel la considère aussi comme une suspecte ou, du moins, une complice impuissante. La tension entre eux est à peine tombée depuis leur découverte dans l'entrepôt de Farid Khan. Morel conduit vite malgré l'averse. L'autoroute Métropolitaine est en partie dégagée. Il en profite. Il ramène Fortier au poste 33, où elle a laissé sa voiture. Il a promis à Geneviève de passer la chercher à son studio. Il n'a pas eu une seule soirée avec sa compagne depuis… trop longtemps. Il rentre tard. Souvent elle dort déjà. Contrairement à lui, Geneviève est une vraie matinale. Fraîche, de bonne humeur au réveil, alors que pour lui sortir du sommeil a toujours été un combat. Avec l'âge, et ce boulot qu'il aime mais qui malmène son équilibre mental, le sommeil est devenu une obsession.

Il ne veut pas se sentir coupable, ni être jugé par cette femme qui tient plus de l'assistante sociale que du policier. Et puis, s'il n'était pas intervenu, s'il n'avait pas menacé Maira Khan de la séparer de Zahra, jamais elle n'aurait parlé des armes et des magouilles de Khan. Au début de leur entretien, Maira balbutiait ses réponses aux questions de Fortier que Gita traduisait. Elle se montrait réticente à collaborer. Elle disait ne pas connaître les hommes qui se réunissaient avec Khan dans le salon d'apparat. Puis Morel avait exigé que Gita lui explique de nouveau quelles mesures pourraient être prises pour sa sécurité, à condition qu'elle se conforme à la loi. Elle avait le devoir de coopérer avec la police. Elle devait dire où se cachait son mari. Le regard que la femme lui avait lancé à ce moment-là n'était pas celui d'une femme terrifiée. Derrière le masque noir du niqab, il avait senti la rébellion, la colère et un certain mépris. Instinctivement, il avait joué la carte du pouvoir. La gentillesse, la compassion dont on l'entourait ne la convainquaient pas. Ces gens-là, avec leurs bonnes intentions, ne sauraient pas affronter et vaincre Farid Khan. Le trahir pouvait lui coûter la vie.

Morel avait quitté sa chaise au fond de la pièce. Il en avait assez de patienter. Il avait enjoint à Gita de traduire exactement ses paroles. Il voulait des réponses claires. Sinon, il en déduirait qu'elle était la complice de Khan. Elle pourrait être accusée d'avoir comploté avec lui pour venger l'honneur du clan en tuant Noor et l'enfant qu'elle portait! On la mettrait en prison et Zahra serait envoyée dans un foyer d'accueil. Il avait vu le sang fuir le visage de Maira sous le voile. Elle ne savait pas que Noor était enceinte. Elle avait crié, la main devant la bouche. Fortier avait voulu la calmer, la rassurer, mais Morel, par sa simple attitude, l'avait fermement écartée, fort de son grade. C'était son enquête, il la mènerait comme il l'entendait. Il y avait une brèche chez Maira, il devait pousser son avantage. Il sentait bien la désapprobation de Fortier, mais il était persuadé que cette femme n'était pas aussi fragile qu'elle le laissait paraître. Il avait insinué qu'elle savait que Noor se réfugiait au centre de loisirs. Qu'elle l'avait dit à Khan, qui était allé la débusquer et avait maquillé sa mort en suicide. Leur honneur était sauf, leurs clans respectifs seraient satisfaits.

Maira se taisait. Elle niait de la tête et pleurait. Il avait suggéré que Zahra pouvait très bien remplacer Noor dans un an ou deux afin de préserver le lucratif marché conclu avec le cousin au Pakistan. Maira avait flanché. Elle s'était insurgée. Et elle s'était décidée à parler. À raconter ses doutes, ses soupçons.

Maira a beau être analphabète, elle a deviné que son époux falsifiait la comptabilité des succursales qu'il dirigeait afin de se libérer de ses devoirs envers sa belle-famille. Il lui a dit, alors que ce n'est pas dans ses habitudes de parler de ses affaires avec elle, qu'il voulait fonder sa propre société. Elle pense même que ses tractations à Toronto n'ont que ce seul objectif. En France, ils vivaient dans un confortable pavillon, en banlieue de Marseille. Leurs revenus étaient bien supérieurs à ce que Khan disait pouvoir leur offrir depuis qu'ils avaient immigré ici. Il les avait installés dans ce minable appartement d'un quartier pauvre. Il ne lui donnait que le minimum nécessaire aux besoins de la maisonnée. Ses voyages d'affaires étaient de plus en plus longs et fréquents. Il disait se rendre à Toronto, mais il pouvait être n'importe où sur la planète, lorsqu'il lui téléphonait pour s'assurer qu'elle se conformait à ses volontés. Elle sentait bien qu'il lui mentait. Et lorsqu'elle avait parlé à sa tante de ses fréquents séjours à Toronto, cette dernière avait affirmé ne pas être au courant. Maira s'était reprise, confuse, consciente de son impair. Elle s'était rétractée, peut-être se trompait-elle, après tout, elle n'y connaissait rien. Elle craignait la colère de Farid s'il apprenait qu'elle l'avait mouchardé. Il n'appréciait pas qu'elle parle à sa tante. Celle-ci s'était offensée, depuis que Farid avait décidé de marier Noor à quelqu'un de son clan à lui, et cela, sans en faire part à la toute-puissante femme.

Maira désapprouvait les conditions de ce mariage. Elle avait supplié son mari d'attendre que Noor soit plus âgée. Au Pakistan, maintenant, les filles faisaient des études. Les jeunes hommes souhaitaient que leur épouse soit instruite. Sa tante était prête à doter en conséquence sa nièce, qui était aussi sa filleule. Elle n'avait eu que des fils et elle estimait Noor. Elle lui choisirait un bon parti. Mais Farid n'y trouverait pas son compte. La matriarche organiserait une union qui les avantagerait, elle et son clan. Il refusait de se laisser encore duper. Il avait tout négocié en secret avec des gens que Maira ne connaissait pas. Des paysans qui vivaient dans les montagnes, qui avaient mauvaise réputation. Ils s'étaient enrichis grâce à toutes sortes de trafics. Maira craignait que Noor ne soit maltraitée par ces gens incultes qui ne verraient en elle qu'une étrangère aux manières bien trop occidentales.

Elle avait avoué que malgré sa frayeur, elle avait fouillé le coffre-fort. Elle en avait deviné la combinaison, car Farid était superstitieux. Il croyait aux chiffres porte-bonheur, le 5 et le 19. Il jouait toujours les mêmes chiffres au Lotto. Elle y avait découvert des pistolets, un fusil d'assaut, un semi-automatique et même un fusil de précision, des couteaux de combat et des munitions. Elle connaissait bien les armes, ses cousins ne se privaient pas d'exhiber leur arsenal. Il y avait également dans le coffre un sac bourré de dollars et d'euros – en tout, plusieurs dizaines de milliers. Beaucoup de papier qui semblaient officiels, et les passeports de Farid, ainsi que le sien et ceux des filles. Leurs précieux passeports canadiens et français. Morel en avait déduit, tout comme Fortier, que Khan avait embarqué tout ça avant de disparaître! Le coffre-fort ne contenait plus que la lourde arme d'assaut lors de la perquisition. Il avait tout de suite joint Losier, toujours à Ottawa, et lancé Tanguay, qui épluchait les comptes de Farid Khan, sur la piste de sociétés-écrans.

Tout ce que Maira pouvait dire des hommes que Khan avait reçus dans le salon d'apparat tenait à peu de chose. Un seul d'entre eux était Pachtoune. Les autres devaient être musulmans puisqu'ils citaient le nom d'Allah. Mais ils étaient étrangers. Ils s'habillaient comme des Occidentaux. Khan lui avait dit que ces hommes venaient de Toronto, de nouveaux associés pour ses affaires. Son mari ne lui donnait jamais d'explications, il la croyait trop bête pour comprendre quoi que ce soit.

Ensuite, Morel l'avait interrogée sur Atif. C'est à ce moment que Maira leur avait parlé de l'entrepôt que Farid louait dans le parc industriel pour stocker la marchandise importée par sa société.

Maira avait pitié du jeune homme qui n'avait plus que sa mère. Il admirait Khan, qui s'était pris d'affection pour lui. Il lui offrait de temps en temps un peu de travail. Atif faisait parfois des livraisons avec la fourgonnette de la société, quand Farid n'en avait pas le temps et devait s'absenter. C'est d'ailleurs lui qui avait payé le coût de son permis de conduire. Selon Maira, il livrait les commandes aux boutiques qui vendaient des vêtements et des tissus indiens et pakistanais. Certains produits provenaient aussi des usines de la famille, au Cachemire. C'est également à l'entrepôt qu'il garait la fourgonnette et parfois aussi sa voiture. La vieille Toyota stationnée à côté de la maison était réservée à Maira qui s'en servait pour faire les emplettes. Khan avait fini par accepter qu'elle apprenne à conduire depuis qu'ils vivaient au Québec. Khan avait donc fui grâce à cette autre voiture.

Fortier avait aussitôt envoyé des patrouilleurs vérifier le local. Dès la fin de leur entretien, les policiers s'étaient précipités à l'adresse de l'entrepôt à l'est de la voie ferrée. Morel, cette fois, avait décidé de jouer la carte des «motifs raisonnables». Pas question d'attendre un nouveau mandat!

Les patrouilleurs les attendaient. Ils avaient sécurisé l'entrée d'un ancien garage jumelé à une entreprise spécialisée dans la revente de pièces d'autos usagées. La bâtisse crasseuse semblait abandonnée, des planches de contreplaqué masquaient les fenêtres.

Morel se souvient encore de l'odeur âcre et ferrugineuse, mêlée à celle de l'essence, qui les a pris à la gorge dès l'ouverture de la porte que les patrouilleurs ont forcée à l'aide de longues tenailles.

Munis de torches, les deux agents, suivis de Morel et Fortier, avancent prudemment dans l'obscurité, l'arme au poing. L'espace n'est pas très vaste et semble vide, leurs pas résonnent sur le ciment maculé d'huile. Ils distinguent de larges caisses alignées le long du mur du fond et jusqu'au plafond. Au milieu du local, un chariot de transport à palettes côtoie une fourgonnette noire dont les fenêtres sont obstruées. Fortier, qui a cherché sur le mur de l'entrée les commutateurs électriques, pousse en même temps les trois interrupteurs. Des néons grésillent au plafond et illuminent l'entrepôt. Surpris, les policiers clignent des yeux. Muni d'un pied-de-biche, l'agent ouvre les portes de la fourgonnette. Le caisson est vide, mais du plancher de métal montent des remugles de sang et d'urine. Morel fait courir sa torche toujours allumée et distingue des taches qui ressemblent à du sang séché.

Fortier l'a rejoint. Elle grimace, fronçant le nez.

— On a peut-être la scène de crime qui nous manquait, dit-elle, alors que Morel se fait la même réflexion.

— Inspecteur, venez voir par ici, dit le plus jeune des patrouilleurs. Il pointe sa torche vers le sol percé d'un puits de vidange.

— Je parierais qu'il n'y a pas seulement de l'huile qui s'est écoulée par là, commente Morel.

Fortier est déjà au téléphone avec l'Identification judiciaire.

Paul se gare dans le stationnement du poste 33. Il cherche comment renouer la communication avec la détective sans pour autant s'excuser.

— Josée, je suis conscient d'avoir été brutal. Parfois, on n'a pas le choix, dans ce boulot.

— Paul! Tu sembles oublier qu'elle est aussi victime de cet homme. Elle aurait fini par tout déballer si tu m'en avais laissé le temps!

— Du temps, on n'en a justement pas. Et je ne suis pas convaincu qu'elle soit aussi vulnérable qu'elle veut le laisser paraître. Elle pourrait être de mèche avec lui et jouer la comédie...

— C'est ce que tu crois? Tu as vu les photos, pourtant! Elle est couverte de bleus.

— Eh! Je ne nie pas qu'il l'ait battue! Mais, tu le sais bien, les femmes violentées peuvent devenir aussi des complices. Elle droguait sa fille pour qu'elle se tienne tranquille.

— Je sais bien, soupire Fortier. On doit d'ailleurs mentionner ça à Wendy Connolly. Il est possible que le chloral ne lui ait pas été administré par son assassin. Les traces dans son sang proviennent peut-être de la dose que sa mère mettait dans son jus tous les matins.

— Je vais aller voir Wendy demain. Je veux faire le point avec elle. Mais là, je suis drôlement en retard! remarque Morel en regardant l'heure sur le tableau de bord.

— Je veux retourner voir Maira demain et parler aussi avec la petite, dit Fortier en ouvrant la portière.

— Ça me va. Tout ce que tu pourras en tirer sera bien-venu. On se fera un bilan en après-midi. Espérons que Cabrini aura aussi des résultats.

24

Alors qu'il patiente au feu rouge, Paul regarde ses messages sur l'écran de son téléphone. Il y en a trois de Geneviève, dont un texto : «Rappelle-moi!» Il se doute bien qu'elle doit être agacée par son retard. Il s'apprête à la rappeler puis, lâchement, lui envoie un texto. «Désolé! J'arrive.»

Il est conscient qu'il abuse de sa tolérance, depuis le début de cette enquête. Il est même étonné de la patience dont elle a fait preuve. Toutefois, certains signes, des regards, des réflexions lui disent qu'il va devoir trouver une façon de lui accorder plus de temps. Il est terrifié à l'idée de la perdre de nouveau. Il se dit qu'il ne s'en remettrait pas. Les seuls moments où ils se retrouvent, c'est au lit. À l'aube, alors qu'il dort enfin d'un vrai sommeil, elle se colle à son dos. Il sait qu'elle n'ose pas le réveiller. Elle guette un signe et, lorsque son érection matinale se manifeste, elle prend son sexe dans sa main et le caresse. Le combat s'engage entre son besoin de prolonger son sommeil et l'excitation qu'elle provoque. Elle lui a dit qu'elle se vengeait ainsi parce qu'il est trop souvent absent. Elle lui a aussi dit qu'elle comprenait les exigences de son travail, mais qu'elle ne supporterait pas qu'il ne lui fasse plus l'amour.

Lorsqu'il entre en coup de vent dans le studio, elle est debout, tout au fond, à discuter avec Michael, le concepteur des éclairages du spectacle qu'ils préparent pour la fin de l'automne. Elle se retourne à son arrivée.

— Chérie, désolé! Je sais, tu dois en avoir assez de toutes mes excuses, mais je vais me faire pardonner. Je t'invite au resto, celui qui te plaira, choisis, lance-t-il sur un ton léger qu'il espère convaincant.

— Au resto? rétorque Geneviève, abasourdie. Paul, qu'est-ce que tu racontes? fait-elle en marchant vers lui.

Une lueur de compréhension surgit dans ses yeux.

— Tu n'as pas écouté mes messages?

Paul, coupable, n'ose pas avouer sa négligence. Il voit bien que quelque chose ne va pas à l'air qu'ils font tous les deux.

— Qu'est-ce qui se passe?

— Il se passe qu'on a fait une drôle de découverte, Michael et moi! répond-elle en se tournant vers l'éclairagiste.

— J'avais besoin d'espace pour ranger mon matériel, explique celui-ci avec l'accent typique des anglophones de Montréal. Genn m'a dit que je pouvais utiliser le débarras dans le couloir près de la sortie de secours.

— Tu te souviens, quand on a emménagé, on n'avait pas eu le courage de le vider de tout le bric-à-brac qui y était entreposé. Je m'étais dit qu'on ferait ça plus tard, puisque tout ce qu'il contient est bon pour la décharge. Viens voir. Une image vaut toutes les explications que je pourrais te donner.

Ils sortent du studio. Dans le corridor à gauche, la porte qui donne sur le hall d'entrée du centre de loisirs, par laquelle Paul est entré. À droite, tout au bout, une lourde porte de métal avec sa barre de poussée que Geneviève affirme n'avoir jamais utilisée. Juste avant, dans le mur face au studio, la porte d'une pièce rectangulaire qui longe le couloir. Geneviève pousse le battant déjà entrouvert. Elle fait signe à Morel d'y entrer. Une ampoule au plafond jette une lumière jaune sale sur des étagères de mélamine poussiéreuses, des chaises bancales au plastique éraflé superposées les unes sur les autres, des tables aux pieds repliés empilées dans un équilibre précaire. Un grand tableau d'affichage, monté sur roulette, masque le reste de la pièce.

— C'est derrière, lui dit Geneviève, l'encourageant à avancer.

Paul contourne le tableau et découvre l'installation d'un squat. À même le sol, sous des draps tirebouchonnés et un sac de couchage, un matelas gonflable et deux oreillers. Une lampe de camping posée sur une caisse renversée côtoie un lecteur MP3, une bouteille d'eau et les restes d'une tablette de chocolat.

— Tu as une idée de qui squatte là? demande l'inspecteur.

— C'est ce que l'on a tenté d'apprendre en fouillant le sac de voyage qui était sur la chaise à côté du lit. On a trouvé un Coran et des vêtements de femme…

Paul regarde sa compagne et comprend. Il se penche sur le sac, tout en enfilant les gants de latex qu'il a toujours dans ses poches.

— Tu as touché à autre chose?

— Non! Quand on a vu le Coran, on a tout de suite pensé à cette fille. J'ai tout remis en place et je t'ai appelé, mais… bon, tu connais la suite. Tu crois que c'est ici qu'elle retrouvait son amoureux?

— Il y a des chances, en effet, répond Morel tout en sortant le contenu du sac pour le déposer sur le matelas. Des jeans, des t-shirts, des sous-vêtements et aussi une longue tunique d'apparat, une magnifique *kurta* rouge brodée de soie blanche et son *shalwar* de fin coton blanc. Le genre de vêtements aperçus dans la penderie de la chambre de Noor. Elle a dû choisir celui qu'elle préférait. Il prend le Coran et le feuillette. Il est en français. Une pochette de coton tient lieu de signet. Morel soulève le rabat et découvre une série de photos tirées au photomaton. Zar et Noor enlacés, souriant à l'objectif, ou faisant des grimaces. Geneviève s'approche de Paul.

— Ils sont magnifiques, tous les deux. Ils sont si jeunes!

— C'est elle? demande Michael, les yeux braqués sur les photos que tient Paul.

— Oui. C'est bien elle. Désolé, chérie, je vais devoir avertir l'IJ. Et toi, Michael, tu as touché à autre chose?

— Non. J'ai ouvert la porte, dit-il, tentant de se rappeler ses gestes. Euh, j'ai déplacé le tableau et j'ai vu ça. Je suis allé prévenir Genn que quelqu'un squattait son débarras.

— Bien, je vais avoir besoin de ta déposition.

— Pas de problème, sauf que je devrais être au boulot. Je suis pas mal en retard…

— Vas-y. Ça peut attendre à demain matin. Tu peux passer au Q.G., je vais prévenir un des membres de mon équipe. On va devoir prendre tes empreintes pour les écarter des autres. Je regrette, c'est la procédure.

— Ça va. Je m'excuse, Genn. Je dois filer!

Celle-ci le raccompagne dans le corridor. Paul entend leur discussion sans vraiment l'écouter. Il s'est assis sur la chaise après avoir mis le sac par terre. Il tape un rapide message à Wendy Connolly. Les yeux fixés sur la photo des amants, il essaie de deviner ce qui s'est passé ce soir-là. Les deux jeunes gens avaient soigneusement préparé leur fuite. Quelle chronologie donner aux événements? Noor se faufile dans le hall sans se faire remarquer. Elle pousse la porte du couloir menant au studio de répétition, qui n'est jamais verrouillée. Seule la porte du studio l'est. Qui a découvert l'existence du débarras? Probablement Zar, puisqu'il travaillait comme moniteur. Il avait accès à tout l'édifice. Ils se sont construit un nid d'amour au cours de l'été. Zar ne pouvait pas ou ne voulait pas emmener Noor à sa chambre d'étudiant. Trop de témoins potentiels. C'était donc ici qu'elle attendait son amant. Voilà pourquoi on ne l'avait aperçue nulle part. Mais elle était allée nager. Le chlore sur son corps en faisait foi. Elle était allée nager après la fermeture, quand tout était calme. Elle devait aimer ce silence. Ils avaient sans doute convenu d'une heure précise, car le dernier appel entrant sur son téléphone avait été fait à 22 heures 15.

La sortie de secours qui donne sur le mur aveugle du bâtiment est juste à côté du vestiaire des femmes. Cabrini pense que c'est de là qu'elle lui a ouvert, parce que l'alarme ne s'enclenche pas. Alors comment Khan est-il entré pour les surprendre? À moins qu'elle n'ait fait entrer son père en croyant que c'était Zar? Non. Khan ne pouvait pas connaître cette défaillance dans la sécurité de l'édifice. Atif! Il surveillait Noor. Il savait peut-être.

— Tu as l'air bien songeur.

Morel lève les yeux sur Geneviève qui n'ose pas entrer plus avant dans la pièce. Elle porte un long sweat-shirt mauve sur un justaucorps gris. Ses cheveux noirs sont remontés en un chignon lâche. Des mèches s'en échappent, qu'elle tire derrière l'oreille. Un geste coutumier qu'il la voit faire souvent et qui l'émeut, il ne sait trop pourquoi.

— Sortons d'ici, lui dit-il en la prenant par la main. Tu veux rentrer à la maison? Je te donne les clés de la bagnole.

— Tu préfères que je parte? demande-t-elle en s'arrêtant sur le seuil.

— Non. Enfin. Ce ne sera pas très marrant pour toi. J'ai envoyé un message à la chef de l'IJ. Mais je sais que son équipe est débordée. Ils sont déjà sur une scène de crime. Ça va être long. Je suis obligé de les attendre.

Geneviève enlace Paul. Elle pose un baiser léger sur sa bouche. Du doigt, elle effleure les fines rides qui strient son front.

— Tu te fais beaucoup trop de souci.

— Je suis désolé de te faire faux bond encore une fois. J'avais tellement envie de passer un peu de temps avec toi. J'ai peur que tu en arrives à détester mon boulot et que tu te lasses de moi.

— Ça m'en prendrait plus que ça! répond-elle d'un ton moqueur. Je ne dis pas que ça me fasse plaisir, cette soirée gâchée, poursuit-elle plus sérieusement, mais je vois bien que tu n'y peux rien. Et puis j'engrange des points!

— Comment ça? demande Paul en fronçant les sourcils et en resserrant son étreinte.

— Hum. Pour quand je partirai en tournée, rétorque-t-elle, un petit sourire en coin. Il faudra que tu sois aussi très, très patient. Que tu m'attendes bien sagement. Comme Pénélope son Ulysse.

— Les genres sont inversés dans cette histoire.

— Eh oui! Je suis une femme du XXIe siècle! C'est moi qui pars sur les routes.

— Tu es une femme adorable. Je ne te le dis pas assez souvent… Ah! C'est l'IJ, constate Morel en entendant la sonnerie de son téléphone. Je dois répondre, dit-il d'un air contrit.

— Règle tout ça. Je vais me changer, rejoins-moi au studio. Cet endroit me déprime.

Morel prévient Cabrini puis va rejoindre Geneviève, qui s'affaire dans l'espace du fond aménagé en coin cuisine. Elle prépare du café et réchauffe un reste de lasagne. Elle traîne et ne semble pas vouloir partir.

— Cabrini termine son rapport. Elle va s'arrêter ici avant de rentrer chez elle. Elle est bien trop curieuse de voir la cachette de Noor.

— Elle est vraiment passionnée par son métier, cette fille!

— Elle possède ce qu'il faut : l'instinct du chasseur et la ténacité. Elle a beaucoup de cran.

— Et elle est super craquante! Patrice est bien malheureux qu'elle ne retourne pas ses appels et ne réponde pas à ses messages, raconte Geneviève, tout en posant les plats fumants devant eux.

— Ah bon? Tu sais, je ne suis pas au fait de sa vie privée. J'ai seulement compris qu'elle n'est pas le genre de fille à s'accrocher à un gars qui de toute façon ne souhaite pas de relation suivie. Ton frère n'est pas le mec le plus stable qui soit, rétorque Morel, en piquant sa fourchette dans les pâtes.

— Je sais bien. Mais il m'a avoué avoir un gros béguin pour Carolina. Elle a quelqu'un d'autre, tu crois?

— Je n'en sais rien. Et, si elle ignore ton frère, c'est qu'elle a de bonnes raisons. Ce dont je suis sûr, c'est qu'elle n'est pas volage.

— Patrice devrait être de retour du Maghreb à la fin du mois. Si ce qui se passe en Égypte ne l'incite pas à s'y rendre encore une fois. Je me répète que je ne dois pas m'inquiéter, mais il y a des journalistes occidentaux qui meurent sous les balles des *snipers*, sans compter les enlèvements…

— Il connaît les risques. C'est la vie qu'il a choisie…

— N'empêche, j'essaie de le convaincre d'arrêter. Seulement, il l'admet lui-même, il ne peut pas se passer de ce genre d'excitation, c'est comme une drogue.

— Je connais le phénomène, les montées d'adrénaline, le danger… Tu flirtes avec la mort. J'avais un ami à l'antigang qui travaillait sous couverture. Risquer sa vie était pour lui une deuxième nature. Tu oublies qui tu es vraiment. L'autre prend peu à peu possession de toi, et bientôt, pour certains, la fracture dans la personnalité devient impossible à colmater.

Morel repousse son assiette vide, alors que son téléphone sonne de nouveau. Il lui jette un regard désolé.

Geneviève se lève. Elle passe ses doigts dans la crinière de Paul et lui donne les clés du studio. Il dépose un baiser à la saignée de son poignet.

25

Geneviève est rentrée à la maison, laissant Paul affalé sur la vieille causeuse du petit bureau qu'elle s'est aménagé dans un coin du vaste espace. C'est là qu'elle se débat avec les impératifs administratifs qu'exige la gestion d'une compagnie de danse – assurer des honoraires aux danseurs, payer les factures de toutes sortes et faire des rapports interminables pour les quelques sous de subvention qui lui sont accordés. Elle a déjà déclaré à Paul que sans son argent personnel, jamais elle ne pourrait poursuivre dans cette voie qu'elle a choisie depuis déjà une quinzaine d'années. Sa grand-mère, riche femme d'affaires avisée, lui a légué de quoi vivre sans souci. Elle pourrait mener une vie de loisirs, voyager dans le luxe des hôtels cinq étoiles et s'habiller chez les grands couturiers. Mais cette existence-là ne l'intéresse pas. Si Patrice – qui partage les bénéfices du fonds avec elle – carbure à l'adrénaline du métier de grand reporter, elle, c'est la danse, sa passion.

Morel a parlé avec les membres de son équipe. Ils ont convenu de faire une réunion le lendemain pour rassembler toutes les informations qu'ils ont recueillies ces deux derniers jours. Tanguay s'acharne sur les méandres des sociétés-écrans édifiées par Khan pour camoufler les véritables bénéfices générés par ses trafics dont ils n'ont pas encore établi la nature. Morel leur a expliqué que les caisses entreposées dans le local, que l'IJ est encore en train d'inspecter, ne contiennent, jusqu'ici, que des ballots de tissu et des tapis. Or, il y en a plus d'une centaine. Leur examen demandera encore quelques jours.

Il attend Cabrini. Elle veut lui faire part de ses réflexions de vive voix. Tout ce qu'il a réussi à tirer d'elle, c'est que la chambre de Zar a été fouillée bien avant leur perquisition. Quelqu'un cherchait quelque chose, sans l'ombre d'un doute, car même le matelas a été éventré. Impossible de dire quand la fouille a été faite – avant ou après la mort de Zar – et si elle a porté fruit. Ses voisins de palier, interrogés une deuxième fois, n'ont rien entendu. Pas étonnant, selon la détective. Ces étudiants vivent les écouteurs vissés aux oreilles. Ling et elle n'ont pas trouvé d'ordinateur, de téléphone ou de tablette électronique dans la chambre de Zar. Conclusion, ils ont été emportés par les cambrioleurs. À moins que tous les biens de Zar ne se trouvent encore dans sa voiture qui n'a pas encore été retrouvée. Les patrouilleurs de Parc-Ex gardent l'œil ouvert. Dans ce quartier où pullulent les immeubles abandonnés entourés de terrains vagues, elle peut être n'importe où.

— Paul? Y a quelqu'un? crie Carolina.

Elle ouvre grande la porte du studio et fouille du regard la pénombre du vaste espace. Seule une lampe de bureau éclaire le fond de la pièce. Paul sort du coin cuisine.

— Ici! Je faisais la vaisselle. Avant de rentrer à la maison, Geneviève a insisté pour que j'avale quelque chose.

— Dommage, je l'ai ratée, alors. Wow. C'est vraiment grand!

— Attends, j'allume, lui dit Paul.

Il se dirige vers le mur pour effleurer les gradateurs. Les spots accrochés aux herses du plafond jettent une lumière changeante selon le réglage. Morel s'amuse quelques secondes à jouer l'éclairagiste. La salle dont le sol est presque entièrement recouvert d'un tapis de danse noir n'a pour toute décoration que de grandes photos en noir et blanc sur des murs gris souris, quelques larges miroirs et des barres de danse.

— C'est vraiment bien, commente Carolina. Tu as travaillé à installer tout ça?

— J'ai juste donné un coup de main. C'est Michael, l'éclairagiste, qui est le maître d'œuvre. L'idée est de permettre un jour la présentation de répétitions devant public. Des *works in progress*, comme dit Geneviève.

— Tu m'avertiras. J'aimerais bien voir ça. C'est un peu comme un dojo, remarque-t-elle en tournant sur elle-même. Ça me rappelle que je ne me suis pas entraînée depuis un bon moment. Joël m'a fait la leçon, l'autre jour, quand on s'est vus. Lui, il ne lâche pas, même avec deux enfants et tout ce que ça entraîne d'obligations. Si tu voyais la forme qu'il tient !

— Ne m'en parle pas ! J'ai la même culpabilité qui me ronge !

— Eh ! Tu as intérêt à t'y remettre ! raille Cabrini en riant. Quand on vit avec une athlète, il vaut mieux assurer !

— C'est ça ! Moque-toi ! Je serais curieux de voir comment se débrouille la gagnante du dernier championnat en combat rapproché, la défie Morel, le regard malicieux.

— Si cette foutue enquête peut nous lâcher un peu, on pourrait s'entraîner ensemble. C'est plus motivant quand on est deux.

— Pourquoi pas ? Tu n'as vraiment rien trouvé dans la chambre de Zar qui nous donne une piste ?

— Rien. Tout a été emporté. Il n'y avait plus un seul vêtement. Il avait probablement fait ses bagages pour fuir avec Noor la nuit même. Tu me montres le débarras ?

— Viens. C'est juste au bout du couloir. Je vais tout fermer ici.

Cabrini se dirige vers la sortie, alors que Paul éteint les néons de la cuisinette. La détective s'avance dans le passage jusqu'à l'issue de secours. Elle hésite à peine et pousse la barre de la lourde porte. Rien. Elle se souvient avoir lu dans le rapport de l'IJ que deux des alarmes étaient défectueuses. Voici donc la deuxième. Morel la rejoint alors qu'elle s'agenouille, les yeux braqués sur une tige de métal qui a roulé au moment de l'ouverture. L'éclairage du couloir est assez déficient. Elle détache la torche de sa ceinture qui retient aussi son holster et braque le rayon sur le sol. Morel enfile ses gants et ramasse une tige d'environ une vingtaine de centimètres.

— Astucieux, fait Cabrini. Je parie qu'en la glissant dans la rainure la porte ne se referme pas complètement. On fait un essai? propose-t-elle en sortant.

Paul referme doucement la porte. Le pêne s'enclenche, mais reste en partie bloqué. Cabrini, à l'extérieur, prend son couteau suisse et le glisse dans l'espace vide du cadre. Elle se sert de la lame comme d'un levier et la porte s'ouvre sans difficulté.

— C'est comme ça qu'elle est entrée. Elle n'est même pas passée par le hall.

— Tout comme Zar, probablement, poursuit Morel.

Il lève la tête vers le ciel. La nuit est sombre. De ce côté, l'arrière de l'édifice, plongé dans l'ombre, donne sur une clôture couverte de broussailles qui longe la voie ferrée.

— Personne n'utilise cette issue. Alors que l'autre, près du vestiaire des femmes, donne sur les bennes des poubelles. Le concierge doit y passer régulièrement. Il s'en serait rendu compte si la porte avait été mal fermée.

— J'ai aussi essayé de comprendre comment Khan a pu entrer pour les surprendre. Lui non plus n'est pas passé par le hall ou par l'entrée de la piscine. Il aurait été vu. Atif, qui suivait Noor partout, devait connaître leur stratagème. Il a pu lui en parler.

— Il était peut-être son complice, suggère la détective en repassant le seuil.

Morel retire la tige de métal et referme la porte. Il entre dans le débarras et se faufile à travers le fourbi poussiéreux.

— S'il a participé aux deux meurtres, c'est un foutu comédien. Losier et moi n'avons pas réussi à tirer quoi que ce soit de lui. Et Losier était assez terrifiant. Atif en tremblait. Pourtant il n'a rien lâché.

— Il aurait dû parler. Il ne serait peut-être pas mort, dit-elle en le suivant. Il devait tremper dans les trafics de Khan. Tu penses que ça pourrait être lié à la drogue? Après tout, le Pakistan est un des premiers producteurs de pavot au monde. Joël, qui est devenu un spécialiste du sujet, m'a expliqué que dans toute cette région frontalière avec l'Afghanistan, les paysans font la transformation de l'opium en héroïne aussi simplement que nos acériculteurs changent le sirop d'érable en pains de sucre.

— C'est possible, en effet. Losier fouille de ce côté. Mais selon le SCRS, il faut aussi regarder du côté des armes. D'ailleurs, les trafics de la drogue et des armes sont liés partout sur la planète, que ce soit en Afrique, en Asie ou au Moyen-Orient. Cela fait deux jours que Tanguay tente de craquer le cryptage des documents que Khan a stockés dans le *cloud*. Il a déjà découvert trois sociétés-écrans qui ne servent que de paravent pour faire de l'évasion fiscale. Selon lui, Khan a dû deviner qu'en s'enfuyant, nos recherches nous y mèneraient. Il pense que ce ne sont que des leurres pour nous éloigner de ce qu'ils cachent réellement.

Carolina explore des yeux la couche aménagée sur le sol. Tout en s'accroupissant, elle enfile des gants.

— C'est assez sordide, tu ne trouves pas! Pauvre petite, vivre ses premiers émois dans un endroit pareil!

— Je suppose qu'elle était assez amoureuse pour ne pas voir les lieux comme nous les voyons maintenant.

— Merde, il aurait pu lui offrir le lit d'un hôtel, même le moins cher!

— C'est peut-être ce qu'il comptait faire en s'enfuyant avec elle, répond Morel en s'assoyant sur la chaise. Souviens-toi de ce que Léa nous a dit. Noor lui avait confié que la famille de Zar n'aurait jamais approuvé leur union.

— Justement, à ce sujet : au bureau du registraire de l'université, on nous a dit que le visa d'étudiant de Zar indiquait la nationalité turque. En fait, c'est un Kurde de Turquie. Ling va questionner l'ambassade demain pour retrouver ses parents. Zarav Acar ne semble pas avoir de famille ici. Elle doit aussi passer prendre les bandes de la vidéo de surveillance. Il y a des caméras à chaque entrée de la résidence. Ce sera un travail fastidieux, mais on y découvrira peut-être ceux qui ont vandalisé la chambre. On a cherché, Zar n'est fiché nulle part. C'était, semble-t-il, un bon étudiant. Quel gâchis, Paul! Je ressens une telle colère, une telle révolte! On ne vit plus au temps de Roméo et

Juliette, tout de même! La barbarie est là, juste à nos portes, et on a si peu de moyens pour la contrer.

— On a la loi. Nous vivons dans une société où nul n'est censé l'ignorer. Et Khan devra répondre de ses actes, quels qu'ils soient.

Cabrini s'est assise au pied du lit. Elle triture nerveusement un bout du sac de couchage.

— Je n'aime pas admettre que je puisse haïr, mais je ressens de la haine, dit Cabrini, dont l'émotion traduit une vulnérabilité qu'elle laisse rarement voir. C'est vraiment ce que j'éprouve. Le fanatisme me terrifie. Je ne peux concevoir vivre dans un monde pareil! Tu imagines? Être contrainte de vivre recluse, cachée sous ces horribles vêtements, subir les violences d'un homme qui a droit de vie et de mort sur toi? Paul, je suis policier, je ne devrais pas parler ainsi... Mais je te jure, je me battrais et...

— Et je me doute bien de ce que tu ferais. Je ne donne pas cher de la peau du salaud qui oserait s'attaquer à toi, réplique Morel sur un ton plus léger, tentant de briser la tension qu'il sent monter chez la jeune femme.

La détective croise le regard de Paul. Elle y lit une réelle complicité.

— Ce que cet homme a fait à sa propre fille! Il n'a pas pu la vendre, alors il l'a tuée, plutôt que de la laisser vivre autrement que sous son joug! Et il se justifie avec la charia. On ne peut pas laisser ces doctrines s'étendre au sein même de nos démocraties.

— Ce combat n'est pas seulement celui des femmes, réplique Paul, aucun homme de ma connaissance n'accepterait un monde comme celui-là. Mais il ne faut pas te laisser gagner par l'émotion. Il faut au contraire rester rationnel. J'essaie d'écarter mes sentiments personnels. Je sais, c'est difficile. Cette notion d'honneur liée au comportement des femmes nous est tellement étrangère. Pour moi, l'honneur, c'est bien autre chose! C'est mon intégrité en tant que policier et, surtout, vivre en accord avec mes valeurs d'humaniste. Ce fanatisme auquel nous nous heurtons de plus en plus cherche à nous entraîner vers la violence. Je suis devenu policier parce que je crois en une société démocratique, en une société de droit, malgré ses imperfections, ses failles. Mon premier devoir est de la défendre contre ceux qui la défient.

— Mais comment font-ils? Ils vivent ici. Les gens autour d'eux, la télé, Internet, tout leur parle autrement. Ça ne les fait pas douter? Se remettre en question?

— Fortier pense que justement, comme ils sont entourés de gens si différents d'eux, leur marginalité devient leur refuge. Les créationnistes, les chrétiens fondamentalistes de l'ouest du pays ne sont pas tellement moins extrémistes. Le sens critique, la capacité de douter, l'équilibre fragile de sa propre liberté face à celle de l'autre. C'est parfois effrayant. Il est bien plus facile de se réfugier derrière les dogmes, les diktats. Comme ces femmes qui portent le niqab et n'osent pas affronter le regard des autres à visage découvert.

Carolina, en se relevant, accroche son pied dans un bout de tissu. Elle se penche et ramasse ce qui se révèle être un petit bonnet rond comme en portent les musulmans.

— Merde! lance Morel, donne-moi ça!

Il tourne et retourne le couvre-chef.

— Atif avait le même! J'en mettrais ma main au feu!

— On en trouve peut-être dans toutes les boutiques de Parc-Ex…

— Tu as des sacs à indices? Je vais y déposer la tige, il y aura peut-être des empreintes exploitables. Et peut-être trouverons-nous l'ADN d'Atif dans cette calotte!

Dans l'arrière-salle aménagée en loges, la douzaine de filles, à demi nues, serrées en rang d'oignons devant le miroir qui couvre un des murs, se marchent un peu sur les pieds. Camille et Nancy se disputent. La rousse pulpeuse et la grande Noire élancée sont pourtant de bonnes amies. Le gérant leur a demandé de danser lors d'une fête privée. Camille, qui est toujours à court d'argent, veut y aller. Toutefois Nancy, qui déteste le client chez qui la fête doit avoir lieu, refuse d'y participer. L'une peut difficilement danser sans l'autre, car elles ont monté une chorégraphie très appréciée de la clientèle. Un duo lesbien qui rapporte de gros pourboires.

Anya suit leur discussion depuis un moment. Elle comprend bien le français à présent, mais le parle encore avec difficulté. Elle se contente donc de phrases simples et brèves.

— Ça paie combien ?

Camille, surprise, lui répond abruptement.

— Pourquoi ? Ça t'intéresse ?

— J'apprends les mouvements. C'est facile.

— Pas autant que tu le penses, rétorque Nancy, offusquée que l'on qualifie de facile une chorégraphie qu'elle a mis des semaines à maîtriser.

— Elle est bonne et elle apprend vite, lui dit Camille, contente d'enfoncer le clou dans l'ego de sa copine. Elle lui en veut de lui refuser ce service.

— C'est demain soir. Tu n'aurais que l'après-midi pour tout apprendre et répéter.

— Combien ? répond Anya en frottant son pouce contre ses doigts tout en haussant les épaules.

— Cinq cents. Chacune. La dope et l'alcool à volonté.

— On danse seulement? Pas plus? s'inquiète Anya.

— Rien de plus. Le gérant m'a dit qu'il y aurait des escortes pour ça. Ces filles-là n'apprécieraient pas que tu leur fasses de la concurrence.

Anya regarde Nancy. Elle ne veut pas s'en faire une ennemie. L'atmosphère est déjà suffisamment tendue depuis que les rumeurs de la vente du bar se sont confirmées. Elle aura besoin des conseils de ces filles pour trouver un autre emploi. Le gérant lui a dit que leur petite entente allait changer. Son sourire égrillard ne laissait aucun doute. Son instinct lui dicte de faire profil bas, mais elle a besoin de cet argent.

— Tu décides, Nancy. Je veux pas d'histoires.

L'Haïtienne triture le piercing de sa lèvre inférieure.

— Je veux plus avoir affaire à Jo Bassin, Camille. Tu peux comprendre ça?

— Mais oui, ma poulette. Du moment que je perds pas le *deal*.

— Pour cette fois seulement, dit Nancy en s'adressant à Anya. Ne t'imagine pas que tu pourras refaire le duo ici!

Anya lui fait un signe d'assentiment. Cette somme lui permettra de tenir plusieurs semaines lorsqu'elle quittera le bar. Et ça ne saurait tarder. La clientèle a déjà commencé à changer. Des motards, en plus des membres de gangs de rue, arrivent en petits groupes, un peu avant la fermeture. Le gérant exige à présent que quelques filles restent pour les distraire. Étrangement, Anya a été épargnée jusqu'à présent. Il désigne toujours les plus jeunes, celles qui n'osent pas se rebiffer. Anya a entendu l'une d'elles dire à sa copine qui se plaignait que l'Esquimaude n'était pas choisie parce qu'elle était la chasse gardée du Kurde. Une coulée de sueur froide lui était descendue le long du dos. Anya s'était détournée comme si elle n'avait rien saisi et était montée sur son podium. Vite, s'oublier dans la transe de la danse. Ne pas céder à la panique, maîtriser cette envie cuisante de replonger dans le néant de la poudre blanche.

27

Losier et Tanguay examinent la liste des appels téléphoniques d'un homme d'affaires nommé Saif Javed, aperçu la veille en compagnie de Farid Khan à la sortie de la mosquée de Mississauga, en banlieue de Toronto. Bien que les agents de la GRC aient aussitôt été prévenus, Khan avait déjà disparu avant qu'ils n'aient pu se rendre sur les lieux. Sur l'image vidéo, Farid Khan était à peine reconnaissable. L'homme avait perdu son allure de musulman barbu portant la coiffe des croyants. Il était rasé de près, portait de gros verres fumés et était vêtu d'un complet de bonne qualité. N'eût été de la performance des nouveaux logiciels de reconnaissance faciale, la police n'aurait pu l'identifier.

Losier a obtenu que Javed soit mis sous surveillance. Dans l'espoir de voir Khan réapparaître, il a cependant été convenu d'attendre vingt-quatre heures avant d'interpeller Saif Javed pour l'interroger. D'ici là, on épluche ses activités présentes et passées, et toutes ses communications sont sur écoute. Il s'avère que les deux comparses sont en relation depuis près de deux ans. Ils ont fondé une nouvelle société d'import-export, KHAJAV. Javed possède déjà plusieurs usines de fabrication de mobilier oriental implantées dans tout le sous-continent indien. Il dirige aussi des chaînes de magasins d'ameublement en Europe et en Amérique où il écoule les marchandises de ses usines.

Losier a déjà découvert que Farid Khan, en plus de ses nombreux voyages à Toronto, s'est rendu trois fois à Peshawar et à Quetta, au Pakistan. Maira n'avait mentionné qu'un seul séjour l'été dernier, au cours duquel son mari avait négocié les conditions du mariage de Noor. Les informations que le détective a tirées du cousin de Maira, à l'ambassade – ce dernier, pressé de se dissocier des agissements du suspect, s'était montré soudainement très coopératif –, confirment leurs soupçons. Les terres offertes à Khan en échange de sa fille sont situées au cœur même du territoire pachtoune sur le versant pakistanais des monts Sulaimãn. Une région sauvage, difficile d'accès, que les contrebandiers contrôlent. Un lacis de chemins sert de décor au trafic d'armes, de drogue et d'hommes. Les recherches de Tanguay montrent que Saif Javed, bien que né au Canada, a gardé des liens très étroits avec son clan pachtoune, d'où était issu celui qui devait épouser Noor. Quels intérêts un fabricant de mobilier et un marchand de textiles peuvent-ils avoir en commun? Tanguay, que la question tourmente, se répète que l'arbre cache sûrement la forêt.

— Ce ne sont pas leurs marchandises qu'il faut examiner, mais plutôt la structure et la localisation des entreprises, propose-t-il. La société d'exportation de vêtements et de textiles que possède la belle-famille de Khan opère de la même façon que celle de Javed : des usines fabriquent les produits que les boutiques et magasins se chargent de vendre. Khan dirige plusieurs succursales stratégiques. Hier soir, j'ai fait une carte des lieux où sont situés leurs usines et plusieurs des magasins. J'ai constaté que beaucoup sont établis dans les mêmes villes. Au Pakistan : à Peshawar et à Quetta, des territoires pachtounes. À Jammu, au Cachemire pakistanais, là où la rébellion contre le gouvernement indien a fait le plus de dégâts. Aussi à Elazığ en Turquie, plus précisément en territoire kurde. En Europe, ils ont pignon sur rue à Marseille, à Manchester et à Mannheim. Au Canada, Khan est à Montréal, et Javed exploite sa société à Mississauga. En vertu de sa charte, leur nouvelle société est une société de négoce, ajoute Losier, ce qui assure la libre circulation des marchandises à l'international. Et s'ils utilisaient ces succursales pour camoufler leur trafic? Ce qu'il faut découvrir, c'est ce qu'ils importent et exportent. Les meubles, les tapis et les textiles ne sont probablement que des paravents!

— On y reviendra, l'interrompt Tanguay en lisant le texto qui vient de rentrer sur l'écran de son téléphone. Morel nous signale qu'il a terminé ses rencontres avec la chef de l'IJ et avec le médecin légiste. Il nous veut tous en réunion dans une demi-heure.

Chacun s'est installé autour de la longue table, y apportant café, sandwich et tablette numérique. La tête courbée sur celle-ci, ils lisent le rapport du médecin légiste, sauf Morel, occupé au téléphone avec Ling.

— Désolé, Ling, on va commencer sans toi. Cabrini te fera un compte rendu. Il vaut mieux que tu patientes encore. Il nous faut toutes ces bandes. Envoie-nous les images tout de suite. Mais bravo! Du vrai bon boulot!

Paul se tourne vers les membres de son équipe qui relèvent la tête vers lui.

— Ling a fait une super trouvaille! Sur la bande de surveillance, on voit Noor, le jour de son assassinat, sortir de la résidence étudiante, en début de soirée. Elle transporte un sac qui semble très lourd. Le même, selon Ling, que celui qu'Atif avait en bandoulière à la sortie de la mosquée.

— Le sac de sport noir et rouge? interroge Fortier.

— Ça y est, je reçois son message, lance Cabrini, alors que ses collègues, tout comme elle, ouvrent le document.

Ils regardent tous les quelques secondes de la bande vidéo. Noor, vêtue d'un jeans et d'un coupe-vent, sa lourde chevelure noire flottant sur ses épaules, marche d'un pas décidé malgré le poids du sac qui fait pencher son épaule. Elle se dirige vers les grilles qui mènent à la rue et tourne le dos à la caméra. C'est le même sac, à n'en pas douter. Autour de Morel, les voix s'élèvent dans un brouhaha. Les commentaires fusent. L'inspecteur doit lever la main pour calmer l'impatience et les interrogations que cette découverte suscite.

— Ling nous rapporte également les images captées par les caméras du métro Parc, près de chez Noor, et de la station McGill. Elle dit que sur celles-ci, Noor transporte ce même sac, en plus du sac à dos que nous avons retrouvé sur le banc de la piscine. Il est donc possible qu'elle soit passée prendre ce sac quelque part après sa sortie de l'école. Léa n'a mentionné que le sac à dos, pas ce sac noir et rouge. On va essayer d'être systématique. Je veux que l'on revoie tout du début! Noor se rend donc à la chambre de Zar après l'école. Elle y reste jusqu'en début de soirée, à 21 heures 17, si l'on se fie aux caméras. Elle transporte, à l'aller et au retour, ce fameux sac de sport et un sac à dos dont nous savons qu'il contenait des vêtements et ses effets personnels.

— On peut supposer qu'elle se rend au centre de loisirs. Maintenant que l'on sait dans quel créneau horaire chercher sur les bandes, on devrait aussi la voir sortir du métro Parc, poursuit Tanguay.

— Comme je vous l'ai mentionné tantôt, Paul et moi avons découvert comment elle et Zar pénétraient dans l'édifice sans être vus, intervient Carolina. Ce soir-là, Noor a dû aller se cacher dans le débarras.

— L'Identification judiciaire nous le confirmera, mais je suis à peu près certain que la coiffe que nous avons trouvée par terre est celle d'Atif, reprend Morel. Il devait savoir où les amoureux se donnaient rendez-vous. Peut-être a-t-il guetté le retour de Noor? La calotte nous fait supposer qu'il est aussi entré dans le débarras. Pourtant je doute qu'il ait tué Noor. Je ne le crois pas assez habile pour maquiller un meurtre en suicide.

— Et il n'est pas assez fort pour s'être battu avec Zar et l'avoir vaincu, commente Losier, les yeux sur les images du cadavre du jeune Kurde. Il était plutôt costaud et athlétique. Le rapport du légiste nous indique que le corps porte des marques évidentes de tabassage, des côtes fracturées, des hématomes profonds. Selon lui, les coups ont été portés pour lui faire très mal tout en le maintenant en vie. Du travail de pro. Atif était trop fluet pour porter ce genre de coups.

— Une expertise que Farid Khan possède. Il travaillait au renseignement. Peut-être a-t-il même torturé des gens.

— Cette hypothèse est plausible, Tanguay. Mais j'aime-rais que tous, on s'écarte momentanément de ce scénario de la culpabilité de Khan, suggère l'inspecteur. Il est mêlé à tout ça, et on doit le retrouver rapidement. Toutefois, je n'arrête pas de me répéter que cet ambitieux frustré n'aurait pas tué la poule aux œufs d'or. Noor valait trop cher pour qu'il l'élimine si rapidement. Tuer son amant, ça va de soi. Mais il aurait pu simplement enlever sa fille, l'emprisonner et la faire passer en secret au Pakistan. Une fois mariée et séquestrée dans les montagnes, elle aurait fini par céder. Elle se serait soumise. Selon la charia, les maris ont le droit de battre leur femme si elles refusent de leur obéir.

— À quoi penses-tu, Paul? interroge Cabrini.

— Je cherche le lien, la véritable motivation. Vous avez lu le rapport du légiste. Il affirme que les incisions sur deux des trois victimes – Noor et Zar – semblent avoir été faites avec la même fine lame. Le même angle, la même méthode. Assez pour que l'hémorragie paraisse suffisamment importante pour terrifier la victime, mais la laisse en vie un bon moment. Une forme de torture raffinée. Je suis convaincu que le bourreau voulait des informations. Il tabasse d'abord Zar. Les incisions sont pratiquées après. Noor n'a pas tenté de se défendre, aucune lésion ne le laisserait penser. Mais on peut supposer qu'elle a assisté impuissante au massacre de son amoureux. Toutefois, Guérin note que les plaies du cadavre d'Atif sont plus larges, plus profondes. Son tabassage encore plus violent. Atif était condamné dès le départ. Alors que Zar a été achevé rapidement, «proprement», comme le dit si bien notre éminent légiste. Il se peut que nous ayons deux meurtriers. Et soit l'assassin d'Atif a obtenu ce qu'il voulait, soit il cherche toujours…

— Et si c'était ce sac? propose Tanguay. Ou plutôt son contenu. De la drogue, de l'argent, des armes?

— Des armes, je ne crois pas, rétorque Losier. Le sac aurait été bien plus volumineux. À vue de nez, ce sac de sport ne peut loger que deux ou trois armes automatiques, une fois démontées. Je penche plutôt pour de la drogue. Quelques kilos, peut-être plus…

— De l'héroïne! l'interrompt Cabrini. Écoutez, je n'en ai pas encore parlé parce que les informations que m'a données Joël Panier, mon ancien coéquipier, ne me semblaient pas avoir de rapport avec notre enquête.

La détective regarde Morel comme pour s'excuser.

— Et peut-être que cela n'a rien à voir…

— Dis toujours, Carolina. On jugera ensuite, répond l'inspecteur en adoptant intentionnellement un ton neutre.

— C'est au moment où je suivais la piste Kévin Bassin, vous vous rappelez? Joël m'a dit que le gang de Kévin et Jo Bassin ne se limitait plus au marché des drogues de synthèse, les *pills* destinées aux élèves des écoles secondaires et des cégeps. Ils ambitionnent de faire l'intermédiaire dans un marché bien plus lucratif. En ce moment, dans tout le nord de l'île se joue une guerre de territoires entre la mafia italienne fragilisée par les luttes internes dans le clan Rizzuto et la mafia calabraise, et de nouveaux venus, des Turcs, ou plutôt des Kurdes, selon Joël. Ils sont en train de mettre la main sur tout le marché de l'héroïne.

— Des Kurdes, répète Morel.

— Je sais. Je n'ai pas fait le lien avec Zar, se désole la détective. Maintenant que l'on connaît son origine kurde…

— Ça va, Cabrini. On a un élément de plus. Il faut juste s'assurer que cette pièce s'insère vraiment dans ce foutu casse-tête. Tu retournes fouiller de ce côté. Joël a peut-être autre chose pour nous. Tu nous tiens au courant, lui dit Morel.

Ses yeux sombres parlent d'eux-mêmes. La détective n'a pas besoin qu'il en rajoute. Elle n'a pas vraiment gaffé, mais il était moins une.

— Bien, reprend-il. Qu'est-ce que l'on a d'autre?

— Cette piste de la drogue. Je vais explorer du côté de la section antidrogue de la GRC. J'ai encore de bons vieux amis, là-bas. On sait déjà que le Pakistan est un important producteur d'héroïne. Khan et ses sociétés-écrans. Les terres qu'il cherchait à s'approprier dans les régions tribales. Tout ça paraît cohérent. J'aimerais être présent, Paul, lorsque les gars de la GRC vont appréhender Javed pour l'interroger sur son associé. On espérait que Khan prenne de nouveau contact avec lui, seulement je ne crois pas que l'on puisse attendre plus longtemps.

— Losier, tu te rends à Toronto dès ce soir. Je vais m'assurer que Mercier fait ce qu'il faut, côté paperasse. Selon Wendy Connolly, on aurait assassiné Zar à la piscine. La scène de crime se situerait à quelques mètres du tremplin. Ils ont mis beaucoup de temps pour le découvrir, car le plancher est habituellement lavé au détergent industriel. Les prélèvements qu'ils avaient faits étaient infimes. Mais ce vieux carrelage totalement fissuré avait tout de même gardé des traces de sang. Notre autre piste concerne l'entrepôt de Khan. Wendy m'a dit ce matin que dans la fourgonnette qui servait à faire les livraisons, on a bien des traces du sang d'Atif. Ses agresseurs ont aussi lavé au jet le plancher de la fourgonnette, tout comme celui de l'entrepôt, mais c'était du travail bâclé. Et il restait suffisamment de résidus dans le drain pour confirmer que c'est bien là qu'il a été torturé et vidé de son sang. Son cadavre a ensuite été transporté derrière le supermarché et jeté dans la benne à ordures qui était destinée à la décharge.

— Cela laisse supposer que notre ou nos assassins connaissent les usages du quartier, fait Tanguay.

— En effet, dit Morel. On reste sur Parc-Ex. Tout se déroule dans le même périmètre, autour du centre de loisirs.

— Je me charge de mettre tout mon monde en état d'alerte, au 33. Et aussi au poste 31, propose Fortier. Paul, les patrouilleurs sont aux aguets en ce qui concerne la voiture de Zar, mais je pense que cela vaut le coup d'être plus systématique. Je vais assigner deux agents sur l'inventaire de toutes les caches possibles. Supposons que Zar l'a garée à l'abri des regards. Il va rejoindre Noor. Son agresseur le suit à l'intérieur. Si on peut déterminer sur les bandes que nous rapporte Ling à quel moment Zar a quitté la résidence étudiante, cela pourrait nous guider dans nos recherches. À partir du sud-ouest, il n'y a que deux itinéraires possibles pour le centre de loisirs. Plusieurs boutiques possèdent des caméras, sans compter celles de la circulation.

— Ça a du sens. Il est aussi probable que l'assassin s'est emparé de la voiture parce que Zar l'avait simplement garée à l'arrière de l'édifice, propose Morel. Il comptait fuir avec Noor cette nuit-là. Mais j'ai plus intéressant. Je vous gardais ça pour la fin. Wendy m'a dit ce matin que l'IJ a découvert des contenants d'anhydride acétique dans une vingtaine de caisses de l'entrepôt de Khan. Cela pourrait corroborer la piste de la drogue.

Sur les lèvres de l'inspecteur se dessine le fameux sourire que ses collègues appellent celui du «chat du Cheshire». Il observe, amusé, les expressions d'incompréhension sur le visage de ses équipiers.

— Je vois que vous dormiez tous pendant les cours de chimie. En gros, c'est un précurseur chimique essentiel dans la fabrication de l'héroïne. On l'utilise abondamment dans le secteur industriel, par exemple dans l'industrie textile, pour des opérations de teinture et d'impression. Il a aussi beaucoup d'autres applications dans l'industrie pharmaceutique, dont son utilisation dans la synthèse de l'aspirine et du paracétamol. L'Union européenne tente depuis plusieurs années d'en réglementer le commerce, afin d'en empêcher le détournement vers une utilisation illicite dans des pays comme l'Afghanistan et le Pakistan.

— Khan peut justifier son utilisation grâce aux usines de textiles que sa belle-famille possède, suggère Losier.

— Voilà ce qu'il cache. C'est de là que viennent les profits! lance Tanguay. Il fournit les producteurs d'héroïne. J'ai une piste à présent, je vais pouvoir prouver à quoi sert la société qu'il a créée avec Saif Javed.

— On peut imaginer qu'Atif a été témoin ou était impliqué d'une manière quelconque. Mais que viennent faire Noor et Zar dans ces magouilles? demande Fortier.

— L'héroïne, suggère Cabrini. Zar en faisait peut-être le trafic? Ou il savait quelque chose. Voilà pourquoi on l'a torturé.

— C'est le sac que l'on cherchait, affirme Tanguay. Et c'est Noor qui l'avait. Zar n'a pas voulu la trahir. Il a résisté.

— Je pense plutôt que l'assassin s'en est pris à Noor pour le faire parler. Il l'a attachée au tremplin en menaçant de la pousser et qu'elle se pende après lui avoir coupé les veines. Ou encore c'est Noor qui a révélé où était le sac pour qu'il cesse de torturer Zar, rétorque Losier.

— Donc Atif serait le complice de Khan? Ça n'a pas de sens. Pourquoi Khan lui aurait-il laissé le sac, si son contenu était si précieux? objecte Cabrini.

— Moi, je crois plutôt qu'Atif a trahi, réplique Tanguay. Il a volé le sac que Noor avait laissé dans le débarras dont Khan ne connaissait pas l'existence. Il s'est vengé en emportant le magot, quel qu'il soit. Voilà pourquoi il a été battu et assassiné. Khan a dû deviner après plusieurs semaines de recherches que ce ne pouvait être que lui.

— Il nous manque encore trop d'éléments pour refaire la chronologie des événements. On ne peut que faire des hypothèses, et vous savez ce que je pense des hypothèses sans fondement solide, intervient Morel. Tanguay, crois-tu arriver à bout de ce cryptage? J'aurais besoin que tu retravailles avec Josée sur les relations d'Atif dans Parc-Ex. On doit découvrir ce qu'il a fait avant d'atterrir dans cette fourgonnette. Cabrini, tu te feras aider de Ling quand elle en aura terminé avec les bandes de surveillance. Elle doit d'abord pister le circuit de Noor et de Zar. De mon côté, il me faut trouver un lieu sûr pour Maira et sa fille, et négocier leur protection. La maison d'hébergement ne pourra pas les garder encore bien longtemps. Fortier, elles t'ont dit quelque chose de plus, ce matin?

— Je voulais m'entretenir seule avec Zahra, mais sa mère a refusé. Maira veut rentrer chez elle. Elle est persuadée que son mari ne reviendra pas les chercher, maintenant qu'il y a un mandat d'arrêt contre lui. Elle affirme qu'il a dû s'enfuir au Pakistan. Je ne lui ai pas dit, bien sûr, que nous l'avions localisé à Toronto. J'ai tenté de la convaincre qu'elle et Zahra étaient encore en danger. Je crois que la petite me prend plus au sérieux que sa mère. Cette femme ne raisonne pas toujours très clairement. Honnêtement, je crois qu'elle aurait besoin d'être désintoxiquée. Elle a fait une crise lorsqu'elle s'est rendu compte qu'elle n'avait presque plus d'hydrate de chloral et que Gita ne voulait pas lui en procurer. J'ai persuadé l'infirmière d'en demander au médecin. À court terme, elle n'est pas en situation d'être en sevrage. La directrice du centre m'a signifié qu'elle ne peut garder Maira et sa fille contre leur volonté. Les femmes qui résident là le font volontairement. Alors que je remontais en voiture, Zahra est accourue. Elle m'a dit qu'elle n'osait pas parler devant sa mère. Zahra croit que Noor a volé non seulement de l'argent dans le coffre-fort de Khan, mais aussi autre chose de vraiment précieux. Elle m'a avoué que son père n'était pas seulement en colère parce que Noor n'était pas rentrée. Après être descendu dans son bureau, il est revenu catastrophé. Zahra a cru qu'il allait frapper sa mère, pourtant il a retenu son geste. Il lui a simplement dit : «Tu seras responsable de notre mort à tous!» Paul, il te faut convaincre la hiérarchie qu'elles ne peuvent rester seules, sans surveillance ni protection. Je n'ai pas confiance en Maira. Et Zahra m'inquiète. C'est bien trop lourd pour une jeune fille de douze ans. Elle se sent responsable de sa mère alors que ce devrait être l'inverse.

— Je devais en discuter avec Mercier en fin de journée. Il m'a remis ça à demain. Je l'ai senti plus que réticent. Je te tiens informée. Vous avez d'autres questions? demande l'inspecteur en se levant. C'est le signal que chacun attendait pour partir.

Les deux derniers à quitter la salle, Josée et Stéphane, se retrouvent seuls dans l'ascenseur. Après quelques minutes d'un silence vibrant des pensées de chacun, c'est Fortier qui lance la conversation.

— Comment souhaites-tu que nous abordions cette recherche de témoins? Retracer le parcours d'Atif avant sa mort ne sera pas facile. J'ai bien peur que les amis ne se bousculaient pas autour de lui.

— En effet, il n'était pas très populaire. Sa mère ne sait pas grand-chose des activités de son fils, mais nous pourrions commencer par là. Elle nous dirait au moins si elle l'a vu à la maison au cours des derniers jours.

— Il n'est pas très tard, que dirais-tu qu'on y aille maintenant?

— Tu ne dois pas rentrer chez toi? Les enfants?

— Ma mère est encore là. Quand mon père va à la chasse avec ses amis, elle en profite pour passer du temps avec ses petits-enfants. L'Abitibi, c'est tellement loin que nous n'y allons pas très souvent.

Tanguay voit là une ouverture et cette fois-ci il s'y engouffre, bille en tête.

— Alors, après notre entrevue avec madame Hashmi, nous pourrions aller manger et discuter de la suite des choses?

— Ça me va. Je t'emmène découvrir ce restaurant indien dont je t'ai parlé.

28

Fortier gare son véhicule devant la maison qu'elle possède dans le quartier Nouveau-Rosemont. La voiture de sa mère, stationnée dans l'entrée du garage, indique qu'elle et les enfants sont bien de retour du match de soccer de sa fille aînée. Celle-ci adore les sports d'équipe, au grand soulagement de sa mère qui y voit une façon de canaliser son trop-plein d'énergie. Le confortable bungalow lui a été cédé lors de son divorce houleux. Son ex-mari, avocat d'affaires, un Franco-Manitobain originaire de Winnipeg, est retourné y vivre avec sa jeune épouse, maintenant enceinte d'un deuxième enfant. Josée, qui préfère ignorer les événements qui ponctuent la vie de cet homme, ne communique plus avec lui que par l'intermédiaire des enfants. Ceux-ci voient leur père de moins en moins souvent, car la distance et les horaires chargés de chacun les éloignent de plus en plus alors qu'ils grandissent.

Josée sait qu'elle devrait rentrer. Il est passé 10 heures, ils sont sûrement déjà au lit. Cette soirée en compagnie de Stéphane l'a remuée plus qu'elle ne le voudrait. Elle combat depuis des semaines l'attirance qu'elle ressent pour ce grand garçon timide, d'une sincérité désarmante. Il y a si longtemps qu'elle n'a éprouvé l'envie de se blottir dans les bras d'un homme qu'elle ne sait plus si ce qu'elle ressent tient à sa longue abstinence ou à une fascination mutuelle. Elle a beau se répéter que leur différence d'âge – presque six ans – n'a plus d'importance de nos jours, elle craint de se laisser abuser par la trop grande solitude qu'elle vit depuis cinq ans, et de se fourvoyer sur le sens à donner aux signes beaucoup moins discrets que Stéphane a émis pendant tout leur repas au restaurant.

Après leur réunion au Q.G., ils sont d'abord passés chercher Ranjit Grégoire, l'agent sociocommunautaire qui sert d'interprète au poste 33. Leur arrivée impromptue à l'appartement de madame Hashmi a suscité un grand remue-ménage auprès des femmes du quartier. Les voisines pakistanaises étaient rassemblées auprès de la mère d'Atif, effondrée. La femme se lamentait de ne pouvoir enterrer son fils dans le respect d'Allah et des préceptes du Coran. On refusait de lui rendre le corps de son fils dans les vingt-quatre heures afin qu'il soit inhumé. Pire encore, on allait profaner sa dépouille, découper son enfant avec des lames tenues par des non-croyants. Ranjit a bien tenté d'expliquer les raisons de ce délai, mais les femmes se sont mises à crier et à le honnir.

Comment, dans une atmosphère pareille, réussir à tirer quoi que ce soit de cette femme hagarde entourée de harpies? Mieux valait une prudente retraite. Ils ont rapidement descendu l'escalier du logement en deuxième étage. C'est en sortant que Tanguay a remarqué la station d'essence libre-service, juste en face.

— On va voir s'il y a des caméras orientées de ce côté?

— Décidément, tout ce qu'on arrive à découvrir dans cette enquête vient des caméras de surveillance, répond Fortier. Espérons que Big Brother travaille pour nous encore une fois.

Les lumières se sont éteintes dans le salon, signe que sa mère s'apprête à aller se coucher. Josée se décide enfin à quitter la quiétude de sa voiture pour aller affronter le babillage de Pauline, une femme généreuse, mais qui vit mal le silence. Son père, de qui elle tient sa retenue et son flegme, explique que Pauline fait les questions et les réponses, il est donc inutile d'en rajouter. Alors qu'elle franchit le seuil de la maison, son téléphone entonne les premières notes d'un grelot qu'on agite. Josée fouille son sac tout en refermant la porte d'un coup de hanche. Sa mère apparaît dans le couloir qui mène aux chambres, sa lourde poitrine engoncée dans un peignoir de ratine mauve. Elle s'apprête à ouvrir la bouche lorsque d'un geste ferme, Josée lui fait signe de se taire. Fortier écoute son interlocutrice au débit affolé. Elle tente de calmer Josiane, la directrice du centre d'hébergement où logent Maira et Zahra.

— Personne ne les a vues après le repas du soir, vous en êtes certaine? Je vais lancer les recherches. Ne vous inquiétez pas. Je sais bien que vous m'aviez prévenue. Je vous donne des nouvelles dès que nous les aurons localisées. Elles sont probablement rentrées chez elles.

Après avoir raccroché, la détective reste quelques secondes choquée par la nouvelle. Elle prend la mesure de tous les risques d'une telle fugue. Pendant qu'elle enclenche l'appel vers Morel sur l'écran de son portable, elle regarde sa mère d'un air contrit.

— Désolée, maman, il faut que je reparte. Une urgence.

— Mais Josée, il est tard…

— Ne m'attends pas. Il se peut que j'y passe la nuit, l'interrompt-elle.

Fortier sort et marche rapidement vers sa voiture.

— Paul, Maira et sa fille ont disparu. Elles ont quitté le centre d'hébergement. Selon Josiane, elles ont emporté toutes leurs affaires.

— Et Mercier qui pensait que j'exagérais!

— Je sais! Nous avons eu tort de croire qu'elles patienteraient. Je file chez elles. J'espère seulement qu'elles y sont.

— N'y va pas seule. Fais-toi accompagner par une voiture de patrouille. Khan pourrait être dans les parages. Les patrouilleurs qui font leur ronde ne passent que toutes les deux ou trois heures devant la maison. Mercier affirme qu'il n'y a pas de budget pour y mettre quelqu'un à demeure.

— Si j'arrive avec un effectif, elles vont paniquer…

— Fortier, c'est un ordre. Je me fous qu'elles paniquent. Je t'interdis de prendre le moindre risque! Je suis chez moi, j'arrive dès que possible. Il me faut traverser toute la ville.

Morel descend de son véhicule, garé en double file. Déjà deux voitures de police, gyrophares allumés, bloquent les intersections. Des agents en uniforme éloignent les curieux derrière le ruban des scènes de crimes. Paul tente de refouler l'adrénaline qui fait pulser son cœur, prêt à encaisser un autre drame. Sur le perron, il aperçoit Fortier qui discute avec Ranjit Grégoire. Le jeune policier au teint basané hoche la tête en signe d'assentiment. Il croise Morel et le salue sans s'arrêter.

— Je l'envoie questionner le voisinage avec d'autres patrouilleurs. Ranjit est respecté dans le quartier, il réussira peut-être à faire parler ceux qui ont vu quelque chose.

— Qu'ont dit au juste les ambulanciers?

— Que nous sommes intervenus juste à temps. Maira a peut-être des chances de s'en sortir. La petite a été enlevée. J'imagine que pour protéger Zahra, Maira s'est désespérément débattue, jusqu'à ce qu'on lui tire dans l'abdomen. Ils l'ont laissée pour morte. C'est la petite qu'ils voulaient. Maira n'avait pas de valeur à leurs yeux, je suppose. Selon les voisins, un couple de retraités grecs, ils étaient trois hommes cagoulés. Ils ont poussé Zahra dans un 4 × 4 noir. Si j'étais arrivée une demi-heure plus tôt, j'aurais pu intervenir, mais le temps que je joigne Ranjit, les voisins avaient déjà alerté le 33. On s'est tous pointés en même temps pour découvrir la porte fracassée et Maira baignant dans son sang. Paul, j'avais juré à Zahra de les protéger, elle et sa mère!

— Tu n'es coupable de rien. C'est moi, encore une fois, qui me suis laissé convaincre par Mercier. Selon lui, il était trop tôt pour les faire bénéficier du programme de protection des témoins. Il voulait s'assurer que Maira n'était pas complice de Khan. Il voulait qu'on remette Zahra à la DPJ. J'ai refusé de la séparer de sa mère. Encore là, j'ai eu tort…

— Absolument pas! Faire entrer la petite dans le système de la DPJ! Tu sais bien dans quelle pagaille ils sont. Quelque chose s'est passé au cours de la journée. Lorsque j'ai parlé à Zahra ce matin, elle m'a promis de faire comprendre à sa mère d'attendre encore quelques jours afin que nous les logions ailleurs.

— Justement, j'ai repensé à ce que t'a dit Zahra. Tu te souviens, Maira nous a mentionné qu'elle avait vu le contenu du coffre-fort : de l'argent, des armes, des documents et leurs passeports. Dans le sac à dos de Noor, il y avait ses deux passeports. C'est la preuve qu'elle a aussi fouillé le coffre-fort de son père. C'est probablement son contenu qui se trouvait dans le sac de sport.

— Mais pourquoi les torturer? Il voulait leur faire avouer quelque chose? S'il croyait sa vie et celle de sa famille menacée, c'est que ce quelque chose était vraiment important.

— Quelque chose qu'il devait récupérer à tout prix et qui a justifié sa fuite.

— Stéphane a découvert qu'entre le meurtre de Noor et sa disparition de nos radars, Khan a fait un aller-retour en deux jours à Toronto, sur un vol de Porter Airlines qui dessert directement le centre-ville.

— Il a dû rendre visite à son associé Javed. Espérons que Losier nous en dira plus demain.

— Je l'ai prévenu que Zahra a été enlevée. Il pense que la petite peut remplacer Noor afin que Khan puisse honorer la promesse de mariage qu'il a signée…

— Décidément, Morel, tu me fais faire des heures sup!

Paul se retourne sur la silhouette trapue de Wendy Connolly. La femme dans la cinquantaine, à la courte chevelure grise, plonge son regard aux lueurs de chat birman dans celui de Morel qui ne cille pas. C'est un jeu qu'ils pratiquent tous les deux depuis des années. Il n'y a jamais de perdant, car chacun trouve toujours une parade. Cette fois, c'est lui qui se fait tout sucre.

— Je ne peux plus me passer de toi, chuchote-t-il, charmeur.

— C'est ça! Comme si ton baratin avait la moindre chance de me faire de l'effet, rétorque la scientifique, qui affiche sans émoi son homosexualité. Une tentative d'homicide et un enlèvement, j'ai des chances de trouver quelque chose, selon toi?

— Il y a des traces de lutte, répond-il en s'écartant du seuil.

— J'ai envoyé Almeida recueillir des indices sur le corps et les vêtements de la victime en espérant qu'il puisse les récupérer. On trouvera peut-être ici des empreintes, ou de l'ADN de ses agresseurs.

— Ils étaient cagoulés, commente Fortier. Il se peut qu'ils aient aussi porté des gants.

— Je vous fais mon rapport dès que je peux, soupire Wendy. La nuit va être longue!

29

Anya glisse son corps nu et huilé contre celui de Camille. Elles se lovent et ondulent au rythme des battements de leurs pouls, en cadence. Les décibels à plein régime couvrent tout autre son. Sur leur podium aménagé au centre de la grande salle de réception, elles oublient la présence de la cinquantaine d'invités qui circulent autour d'elles. La plupart les ignorent. L'alcool, les rails de poudre blanche, généreusement distribués, emportent chacun dans son propre vertige. Des couples se sont formés. Certains dansent. Les divans sont si vastes qu'ils permettent à des trios de s'accoupler. Les sexes de deux hommes noirs, debout à chaque extrémité d'une blonde à la chair rosée, agenouillée entre eux, plongent en cadence.

Les hauts gradés des Crips ne ratent jamais une fête offerte par Jo Bassin. Elles ont la réputation d'être fastueuses, et cette fois, on célèbre l'association avec leur nouveau partenaire. Le caïd kurde a généreusement offert des échantillons de la marchandise dont leur clientèle est déjà insatiable. Leur *sucre glace* casse les prix du *brown sugar*. L'homme dans la cinquantaine est assis en retrait, entouré de ses gardes du corps. Il touche à peine au champagne de la flûte qui repose dans sa main. Le corps massif, habillé de Versace, il observe les fêtards. Toute son attitude transpire le dédain qu'il éprouve. Sa prunelle noire s'attarde parfois sur les bassins soudés des deux danseuses, leurs jambes, leurs bras dessinant une étrange chimère. La rousse à la peau laiteuse enfourchée par la brune asiate dont la longue queue de cheval bat les flancs.

Anya repousse les images des rails étalés sur les plateaux. Son envie est si forte qu'elle en transpire. Camille a insisté pour s'envoyer une ligne avant chaque prestation. Anya s'est éloignée de crainte de céder. D'instinct, elle a reconnu la came. Pas de la vulgaire coke, comme Camille a l'habitude d'en sniffer, mais du haut de gamme comme jamais elle n'a pu s'en payer lorsqu'elle fréquentait les squats de Krasnoïarsk. La tentation lui vrille la tête. En se détournant, elle aperçoit l'invité de marque de Jo Bassin, et son affolement monte d'un cran. Si elle avait su qu'il serait là, jamais elle ne se serait risquée si près de celui qu'elle appelle le Minotaure. Elle cherche comment convaincre Camille de quitter discrètement les lieux, dès que la musique changera, indiquant la fin de leur dernier numéro. Elle ne sait pas dans quelle banlieue elles ont échoué. Elle a profité de la voiture de sa partenaire sans penser que celle-ci envisagerait de rester après leur performance. Elle doit fuir l'héro et le Kurde dès qu'elle en aura terminé. Camille, heureusement, a eu la lucidité de s'assurer qu'elles étaient payées d'avance, dès leur arrivée.

Anya entraîne fermement sa partenaire et la fait descendre de scène. Camille, visiblement égarée, ne résiste pas et se laisse guider vers la chambre où elles ont laissé leurs vêtements. Anya doute que Camille soit en état de prendre le volant. Elle lui met sa robe et tente de la persuader de partir. Elle la secoue un peu, craignant de la laisser seule, à la merci des Crips. Camille proteste, puis s'écroule sur le lit. Le dernier rail a eu raison d'elle. Anya enfile rapidement son pantalon de velours et son léger corsage de dentelle. Elle s'assure que son argent est bien dans les poches de son court anorak noir. La cuisine, d'où elle a vu sortir les serveurs au début de la soirée, se situe juste au bout du couloir. Elle s'y engouffre. Le lieu est désert. Affamée, elle attrape quelques tranches de jambon et sort dans la nuit. L'arrière de l'immense demeure donne sur un jardin en terrasses au bout duquel elle distingue le ponton d'un quai. Un gros yacht y est amarré, illuminé de lumignons de couleur. De la musique et des rires s'en échappent. Elle a tout juste le temps de se retirer à l'ombre d'un gros sapin et de rabattre son capuchon sur sa tête. Jo Bassin s'avance dans sa direction, son gros ventre faisant osciller le ponton. L'immense Haïtien avale une longue goulée à même la bouteille d'alcool qu'il tient d'une main, alors que de l'autre, il claque les fesses d'une jeune Noire, moulée dans une jupe minuscule. Celle-ci lâche de petits cris et se trémousse en déséquilibre sur ses chaussures à plateforme. Enfoncée sous les branches, Anya la regarde passer. Quinze ans à peine.

Anya contourne le garage, longe la protection de la haie. Des chauffeurs discutent en fumant, appuyés aux limousines. Elle s'éloigne d'eux le plus furtivement possible. Un long chemin mène à la grille qui protège la propriété. Elle rejoint la route sous la voûte de grands arbres. Le vent sent la pluie. L'asphalte luit sous les réverbères. Deux ou trois kilomètres à marcher avant la station service aperçue à l'aller, qui avoisine un Couche-Tard ouvert 24 heures sur 24. De là, elle appellera un taxi. Ce sera une grosse ponction dans cet argent si chèrement gagné. Anya frissonne, lutte contre la fatigue. Une aube glaciale trace un trait mauve sur l'horizon. Elle fouille la poche de son manteau et mange le jambon, tout en retenant ses larmes. Une petite exaltation lui fait tourner la tête. Elle a su résister. *Babouchka* lui sourit.

30

Penché au-dessus du lavabo, Morel se jette de l'eau froide
sur le visage. Il s'est accordé deux heures de sommeil sur
le sofa de son bureau. L'éclairage au néon des toilettes du
Q.G. ne pardonne pas. Son reflet dans le miroir lui livre,
pendant quelques secondes, la tête qu'il aura dans dix
ou quinze ans. Des rides au front, de profondes poches
sous les yeux, le teint brouillé, voilà ce que ce boulot
laboure inexorablement sur ses traits. Des nuits blanches, le sentiment constant de ne jamais en faire assez.
L'impuissance surtout. Et la colère! Une boule de colère,
dense, contre sa hiérarchie, contre Mercier qui n'a que
faire des victimes, du travail de fourmi des enquêteurs. Et
contre lui-même. Il s'en veut de ne pas avoir passé outre
aux tergiversations de l'inspecteur-chef. Que lui arrive-t-il?
Il se croyait plus frondeur. Pourquoi n'a-t-il pas suivi son
instinct? Il l'a pourtant toujours fait, sans trop se soucier des
conséquences. Le chagrin, la solitude le menaient sur des
chemins de traverse, le déséquilibre ne lui faisait pas peur.
Au contraire, il en redemandait. Sa mauvaise conscience
lui insinue qu'il est en train de s'assagir, de s'installer dans
sa nouvelle vie de couple. Il se dit que peut-être, parce
qu'il est enfin heureux, il n'ose plus prendre de risques.

Paul s'essuie le visage avec le papier rêche du
distributeur. Il remet son veston et resserre sa cravate. Il
en a toujours une qui traîne au fond d'un tiroir de son
bureau. Il a rendez-vous avec Mercier. Ils seront en vidéo-
conférence avec Losier et un haut gradé de la GRC, dont
il n'a pas mémorisé le nom, pour décider des suites à
donner à l'enquête. Toutes les mesures ont été prises pour

tenter de retrouver Zahra, non seulement avec la Sûreté du Québec et la GRC, mais également avec Interpol. L'alerte a été lancée dans tous les aéroports et aux postes frontières, car il est probable que les kidnappeurs tenteront de faire sortir Zahra du pays.

Tanguay, qui a travaillé une partie de la nuit, a finalement craqué le cryptage qui protégeait les transactions de la société d'import-export KHAJAV. Il s'avère que la substance chimique achetée en toute légalité à Manchester, en Angleterre, transite par Mannheim, en Allemagne, puis par Elazığ, en Turquie. Les produits textiles justifient son utilisation. Toutefois, une double comptabilité dissimule une grande partie des quantités en circulation. Des centaines de litres camouflés parmi la marchandise sont dirigés vers Jammu, au Cachemire. De là, elles prennent le chemin des entrepôts de Peshawar et de Quetta. Les documents déchiffrés par Tanguay ne révèlent pas la route parcourue ensuite par les contrebandiers vers les plantations de pavots. Toutefois il est facile de le déduire, quand on sait qu'un litre d'anhydride acétique suffit pour produire un kilogramme d'héroïne. Le calcul est vite fait. Et les profits que révèle la comptabilité sont énormes. C'est la section antidrogue de la GRC qui s'est chargée d'arrêter Saif Javed à l'aube. Javed nie toute responsabilité. Il accuse Khan de l'avoir floué. Il a exigé de voir son avocat. Losier ne s'est pas laissé berner. Il menace de l'accuser de complicité dans l'enlèvement de Zahra et dans la tentative d'homicide de Maira Khan. Les chefs d'accusation pourraient être très lourds, à moins, bien sûr, qu'il ne collabore.

Morel se dit qu'il faudra encore prouver que l'anhydride retrouvé dans l'entrepôt de Farid Khan était destiné à un commerce illicite. Toutefois, le fardeau de la preuve n'est plus entre ses mains, mais dans celles de la GRC, de sa section antidrogue et de la SCIA[15]. L'inspecteur n'a pas l'intention de contester la juridiction des polices qui vont bientôt s'additionner. Les usines de Saif Javed étant

---

15. Section de la coopération internationale antidrogue.

dispersées en Europe et en Asie, il imagine le cauchemar que ce sera d'enquêter sur le détournement d'un précurseur comme l'anhydride acétique. Son rôle à lui se limite à trois homicides, une tentative et un enlèvement. Une tâche toute simple, quoi!

La bonne nouvelle de la journée, c'est que Maira, sortie de chirurgie, est dans un état critique mais stable. Fortier est sur le qui-vive. Elle doit tenter de lui parler dès que les médecins l'y autoriseront. L'autre avancée positive revient à Ling, qui décidément mérite la palme de la patience. Elle a retracé le trajet de Noor, image par image, le jour de sa mort. Ling en a fait un document vidéo des plus explicites. Sur toutes les images, Noor porte, en plus de son sac à dos, le sac de sport noir et rouge. Il est donc plausible qu'elle l'a apporté avec elle dans le débarras. Toutefois, la vraie trouvaille concerne l'image d'un homme. Dans la jeune trentaine, les traits d'origine moyen-orientale, vêtu d'un jeans et d'un sweatshirt au sigle de l'Université McGill. Il ne se démarque pas parmi les étudiants lorsqu'il sort de la résidence, quelques pas derrière la jeune fille. Il ne se distingue pas, non plus, lorsqu'il se retrouve dans la foule, entrant dans le wagon à la station de métro McGill, au moment même où Noor y pénètre. Cependant, Ling l'a remarqué, cette fois, et se souvient l'avoir vu lorsqu'il quittait en même temps que la victime le quai de la station Parc. Il monte l'escalier tout comme elle, et ils s'éloignent tous les deux de l'œil inquisiteur des caméras. Une coïncidence? Ling en doute. Elle cherche à présent à l'identifier. S'il n'est qu'un étudiant qui vit comme par hasard dans Parc-Extension, l'université devrait posséder son dossier. Pour faire bonne mesure, Ling a mis à contribution toutes les banques de données auxquelles elle a accès: le SARC[16], le CRPQ[17] et la SAAQ[18].

---

16. Système automatisé de renseignements criminels.
17. Centre de renseignements policiers du Québec.
18. Société de l'assurance automobile du Québec.

Sur le document monté par la policière, on voit également Atif prendre le métro Parc, à 16 heures 22, juste après Noor. Il n'a donc pas menti, il s'est bien rendu à la station Berri-UQAM. Il y réapparaît en fin de journée pour ressortir à la station Parc. Les caméras de la mosquée le repèrent juste avant la prière de fin de journée. L'imam a confirmé qu'il venait y prier tous les jours. On le voit ressortir de la mosquée presque au même moment où Noor emprunte l'escalier qui mène à la sortie du métro Parc. C'est la même rue. Il est donc possible qu'Atif l'ait aperçue dans cette rue qui mène au centre de loisirs et qu'il l'y ait suivie, puisque c'est aussi le chemin qu'il prend pour rentrer chez lui. De là l'importance de la calotte trouvée sur la couche des amants assassinés. Elle prouvera qu'il a menti en affirmant être resté à la maison toute la soirée. La preuve ADN prendra encore quelques jours. Wendy a beau être la meilleure, elle doit respecter les protocoles.

Ils n'ont aucune piste pour retrouver Farid Khan, qui semble s'être évaporé. Javed jure qu'il ne sait pas où il se cache. Il se décrit comme un homme d'affaires trop ambitieux qui s'est fait rouler par un associé véreux. Il soutient que Khan possède l'entraînement des commandos et connaît les techniques de filature et d'espionnage. Il maîtrise parfaitement les nouvelles technologies. C'est lui qui a créé le cryptage de leurs sociétés-écrans. «S'il est décidé à disparaître, vous n'avez aucune chance de le retrouver», a-t-il lancé à Losier en le défiant.

Morel marche vers l'ascenseur en se répétant qu'ils piétinent. Les indices qu'ils possèdent ne tiendraient pas devant un tribunal. Une rage lui serre la poitrine, lorsqu'il imagine Zahra, terrifiée, séquestrée par des hommes masqués. Il se sent coupable. Il sait que ce sentiment lui brouille l'esprit et qu'il doit rester alerte et garder son calme. Tout de même, une partie de lui a juste une envie, se défouler sur Mercier.

— Paul! Attends!

Morel se retourne alors qu'il s'apprête à franchir les portes de l'ascenseur. Tanguay avance vers lui en longues foulées.

— On a retrouvé la voiture de Zar.

— On en est sûr? Où est-elle? demande l'inspecteur en retenant les portes.

— C'est la bonne plaque d'immatriculation. Derrière le centre de loisirs, dans une ruelle qui n'est pas asphaltée. C'est plutôt un terrain en friche qui longe l'arrière d'une série d'immeubles tout aussi délabrés. Il y a beaucoup d'arbres, de broussailles. Elle était à l'abri des regards depuis tout ce temps. Des adolescents tentaient d'en ouvrir les portières. Une vieille femme haïtienne a prévenu le 33. Les gars de l'IJ la font remorquer pour l'examiner.

Morel hésite, toujours sur le seuil de l'ascenseur. Il regarde sa montre.

— Je dois aller là-haut, dit-il sur le ton d'un homme qui préférerait être ailleurs.

— Je m'en occupe, ne t'en fais pas.

— Préviens Fortier. Et appelle-moi dès que tu connais le contenu de la bagnole. Espérons qu'on y trouvera de quoi comprendre ce que traficotait Zar.

— J'ai aussi une info qui devrait te faire plaisir, ajoute Stéphane, un petit sourire aux lèvres.

— Tanguay! lui dit Morel, impatient.

— Je t'ai parlé de la caméra du libre-service devant le logement d'Atif. Le jour de sa mort, on le voit discuter au pied de l'escalier avec nul autre que Kévin Bassin!

— Et qu'est-ce que tu attendais pour me le dire?

— Paul, réplique Tanguay, surpris par le ton inhabituellement agressif de l'inspecteur, on vient juste de voir ça avec Ling.

Embarrassé, Morel réplique plus calmement:

— Où est Cabrini?

— Avec Joël Panier au poste 31.

— Je suis déjà en retard, râle-t-il, son épaule bloquant le sas. Appelle Cabrini, qu'elle m'embarque Kévin Bassin avec l'aide de Panier. Mais je veux l'interroger moi-même! lance Morel, alors que les portes se referment sur lui.

31

Des patrouilleurs ont repéré en mi-journée Kévin Bassin et ont aussitôt prévenu la détective Cabrini. L'Haïtien traîne avec quatre membres du gang, au sud du parc du Boisé-de-Saint-Sulpice. Il y a, à proximité, un terrain de soccer, le complexe sportif Claude-Robillard et le collège André-Grasset, un bon endroit pour racoler leur clientèle, avec suffisamment d'arbres pour masquer les transactions de *pills*. Les jeunes du quartier y circulent beaucoup. Cabrini et Panier – qui a revêtu des vêtements civils par-dessus sa veste pare-balles – ont garé la voiture de police assez loin pour qu'elle ne soit pas aperçue du groupe. Deux autres véhicules de patrouille contrôlent les abords du parc. Trois des Haïtiens, dans la jeune vingtaine, sont assis sur une table de pique-nique, les pieds posés sur le banc de bois. Deux autres semblent flâner, mais en réalité, ils font le guet. Ils portent tous les couleurs bleues du gang des Crips, foulards, casquettes et baskets semblables. Leurs sweatshirts sont assez amples et longs pour dissimuler des armes. Panier marche au côté de Cabrini, alors qu'elle s'avance vers le bosquet d'arbres sous l'ombre duquel le gang s'abrite. Joël, les sens en alerte, stoppe sa collègue d'un mot à voix basse.

— Attends! Plus loin à ta gauche, il y en a deux autres. C'est vraiment pourri comme situation pour une interpellation. Ils peuvent se disperser dans les bois, on serait des cibles faciles.

— Ils ne vont quand même pas nous tirer dessus!

— Avec cette guerre de territoire, ils sont tous sous tension en ce moment. Il vaut mieux que les patrouilleurs approchent en même temps que nous.

— Mais justement, s'ils voient les uniformes, ils vont paniquer. Allons-y relax. Je veux discuter avec Kévin d'abord.

Joël regarde Cabrini. Elle a l'air si sûre d'elle…

— OK. Mais je demande aux gars de rester prêts à intervenir rapidement, réplique-t-il avant de murmurer un message dans la radio-émetteur qu'il a glissé sous son coupe-vent.

La détective, en jeans et blouson de cuir, approche nonchalamment. Ses boucles brunes sont ramassées en chignon. Elle paraît plus jeune que ses trente ans. Seul son regard la trahit lorsqu'elle pose les yeux sur le garçon de vingt ans. Elle a discrètement ouvert son blouson, mettant son arme et sa plaque en évidence.

— Salut, Kévin! Belle journée pour niaiser dans le parc!

Une lueur de surprise passe sur les traits de Kévin. Quelques secondes seulement, le temps de comprendre à qui il a affaire en apercevant l'imposant policier au côté de la jeune femme qu'il choisit d'ignorer.

— Eh! Panier, tu triches ta femme, maintenant! Faut dire que celle-là doit en valoir le coup, clame-t-il, faussement hilare.

Le policier l'ignore à son tour, se contentant d'un regard méprisant. Cabrini ne se laisse pas démonter, elle se place juste en face du jeune homme qui joue au fanfaron. Il n'a pas d'autre choix que de la regarder dans les yeux. Assis, les coudes sur les genoux, il tente de masquer sa nervosité. Mais la crispation de son poing sur son iPhone le trahit.

— On a besoin de discuter, toi et moi. Alors j'ai très envie de t'amener faire un tour, lui dit-elle, d'une voix pleine de charme.

— Ouais! Ben, t'es pas mon genre, réplique-t-il en se levant et en sautant du banc, faisant mine de s'éloigner. Il est à peine plus grand que la détective et son mètre soixante-cinq, mais on devine une carrure nerveuse et musclée sous son ample sweatshirt. Son mouvement a déclenché l'alerte chez ses comparses. Panier, trois pas derrière Cabrini, pose la main sur son arme, sa vision périphérique évalue le moindre déplacement des guetteurs, maintenant tous tournés vers eux.

— Kévin, on a juste besoin de discuter. On peut faire ça gentiment de ton plein gré, ou bien ce sera plus désagréable pour toi, insinue Cabrini d'un ton ferme, sans agressivité, tout en se déplaçant pour lui bloquer le passage.

Kévin Bassin hésite à peine. Il s'avance et lève la main pour la bousculer. Vive, Cabrini a contré son geste en bloquant son bras. Elle saisit son poignet et, d'une simple clé, elle retourne son adversaire et le jette à terre. On entend un léger craquement. Kévin pousse un gémissement. Pendant qu'elle pose un genou sur son dos pour lui mettre les menottes, Joël voit un des guetteurs tirer une arme de sous son blouson. Il le met en joue avec la sienne, et tout se déroule en un éclair. Les policiers en faction accourent, l'arme au poing. Ils encerclent le groupe.

— Jette ton arme! crie Panier.

Deux autres voitures de patrouille arrivent, sirène hurlante. Les voix s'élèvent, tout le monde crie. Un des Crips, qui se tenait près de la rue, s'enfuit en courant vers l'avenue Émile-Journault. Pendant quelques minutes, c'est le chaos jusqu'à ce que tous les Crips obtempèrent. On leur enjoint de s'agenouiller, les mains sur la tête. Trois autres armes sont trouvées. Sur Kévin, on découvre en outre un couteau à cran d'arrêt. En le forçant à se relever, Cabrini, que la montée d'adrénaline essouffle, lui lance d'une voix forte :

— T'es qu'un idiot, Kévin! Tu serais venu sans faire d'histoires, on n'aurait pas été forcés d'arrêter tous tes petits copains!

— Maudite *bitch*!

Morel fixe, sans la voir, la nuit derrière la vitre de son bureau. Il vient d'atteindre le stade où il est si fourbu qu'il ne ressent plus la fatigue. Il n'éprouve plus qu'un poids dense et brûlant sur sa nuque, au milieu de son dos, entre les omoplates. Geneviève dit que ses maux de dos sont le signe d'une colère rentrée. Elle a toujours une explication sur l'origine de ses douleurs, mais pas de réelle solution. Paul sait que ce métier lui fait payer un lourd tribut, cependant il ne saurait rien faire d'autre, et il est trop tard pour en changer. Il a obtenu de Mercier de faire protéger Maira. Des agents sont en faction à l'hôpital. L'inspecteur-chef n'a même pas daigné faire la moindre excuse. Sa façon de se dédouaner a été de clamer devant le surintendant de la GRC que toutes les ressources possibles étaient mises à la disposition de cette enquête. Il a nommé Steve Losier comme agent de liaison auprès des autres corps policiers. L'avocat de Saif Javed essaie de négocier des chefs d'accusation à la baisse pour son client, en faisant porter tout le blâme sur Farid Khan, toujours en fuite. Il lui sera difficile d'écarter l'accusation de trafic d'armes et de stupéfiants – la perquisition des entrepôts de l'homme d'affaires a permis de découvrir une cache bourrée d'armes et d'héroïne. Toutefois, il veut soustraire son client de l'accusation de complicité dans l'enlèvement de Zahra et la tentative d'homicide sur Maira.

Morel, malgré son épuisement, repasse mentalement la logique des événements. Si Khan est encore au pays, comme l'indiquent les services frontaliers, c'est qu'il veut quelque chose. Un bien si précieux, selon lui, qu'il mérite qu'il risque sa vie. Il sait sûrement, à présent, que toutes les polices du pays sont à ses trousses. Et que celles d'Europe et des États-Unis ont été alertées. Que cherche-t-il encore? L'inspecteur rumine cette question comme un mantra. Javed affirme s'être fait piéger par Khan, dont le clan est connu au Pakistan pour ses affiliations avec les seigneurs de guerre en Afghanistan. Il dit se considérer comme un bon musulman, mais il ne partage pas la vision de l'islam de Farid Khan, qu'il juge rétrograde, moyenâgeuse. Sa femme et sa fille s'habillent à l'occidentale. Celle-ci étudie à l'université, tout comme son frère. Il clame n'être qu'un simple homme d'affaires, un fabricant de meubles. Losier rigole en rapportant ses dires à Paul. «Il ne ment peut-être pas en ce qui concerne la religion, mais plus on fouille, plus on découvre dans quelles magouilles il trempe depuis des années. La drogue, c'est peut-être récent, seulement, pour les armes, il est sur les listes du FBI. On le soupçonne d'être un intermédiaire, une sorte de courtier qui mettrait les trafiquants d'armes et les «acheteurs» en relation. Le SCRS ne l'avait pas encore ciblé parce qu'il n'avait rien fait pour se faire remarquer. Il se contentait de prendre une cote sur la transaction et il ne se mouillait pas. Avec l'héroïne, il est devenu plus gourmand, son association avec Farid Khan l'aura fait basculer. Paul en déduit que c'est donc du côté de la drogue qu'ils doivent pister Khan.

La fouille de la voiture de Zar leur a donné quelques explications sur les raisons qui le poussaient à cacher sa relation avec Noor. Dans son ordinateur, de nombreux courriels avec des amis résidant en Allemagne montrent à quel point il est tiraillé entre le sentiment du devoir à l'endroit de sa famille et son envie de vivre une vie «normale», dans un pays où on ne lui imposera pas de choisir son camp. Les recherches de Tanguay et de Ling ont permis de découvrir que plusieurs de ses oncles, membres du PKK, ont été emprisonnés ou tués alors que la guérilla faisait rage dans les années 1980 et 1990. Ses parents, des enseignants en Turquie, ont immigré en Allemagne vers la fin des années 1990. Il y a grandi et affirme se sentir bien plus Européen que Kurde. Il parle de se libérer d'«obligations» qui lui ont été imposées par sa famille. Il dit vouloir rester au Canada à la fin de ses études. Il évoque la ville de Vancouver, qu'il a visitée l'été précédent et où il aimerait s'installer. Dans un message à un ami allemand, avec lequel il discute parfois sur Skype, il dit être amoureux d'une fille magnifique qui partage les mêmes idées que lui. Il précise qu'ils doivent tenir leur relation secrète, car son *sponsor* l'obligerait à rompre. Il est périlleux de lui désobéir, ajoute-t-il.

Tanguay et Ling cherchent à présent qui est cette personne que Zar semblait tant redouter. Le terme *sponsor* peut se traduire par mécène. Qui donc payait les énormes droits de scolarité de l'étudiant? L'Université McGill ne possède aucune information sur l'identité de l'homme qui suivait Noor. Il n'est pas fiché non plus dans leurs banques de données. Ling va donc enquêter du côté des banques d'Interpol.

Il est passé 4 heures du matin. Paul se dit qu'il devrait rentrer chez lui, mais il n'a pas envie que Geneviève le voie dans cet état. Dans sa tête, trop de confusion. Il se sent au bord de l'implosion. La veille, il n'a pratiquement pas dormi, et voilà qu'il vient de passer une dizaine d'heures à interroger Kévin Bassin. Il a rarement, au cours d'un interrogatoire, été si près de frapper un suspect. Cabrini, qui doit avoir un sixième sens, a senti le coup venir. Elle s'est précipitée entre lui et le petit vaurien arrogant, collant son corps contre le sien, elle l'a poussé de toutes ses forces hors de la salle, le projetant contre le mur du corridor. Elle est restée là, appuyée contre lui, en silence, les battements de leurs cœurs et leurs souffles mêlés. Dans ses yeux, il a lu la même rage contenue. C'est la sensation soudaine de ses seins contre sa poitrine et son parfum de femme qui l'ont ramené à la réalité. Contre toute raison, dans le désert de ce couloir beigeasse du sous-sol, il a eu follement envie d'elle. Elle a senti le désir qui les étourdissait. Elle s'est écartée lentement et s'est éloignée d'un pas rapide sans se retourner.

Déboussolé, il a fait ramener Kévin Bassin en cellule. Déclarant forfait. Pour le voyou, la loi des Crips est bien plus menaçante que toutes les années de prison qui l'attendent. Au bout de plusieurs heures, obligé d'admettre qu'il avait rencontré Atif Hashmi le jour de sa mort, Kévin a avoué avoir discuté avec lui du prix de l'héroïne sur le marché actuel. Atif affirmait savoir où s'en procurer et cherchait à en écouler. Il disait avoir accès à pas loin d'un kilo. Pour preuve, il lui en avait montré un échantillon d'un gramme. De la blanche qui, à première vue, semblait d'une rare pureté. Kévin trouvait bizarre qu'un deux de pique comme Atif ait accès à un produit d'aussi bonne qualité. Il lui avait refilé soixante dollars contre son échantillon. Mais il lui avait dit ne pas avoir de «contacts» du côté de l'héro. Lui, personnellement, n'avait pas le «cash» pour une telle quantité. Et il n'avait pas envie de se frotter à la mafia italienne, qui en détient le monopole. Morel sait qu'il ment. Il a tenté de l'effrayer pour lui faire dire à qui il avait parlé de l'héro. Des chefs d'accusation, comme obstruction dans une enquête pour homicide, complicité de meurtre, n'ont pas réussi à faire céder le jeune *dealer* qui s'est contenté de répliquer en rigolant qu'en prison, il se ferait de «bons contacts». C'est à ce moment que Morel a pété les plombs. Assis sur le sofa, il retire son veston et sa cravate, enlève ses chaussures et s'étend sur les coussins qui puent la poussière et la sueur. Une autre fin de nuit merdique.

Cabrini roule trop vite. Elle est passée à l'orange par deux fois. Après être sortie de la toilette des femmes où elle a tenté de se calmer, elle n'a pu se résoudre à retourner affronter Paul. Il ne lui restait plus qu'à rentrer chez elle. De toute façon, se répète-t-elle, il n'y avait plus rien à tirer de Kévin. Mais qu'est-ce qui lui a pris? Se coller à lui comme une moule! La méthode a été efficace, elle l'a empêché de frapper Kévin. Elle aussi, elle mourait d'envie de lui faire perdre son sourire de petit baveux. Elle n'est pas la seule coupable, elle a senti qu'il était aussi troublé qu'elle. Et chez les hommes, il y a des réactions qui ne trompent pas. Arrête! se dit-elle. Ce n'est pas toi en particulier, c'est juste une réaction physiologique de mec. Tu te fais des illusions, il n'a que Geneviève en tête. Tu dois te le sortir du crâne! Sinon ton boulot en pâtira. Et le boulot, c'est tout ce qui doit compter!

32

Les mains appuyées contre la paroi de la douche, la nuque offerte sous le jet brûlant, Paul s'abandonne quelques instants. Il laisse le brouillard dans sa tête prendre toute la place. Ce serait si bon d'arrêter le moulin de ses pensées… Ce doit être ça que les alcooliques et les drogués recherchent, cette chute dans un coton si épais que les sons dans la tête ne sont plus qu'un faible chuchotement. Anesthésié. Jamais, au cours de toutes les enquêtes qu'il a menées, il ne s'est senti aussi près de l'échec, aussi prêt à tout larguer. Il ne possède aucune preuve que Farid Khan a assassiné sa fille, l'amant de celle-ci et le jeune commissionnaire qu'il employait parfois. Ils n'ont contre lui que des présomptions, sa fuite qui le rend suspect, et le témoignage de Maira et Zahra qui l'accusent de violence conjugale et de sévices sur Noor. La drogue et les armes, ce sont les entrepôts de Javed qui les abritaient! Il y a bien l'anhydride, mais est-ce suffisant, quelques centaines de bidons? Le sang d'Atif Hashmi dans la fourgonnette et l'entrepôt le relie au meurtre, sans prouver toutefois qu'il en était l'auteur. Même s'ils réussissaient à retracer Khan et à l'arrêter, ils n'ont que des broutilles contre lui : son association avec Javed, le témoignage de Kévin – un petit *dealer* peu crédible qui dit avoir acheté d'Hashmi un gramme d'héro –, le sac de sport que transportait Atif, identique à celui que Noor trimballait. Khan a-t-il pu le récupérer après avoir torturé Atif? Il faudrait lier le gramme d'héroïne à la drogue chez Javed. Kévin affirme l'avoir revendu à un junkie qui traînait au centre-ville. Il dit ne pas toucher à cette saloperie. Il reste la piste de l'homme qui suivait Noor. Et le *sponsor* de Zar.

Il est un peu plus de 7 heures. Dans le vestiaire des hommes se croisent le quart de nuit et celui du matin. La salle bourdonne d'interpellations et du claquement des portes de métal des casiers que l'on heurte. Morel salue de la tête ses voisins immédiats. Une serviette nouée aux hanches, il fouille son casier, priant pour y trouver de quoi s'habiller. Il a dormi dans son pantalon de costume, sa chemise est bonne pour la lessive. Sa réserve de sous-vêtements, de chaussettes et de pulls est au plus bas. Plus de chemise. Il ne lui reste qu'un pantalon treillis, un polo à manches longues et son blouson de toile marqué au dos du sigle du SPVM. Le noir de cet ensemble sied à son humeur. Il n'a pas de réunion avec les costumes-cravates, ce matin. Il a convoqué toute son équipe dans l'espoir que de nouvelles idées surgissent.

Alors qu'il ajuste son arme dans son holster, son téléphone lance son timbre strident. Geneviève s'est amusée à choisir le sifflet du gendarme français aux intersections. Chaque fois qu'il l'entend, il se dit qu'il doit le changer, puis il oublie. Fortier lui a envoyé un texto. «Maira s'est réveillée. Je suis en route pour l'hôpital.» Il a une heure avant la réunion. «J'arrive», répond-il.

Il sort de l'ascenseur bondé du CHUM[19] et voit Fortier qui avance de sa démarche déterminée. Il accélère et l'interpelle.

— Que t'a dit le médecin? On peut l'interroger?
— Bonjour, Paul, lui lance-t-elle, sarcastique.
— Ouais. Salut.
— On peut lui parler, mais pas longtemps.
— Alors essayons d'être productifs!

Josée s'attarde quelques secondes sur les traits bouffis de l'inspecteur. Elle se dit que si elle le connaissait mieux, elle lui dirait combien il a une sale tête, juste pour détendre un peu l'atmosphère. Toutefois elle choisit de se taire. Prudente, elle le laisse même entrer en premier dans la chambre. Maira, le visage contusionné, un bras dans le

---

19. Centre hospitalier de l'Université de Montréal.

plâtre et l'autre piqué de perfusions, a le teint gris. Sa peau brune a perdu tout son lustre. Ses cheveux noirs sont noués dans un foulard, mais elle ne porte pas le hijab. Elle regarde Paul s'approcher. Ses yeux magnifiques possèdent cette lueur fiévreuse d'un être aux abois. Paul, qui la voit sans son niqab pour la première fois, admire la bouche au dessin parfait. À ses côtés est assise Gita Banerjee. Fortier a vraiment été d'une grande efficacité.

— Madame Khan. Vous vous souvenez de moi? Je suis l'inspecteur Morel…

Maira hoche la tête. Gita les salue à son tour.

— Je lui ai expliqué que vous veniez tous les deux. Nous avons discuté avant votre arrivée. Maira est prête à tout vous révéler si vous lui ramenez Zahra. Je lui ai expliqué le programme de protection des témoins. Elle veut sauver sa fille.

— Dites-lui que toutes les polices du pays sont alertées, répond Morel en tirant une chaise près de celle de Gita. Mais, pour que nous soyons vraiment efficaces, elle doit nous dire si elle sait qui sont ses agresseurs.

Gita entame une brève explication. Maira secoue la tête et insiste sur un élément dont toutes deux semblent avoir déjà parlé. L'Indienne se tourne vers les policiers.

— Maira a vu le visage d'un seul des ravisseurs. Elle a réussi à lui enlever sa cagoule en se débattant, juste avant qu'il ne lui tire dessus. Elle est certaine qu'ils sont Pachtounes. Elle dit qu'ils parlaient entre eux un dialecte des montagnards. Que ce sont des *dāramār*, des bandits, des gangsters. Elle croit qu'ils sont venus chercher leur dû. Khan avait fait un marché avec eux. Il leur devait de l'argent. L'union avec Noor valait beaucoup. Ils ont appris qu'elle était morte, alors ils ont enlevé sa sœur pour se payer.

— Comment? Ils ne se rendent pas compte qu'en enlevant Zahra les autorités jugeront suspecte toute tentative d'utiliser sa citoyenneté française ou canadienne pour parrainer un mari qui tenterait de l'obtenir? rétorque Fortier. Le service de l'immigration préviendrait la GRC. Tout comme en France, puisqu'Interpol a été alerté.

— Je n'arrive pas à obtenir tous les détails de la part de Maira. Je ne pense pas que l'objectif de cette union était de faciliter l'immigration du futur mari au Canada ou en France, comme c'est souvent le but dans les mariages forcés. Je pense qu'ils ne cherchent pas à marier Zahra, comme cela était convenu pour Noor, réplique Gita. Ma crainte est qu'ils la vendent aux enchères. À douze ans, Zahra est parfaite. Les marchés clandestins de Dubaï et du Yémen sont friands de filles vierges et prépubères. Un homme très riche l'achète, il l'utilise jusqu'à ce qu'il s'en lasse, il la revend, et ainsi de suite. Chaque fois, bien sûr, sa valeur diminue, mais le trafic se poursuit. Il deviendra impossible de la retrouver.

Maira interrompt Gita, l'air suppliant.

— Elle dit qu'il faut vite la retrouver, avant qu'elle ne quitte le pays.

— Dites-lui que nous en sommes conscients, réplique Morel. Nous allons faire venir notre dessinateur, elle doit nous aider à produire un portrait-robot de l'homme qu'elle a démasqué.

Pendant que Gita traduit, Paul ajoute en aparté.

— Il faut qu'elle nous en dise plus sur Khan…

— Je sais. Laisse-moi faire, rétorque Josée. Maira, reprend-elle, savez-vous où est votre mari?

Celle-ci réplique sans attendre la traduction de l'interprète. Gita explique.

— Maira comprend un peu le français. Elle dit que Farid a manqué à sa parole, il n'a pas tenu sa part de marché. Il est doublement déshonoré. Par son épouse, qui n'a pas su tenir sa fille. Et à cause de Noor, qui a été souillée. Un homme qui n'a plus d'honneur est un homme mort. Elle pense qu'on lui avait avancé de l'argent pour acheter de la marchandise. Avant qu'il ne s'enfuie, elle l'a entendu jurer à un homme à qui il parlait sur l'écran de l'ordinateur que la livraison se ferait, que ce n'était qu'un retard de quelques jours.

Maira poursuit ses révélations, son ton est vindicatif.

— Elle dit que votre fouille dans la maison a tout bouleversé. Khan a pris peur. Il est allé à Toronto et, lorsqu'il est revenu, il était terrifié. Maintenant, il se cache parce qu'ils le traquent. Ils veulent se venger.

— Nous pourrions le protéger! Il serait inculpé, mais il serait vivant, clame Morel. Savez-vous comment le joindre? Vous devez le convaincre de se rendre.

Maira hausse les épaules et murmure à Gita, d'un ton las, une longue phrase que celle-ci traduit.

— Farid ne se rendra jamais. Il a trop d'orgueil pour accepter d'aller en prison. De toute façon, il ne l'écouterait pas. Il lui a dit les mots du *talāq*: «répudiée trois fois». Elle n'existe plus pour lui. C'est une formule qui permet à l'homme de divorcer de sa femme, explique Gita. De simples mots qui la bannissent à jamais de sa vie.

Maira cache sa honte en détournant la tête. Elle ignore ostensiblement la présence des policiers.

— Elle doit se reposer, à présent, affirme Gita. Cette discussion l'a épuisée.

— Nous avons encore beaucoup de questions, insiste l'inspecteur. Nous devons lui montrer une photo de l'homme qui suivait Noor, propose-t-il en se tournant vers Fortier.

— Revenons plus tard, suggère celle-ci en se levant.

Ensemble, ils font quelques pas en silence. Chacun mettant en place une pièce du casse-tête qu'ils tentent d'assembler. Fortier la première émet une hypothèse.

— C'est l'anhydride acétique qu'il n'a pas pu livrer parce que nous avons perquisitionné l'entrepôt et saisi son butin. Il est allé prévenir son associé…

— Ou il a tenté d'obtenir son aide. Je parie que c'est Javed, la tête pensante, l'organisateur de ces convoyages. Les usines de textiles permettent l'achat d'anhydride en toute légalité. Ils fournissent le produit aux planteurs de pavots qui, en retour, les pourvoient en héroïne. Elle circule probablement cachée dans le mobilier que fabrique Javed. Il est possible que d'autres quantités de drogue soient encore en circulation. La drogue doit faire le même chemin que l'anhydride, mais en sens inverse! Je vais prévenir Losier, lui parler des Pachtounes. Ça va nous orienter pour les instructions aux postes frontières. S'ils déguisent la petite, sa photo sous alerte AMBER n'est pas suffisante pour empêcher qu'elle franchisse les douanes.

— Et moi, je m'assure que le dessinateur vient le plus vite possible.

— Reste auprès de Maira, essaie encore de la faire parler, lance Paul, un sourire d'encouragement se dessinant enfin sur ses lèvres.

L'étage où loge la section des crimes majeurs est étrangement silencieux pour un début de matinée. Morel s'étonne, devant les bureaux vides de ses habituels occupants. Même Tanguay est absent, lorsqu'il dépose l'étui de sa tablette électronique sur sa table de travail. Ce dernier entre dans la pièce, un café à la main.

— Content de te voir. J'arrive de l'IJ. La voiture de Zar était dotée d'un GPS. On travaille dessus pour retracer ses déplacements. Ça a été à l'hôpital?

— On avance. Maira dit que ce sont des Pachtounes qui ont kidnappé sa fille. Je t'expliquerai. Mais qu'est-ce qui se passe ici?

— La fusillade de la nuit dernière.

Devant l'air ébahi de son patron, Tanguay lui explique.

— Ça a été la mobilisation générale, l'escouade Éclipse, l'équipe de Jasmin. On ne t'a pas mis au courant?

Morel ne tient pas à raconter qu'il s'est effondré, comateux, sur le sofa de leur bureau.

— Joseph Bassin, le *hitman* des Crips. Il sortait d'une salle de billard de Saint-Michel. Ils l'ont criblé de balles. La fille qui l'accompagnait et deux autres Crips, tous morts. Une vraie boucherie.

— Comment va-t-on stopper cette guerre des gangs? soupire Morel. Donc, il n'y a que toi et moi?

— Ling est à son bureau. Elle analyse les comptes de Zar. Elle a découvert deux, trois trucs.

— Bien, allons-y, je veux voir ce qu'elle a trouvé, lui dit Morel, tout en se dirigeant vers le couloir. Et Cabrini? demande-t-il d'un ton qu'il souhaite anodin.

— Je n'en sais rien. C'est à toi qu'elle doit rendre des comptes.

— Elle a sûrement des marrons au feu. Je ne m'inquiète pas pour elle.

Alors qu'ils approchent de la grande pièce où logent les postes de travail des crimes majeurs, Ling surgit comme un lutin de sa boîte, se butant sur Tanguay qui la retient pour éviter qu'elle ne tombe.

— Holà! s'exclame Tanguay.

— Ça y est! On l'a! lance-t-elle, vibrante d'excitation. Ah! Bonjour, Paul! Venez voir, j'ai une correspondance. Le gars qui suivait Noor. Sur la banque de données, des Services de l'immigration. On lui a accordé un visa étudiant, il y a trois ans. Il a fait une année à l'Université de Toronto en biochimie. Puis il a disparu sans laisser de traces. Et voilà, au printemps dernier, on le retrouve sur la liste de passagers d'un vol en provenance de Hambourg. Çeto Kardou est Kurde!

— C'est bien lui, en effet, commente Morel.

Il examine la photo de visa et les images des caméras de surveillance. Un homme à l'aspect banal. Taille moyenne, très brun, visage prognathe.

— Donc, on en revient à la piste kurde. Qu'est-ce que tu as trouvé d'autre?

— Sur lui, rien d'autre pour le moment. Mais ça ne peut pas être un hasard. Il connaissait sûrement Zar. J'ai trouvé sur le compte en banque de Zar des dépôts réguliers en euros équivalant à six mille dollars, tous les mois. Les droits de scolarité des étudiants étrangers, à McGill, s'élèvent à près de trente-deux mille dollars par année, cela en plus des coûts de la résidence étudiante et de tous les autres frais pour vivre. Il n'était pas pauvre, mais il n'avait pas de quoi faire de folies non plus. L'argent provient d'une banque en Allemagne, DZ-Bank, le compte est au nom d'une société d'avocats-conseils, la SWZ International, située à Hambourg. Ça va être la galère pour obtenir le nom du client qu'ils représentent. Ça peut prendre des semaines, sinon des mois!

— Lance une demande, mais on ne peut pas mettre trop d'énergie de ce côté. Il vaut mieux se concentrer sur ce que l'on a sous la main. Çeto Kardou. La GRC a les moyens de vérifier s'il est à Toronto. Appelle Losier.

— Carolina m'a dit hier qu'elle irait voir du côté des Kurdes qu'on soupçonne de pénétrer le marché de l'héroïne. S'ils s'attaquent au monopole de la mafia italienne, il doit y avoir moyen d'apprendre qui ils sont et où ils exercent.

— De mon côté, je vais retourner discuter avec Kévin Bassin. Lui annoncer la mort de son frère et voir comment il réagit. Il faut comprendre ce que les Kurdes font dans toute cette histoire. L'héroïne doit être l'enjeu de tout ce fatras. Khan et Javed en faisaient l'importation. Ils avaient donc un distributeur. Les Kurdes? Zar n'était peut-être pas seulement l'étudiant surdoué que ses professeurs décrivent. C'est dingue! Comme si on n'avait pas assez de nos Hells Angels et de notre mafia sicilienne pour nous occuper. On se retrouve avec des bandes terroristes qui viennent chercher jusqu'ici de quoi payer leur armement et leurs guérillas.

— C'est la mondialisation du crime organisé, Paul. Ils ne se contentent plus de l'Europe comme terrain de jeu. Le Québec n'est pas à l'abri, au contraire, nous sommes devenus une terre de prédilection! À Montréal, nous possédons un port, une frontière avec les États-Unis si longue qu'elle en est presque indéfendable. Et, je te dirais, des gens dont la mentalité n'est justement pas encore imprégnée par la méfiance dont font preuve les Européens et les Américains. Le gouvernement canadien a beau avoir resserré les règles et joué la carte de la répression, dans la vie de tous les jours, nous sommes encore une généreuse terre d'accueil.

— Mais on ne peut pas non plus encourager la xénophobie et le racisme, s'insurge Ling.

— Ce n'est pas ce que je dis. Au contraire. Seulement, comment être à la fois tolérant et compatissant tout en se protégeant du fanatisme?

— C'est vrai que nous vivons maintenant à une époque où la candeur peut se payer très cher. Malheureusement, notre travail ne nous donne pas le temps de philosopher!

tranche Morel. Alors au boulot. Quand tu as des infos sur le GPS de la voiture, tu me le fais savoir, poursuit Morel en marchant vers la sortie. Je descends au sous-sol rendre visite à Kévin Bassin.

Cabrini marche vers le ruban interdisant l'accès à la scène de crime. Elle le soulève et montre patte blanche au policier en faction, qui hoche la tête. La vitrine de la façade du bar de quartier est fracassée, des impacts de balles ont fait éclater le revêtement de brique. Le sang des victimes tache le ciment du trottoir. À l'intérieur, elle aperçoit l'inspecteur Jasmin dont le costume anthracite porte les marques d'une longue nuit agitée. Le quinquagénaire à la chevelure grise soigneusement entretenue a défait sa cravate. Ses yeux fatigués lui donnent un charme supplémentaire. Cabrini se dit chaque fois qu'elle l'examine que s'il n'était pas aussi obtus et rustaud, il pourrait être séduisant. Il discute avec un grand costaud qui porte la casquette orange du groupe Éclipse.

Elle s'approche d'eux, se plaçant directement dans l'angle de vision de Jasmin. Il ne pourra pas l'ignorer. Si elle veut apprendre quoi que ce soit, elle va devoir la jouer *dolce*. Prévisible, l'inspecteur ne peut retenir une pique.

— Alors, Cabrini, attirée par l'odeur du sang?

— Tu as tout compris, Marc, je n'ai pas assez de cadavres dans mon assiette, rétorque-t-elle. Salut! Sergent-détective Cabrini, fait-elle en tendant la main au policier.

— Lieutenant Alexis Fermont, répond celui-ci, serrant la main tendue, une petite lueur amusée dans l'œil.

— Je ne viens pas patauger dans ta mare, dit-elle en s'adressant à Jasmin. Mais nous avons serré Kévin Bassin, hier. C'est devenu un témoin important pour notre affaire, et dans un esprit de collaboration, évidemment, poursuit-elle, en y ajoutant un autre sourire ravageur, nous pourrions échanger quelques infos.

Elle sait que devant témoin, Jasmin n'osera pas l'envoyer sur les roses, malgré sa réticence légendaire à partager quoi que ce soit sur ses enquêtes.

— Tout dépend de ce que tu as à m'offrir, Cabrini.

— Hum, dit-elle hésitante, mais consciente qu'elle doit d'abord lâcher quelques miettes si elle veut ses informations. Il y a des rumeurs qui racontent que Jo Bassin voulait changer de ligue. Kévin nous a avoué que son frère avait de grandes ambitions, les *pills* ne lui suffisaient plus. Selon vous, il a marché sur les pieds de qui, pour mériter un canardage pareil?

— Ça ressemble à une vengeance des Bloods, répond le lieutenant que les inimitiés de Jasmin n'intéressent pas. Jusqu'à maintenant, ils avaient l'habitude de faire leur coup plus discrètement. Cette fois, on dirait qu'ils ont voulu frapper fort. Mitrailler tout ce qui passe devant eux avec un TEC-DC9, c'est vraiment sauvage! Il se peut aussi que ça vienne d'ailleurs. Jo Bassin s'est fait beaucoup d'ennemis.

— Et, selon toi, on aurait affaire à qui d'autre?

— Ça, c'est l'enquête qui nous le dira, intervient Jasmin qui n'apprécie pas d'être mis sur la touche.

— Bien sûr, Marc, poursuit la détective, utilisant exprès son prénom, une façon de se montrer cordiale. Je me demande seulement si les ambitions de s'infiltrer dans le trafic d'héroïne de Jo Bassin ne lui auraient pas valu des ennemis.

— Tu as des raisons de croire à cette rumeur? demande Fermont, curieux d'en savoir plus.

— Rien de solide encore. Joël Panier m'a dit que ses informateurs craignaient des représailles entre les gangs. Jo Bassin devenait gourmand et empiétait sur trop de territoires.

— Je connais bien Panier, on travaille souvent ensemble. Il a de bonnes sources, dit le lieutenant en s'adressant à l'inspecteur.

— Et ça raconte quoi d'autre? demande Jasmin.

— Je n'en sais pas plus. Je cherche comme toi à faire le lien. Il est possible que nos deux enquêtes aient pas mal de choses en commun…

L'inspecteur, dont le téléphone sonne depuis un moment, s'éloigne de quelques pas. Cabrini en profite pour reprendre la conversation avec le lieutenant. C'est le rôle du groupe Éclipse de soutenir les enquêteurs. Fermont n'a pas de chasse gardée, au contraire.

— À mes débuts, j'ai patrouillé avec Joël pendant deux ans. Il m'est drôlement utile sur cette affaire de triple homicide.

— J'en ai entendu parler. C'est une sale affaire! commente le lieutenant, son accent gaspésien bien perceptible sur le mot «affaire».

— Tu as des indications au sujet de l'héroïne?

— On sait que ce qui se répand sur le marché, depuis quelques mois maintenant, provient probablement d'Asie. La mafia italienne a l'habitude d'écouler du *brown sugar* provenant du Mexique, alors que là, on a de la blanche coupée de paracétamol. C'est plutôt une pratique du marché européen, qui se fournit en Afghanistan et au Pakistan. Qu'est-ce qu'il raconte, ton témoin? questionne Fermont, d'un air complice. Il a deviné les réticences de la détective devant les airs de matamore de Jasmin.

— Il a eu de la blanche entre les mains. Pas grand-chose, un gramme. Je serais étonnée qu'il n'en ait pas parlé à son grand frère.

— Et elle venait d'où?

— D'une de nos victimes. Un homicide brutal.

— Celui dans le fossé, ou celui dans les légumes avariés?

— Je vois que tu te tiens bien informé! dit Cabrini en souriant. Celui dans la benne à ordures.

— Plus on en sait… Ça confirme nos hypothèses. Les Calabrais de Toronto veulent reprendre les territoires des Siciliens qui se sont entretués dans une lutte de pouvoir intestine. Depuis que les Hells Angels se sont fait décimer par l'opération SharQc, il y a de la place pour plus d'un joueur. Des nouveaux venus tentent de faire leur nid.

— Et qui sont-ils, selon toi? demande la détective toujours circonspecte, s'amusant bien de leur petit jeu.

Cette fois, le lieutenant éclate de rire. Cette fille lui plaît. Elle a de la ressource et de bien jolis yeux bleus pour une Italienne.

— Je crois que tu le sais, mais que tu veux juste que je te le confirme!

— Allez! Bon d'accord, Joël m'a parlé de Turcs, répond-elle exprès, curieuse de savoir s'il en sait plus.

— Des Kurdes plutôt. C'est vrai que pour la plupart des gens ça ne fait pas vraiment de différence. Nos indics disent aussi que ce sont des Arabes. Pour eux, dès que tu dis musulmans, tu dis Arabes.

— C'est ça. On a une piste de ce côté-là, et j'aimerais bien savoir de qui on parle. Vous les avez identifiés?

— On n'a rien de concret. On sait seulement qu'un Kurde a racheté un bar de danseuses sur l'avenue du Parc. Une grosse pointure, paraît-il. On l'a à l'œil.

— Je peux te demander de me prévenir si tu en apprends plus?

— Bien sûr, ça fait partie du boulot! rétorque le lieutenant, toujours souriant.

Morel marche dans le stationnement extérieur. Sa visite des sous-sols étouffants l'a poussé à chercher l'air frais. Une petite bruine glaciale lui coule sur la nuque. Il remonte le col de son blouson, pas suffisamment chaud pour ce temps d'automne. Octobre ressemble à novembre. L'hiver va leur tomber dessus sans prévenir. Il tape un nouveau texto pour Geneviève tout en étant bien conscient que toutes les excuses qu'il fait et fera ne changeront rien au sentiment de malaise qui s'est immiscé entre eux. Pour la première fois, elle le boude. Elle n'a pas répondu à ses messages. Sa façon de lui signifier qu'elle lui en veut de ses deux nuits d'absence. Il laisse la pluie mouiller son visage. La fatigue lui engourdit les membres, il sait qu'il doit se ressaisir, mais ses vieux démons entretiennent ce sentiment d'échec et d'inadéquation au monde où une partie de lui-même se complaît. «Ça suffit!» se dit-il en retournant sur ses pas.

Il doit se concentrer sur ce qu'il dira au procureur de la Couronne. Ce dernier doit présenter le dossier d'accusation pour la comparution devant le juge. Le délai de vingt-quatre heures requis par la loi expire dans moins de deux heures. Il veut convaincre le juge de ne pas libérer Kévin Bassin sous caution, car il est persuadé qu'il va tenter de venger son grand frère. Morel a joué la carte du chantage avec le jeune *dealer*. Bien qu'élevé dans l'entourage des Crips depuis son plus jeune âge, Kévin, à vingt ans, n'a pas d'antécédents judiciaires, sauf une bêtise pour excès de vitesse et possession de marijuana à dix-sept ans. Le gars a toujours été prudent. Morel a plaidé que s'il coopérait, cet avantage pourrait susciter l'indulgence du juge. S'il lui disait à qui il avait parlé de l'héroïne qu'Atif essayait de vendre, il intercéderait auprès du procureur. Il a jeté le chaud et le froid sur le *dealer*, si ébranlé par la mort de son héros qu'il en retenait difficilement ses larmes. L'argument, avancé par l'inspecteur, était que le procureur pourrait ne maintenir que la possession d'armes puisqu'aucune drogue n'avait été trouvée sur lui. Ce sont les guetteurs qui détenaient la drogue de synthèse. «On pourrait même se contenter d'une citation à comparaître, si tu nous dis qui a tué Atif Hashmi», lui avait-il proposé. Mais Kévin était fou furieux. Il accusait les Bloods du meurtre de Jo. Son chagrin se transformait en haine. Morel était un *pig* et lui n'était pas un *snitch*. Paul se dit à présent que la prison est la meilleure école pour faire d'un jeune gars obsédé par la vengeance un truand récidiviste. Pour Kévin Bassin, il n'y a pas de rédemption possible. Dehors ou en prison, il n'échappera pas à son destin.

Morel enfile le couloir vers son bureau, tout en lorgnant le nom de Cabrini qui s'affiche sur son téléphone.

— Salut!

— Bonjour, Paul. Je viens de discuter avec le lieutenant Fermont, un gars de l'Éclipse. Ce que me disait Joël se confirme, l'héroïne qui circule est bien de la blanche, comme l'a décrit Kévin. Il penche aussi pour les Kurdes.

— Tu es sur place?

— Oui. C'est moche. Un vrai carnage. Attends, je m'éloigne un peu. Les caméras arrivent et je n'ai pas envie de me retrouver dans leur viseur. Pauvre Jasmin, je le plaindrais presque. Je n'aimerais pas être dans ses bottes. La hiérarchie n'a pas encore dépêché son bataillon de contrôle des médias.

— Ce n'est bon pour personne, cette tuerie. Fermont t'a dit qui sont ces Kurdes?

— Il n'est sûr de rien. Le nouveau propriétaire d'un bar de danseuses sur Parc est sur leur fiche de surveillance. Je pensais aller y faire un tour ce soir. Histoire de me faire ma propre idée.

— N'y va pas toute seule, ce serait suspect.

— Ne t'en fais pas. Je vais demander à Joël ou à Fermont de m'accompagner. Et toi, tu en es où?

— Kévin n'a rien voulu cracher. Il joue au petit dur et il ne pense qu'à une chose, faire la peau à ceux qui ont tué son frère. Je vais convaincre le procureur qu'il serait une menace dehors. Ah! Aussi Ling a identifié le gars qui suivait Noor. Un Kurde, justement, Çeto Kardou. Il vit à Toronto. La filière kurde ne fait plus de doute, selon moi.

— Et Khan?

— Nulle part sur nos radars. J'en arrive presque à croire qu'il a quitté le pays. Quant à la petite, on ne pense pas qu'elle ait encore franchi la frontière. À moins qu'ils ne la transportent comme un paquet et lui fassent passer la frontière par une route forestière. On recherche un 4 × 4 noir, un Nissan Patrol. C'est ce que pense avoir vu le voisin. Au cours des jours qui ont précédé l'enlèvement, il affirme avoir remarqué à plusieurs reprises cette voiture, garée non loin de la maison. Losier vient de me dire que trois ressortissants pakistanais sont arrivés à Toronto, il y a une semaine, avec un visa touristique. L'un d'entre eux correspond au portrait-robot que Maira nous a aidés à tracer.

— Tu as réussi à la faire parler?

— Elle dit que ce sont des Pachtounes. Selon elle, du même clan que ceux qui ont marchandé avec Khan pour le mariage de Noor.

— Elle les connaît!

— Non, elle a identifié leur pachto, un dialecte particulier des montagnards de cette région. Elle dit qu'ils

214

vont vendre la petite au plus offrant. Si on ne la retrouve pas dans les quarante-huit heures, selon le Service national des enfants disparus de la GRC, il y aura peu d'espoir de la retracer. Losier rentre ce soir. Il va continuer à travailler avec la GRC à partir de leur bureau de Montréal. C'est lui qui prend cette partie de l'affaire. Il est déjà en relation avec des gens à Interpol. Nous, on se concentre sur cette piste des Kurdes.

— Et Saif Javed? Sa dope, il doit bien la vendre à un distributeur?

— C'est ce que tente d'apprendre Steve. Il compte l'interroger de nouveau avant de prendre son vol. Chaque information que Javed nous donne au compte-gouttes découle d'une négociation serrée pour faire réduire son dossier d'accusation. Il a la dent dure et il sait qu'on est dans la semoule!

— On avance tout de même un peu, Paul.

— Tu es une incurable optimiste, Cabrini!

— C'est toujours l'histoire du verre à demi plein ou à moitié vide, rétorque-t-elle en riant. Tu veux que je rentre au Q.G.?

— Si tu tiens à te taper la paperasse. J'attends Tanguay, on va s'attaquer au rapport.

— Aïe! En fait, j'irais bien dormir quelques heures avant d'«aller aux danseuses».

— OK. Préviens-moi si tu as du nouveau.

Morel hésite. Il veut, lui aussi, voir qui possède ce bar. Il a envie de lui dire qu'il l'accompagnera, ce soir. C'est ce qu'il aurait fait, avant. Il suivrait lui-même cette piste, avec ou sans Cabrini. Il se répète : avant. Avant qu'il ne soit en couple avec une femme qui l'attend depuis bientôt trois jours. Il ne veut pas avoir à choisir entre son boulot et Geneviève. Il va devoir réfléchir à tout ça. Discuter de ce dilemme cornélien avec elle. Il n'ose s'avouer également que revoir la détective après leur écart de la veille serait embarrassant. Il vaut mieux laisser le temps effacer leurs émois.

33

Assise sur un tapis de yoga, dans le fond du local qui leur sert de loge, Anya fait ses exercices d'étirement. C'est le seul bon souvenir qu'elle a de son beau-père. De l'âge de six à onze ans, il la menait à ses cours de ballet, dont elle raffolait. L'homme d'affaires s'enorgueillissait de ses prouesses. L'académie se trouvait au cœur de la ville alors qu'ils habitaient loin du centre. Tous les samedis, après ses cours, elle attendait qu'il en termine avec ses affaires dans un petit appartement qu'il possédait. Elle l'idolâtrait. Jusqu'à ce qu'il décide de l'initier à des jeux de grande fille, lorsqu'à onze ans des seins avaient métamorphosé sa silhouette. Elle devait lui montrer les nouveaux pas qu'elle avait appris. Les attouchements avaient débuté innocemment et s'étaient transformés en rituel. Ils se terminaient toujours par les mêmes gestes : un bain qu'il lui faisait prendre. Il se chargeait lui-même de laver les traces de leur secret. Pensant faire cesser ces jeux, elle avait décidé de ne pas poursuivre ses cours. Elle avait vite compris qu'elle avait sacrifié le seul univers qui la rendait heureuse pour subir ses visites nocturnes. Sa mère ne se contentait pas seulement de s'enivrer dès la fin de la journée, elle s'abrutissait de somnifères.

Anya tente de se fermer au babillage de ses collègues. Les potinages habituels, entrecoupés de réflexions acerbes sur le gérant qui, depuis l'arrivée de l'«Arabe», joue au cerbère. Il a instauré de nouvelles règles qui ne font évidemment pas l'affaire des filles. En plus de son propre pourcentage, il réclame une «cote» sur leurs gains lorsqu'elles dansent dans les cabines privées.

Anya ne peut plus s'en tenir aux danses sur le podium. Elle doit aussi accepter les cabines, ce qu'elle évitait de faire le plus possible jusque-là. Dans les cabines, les clients se masturbent et croient que leurs suppléments les autorisent à te gicler dessus. Sans en parler à qui que ce soit, elle a décidé que cette nuit serait la dernière. Elle s'est assurée de se faire payer sa semaine de travail. Elle ne supporte plus les regards haineux de Camille. Celle-ci lui en veut de l'avoir abandonnée chez Jo Bassin. Camille a raconté à Nancy qu'elle s'était réveillée avec le poids d'un gros lard de *biker* sur elle. Elle avait dû subir ça, sachant très bien que les coups pleuvraient si elle résistait. Nancy l'avait prévenue que ça se passait comme ça, chez Jo Bassin. Anya aurait bien aimé dire à Camille que, pour se bourrer le nez d'héro, c'était le prix à payer, mais son français est encore trop maladroit. Et puis, à quoi bon tenter de faire entendre raison à une junkie! La veille, les yeux insistants du Kurde, lorsqu'elle est descendue de la piste de danse, l'ont fait tressaillir. Elle a deviné qu'il s'amusait de sa frayeur. Cet homme-là, elle le sent, aime faire souffrir. Elle doit faire ce qu'elle a toujours fait : fuir.

34

Carolina prend l'air enamouré de circonstance, alors qu'elle passe au bras de Joël devant le videur à l'entrée du bar. Ils se sont déguisés, lui clinquant, arborant bijoux et habit satiné, elle s'exhibant dans une robe lamée argent si moulante qu'elle se sent engoncée comme dans un corset.

— Tu possèdes une garde-robe secrète! lui a lancé Joël, goguenard, quand il est venu la chercher. Il se délectait sans scrupule de son décolleté très plongeant. Dommage que tu ne nous en fasses pas profiter plus souvent!

— C'est à Marina. Je n'avais rien justement qui puisse convenir. Et tu vas le regretter amèrement si tu oses raconter ça aux collègues!

Le policier, qui ne travaille jamais de ce côté de la voie ferrée, est persuadé que le personnel du bar ne le connaît pas. Cabrini, pour sa part, met les pieds dans ce club pour la première fois. Ils espèrent y acheter de l'héro. Ou du moins apprendre où il est possible de s'en procurer. La musique techno vibre de toutes ses basses. L'immense salle tout en longueur s'ouvre sur deux niveaux. Le long des murs, de chaque côté, le deuxième palier est meublé de tables dotées de banquettes. Certaines, en avancée, forment des loggias en demi-cercle. Le premier niveau est composé d'un lacis d'îlots assez élevés pour que la clientèle y tienne debout ou assise sur des tabourets. Deux longs bars, derrière lesquels des barmans officient torse nu, se font face sous les deuxièmes niveaux. Judicieusement dispersés, six podiums à la hauteur des yeux offrent une scène aux danseuses nues. En solo ou en duo, elles livrent leur chair au regard. Cabrini explore l'assistance. Majoritairement composée d'hommes, bien sûr, mais bien plus de femmes qu'elle ne l'aurait cru. Le samedi soir, on sort en couple. Les serveuses circulent, habillées d'un corselet noir et d'un string. Elles exhibent leurs rondeurs, juchées sur des bottes à hauts talons. Joël glisse à l'une d'elles un pourboire. Il veut une table au palier. La vue sur l'ensemble du tableau sera meilleure. Une loggia est libre. Elle donne directement sur l'une des scènes. Si proche, constate Carolina, qu'elle voit perler la sueur sur le corps de la danseuse à la peau d'ébène.

Morel, qui a approuvé cette incursion sous couverture, a soutiré un peu de budget à Mercier qui, à son grand étonnement, ne s'y est pas opposé. S'ils peuvent faire le lien entre l'héroïne des entrepôts de Javed et celle achetée par leurs policiers, ils tenteront de remonter la filière jusqu'au distributeur. La détective suggère à Joël de commander une bouteille de vin. Ils pourront la siroter sans que la serveuse vienne constamment leur offrir d'autres consommations.

Ce n'est pas la première fois que Cabrini pénètre dans l'univers des bars de danseuses. Elle les a fréquentés lorsqu'elle travaillait dans la section du crime organisé. Elle y allait officiellement pour une enquête, armée et affichant son insigne de détective. Ici, attifée en poupée, elle imagine toute la vulnérabilité que doivent ressentir ces femmes. Tous ces artifices pour obtenir le droit de survivre dans un monde où, de chaque relation, émane une sourde violence.

La scène devant elle s'est éteinte. La danseuse en descend alors qu'une autre la remplace. La femme est grande, statuesque. Les seins lourds, hauts sur la poitrine grâce au silicone, se dit Carolina. Des hanches généreuses, des jambes sculpturales. Elle est décidément magnifique. Sa peau laiteuse atteste l'authenticité de ses boucles rousses. Cabrini se tourne vers son partenaire et se retient de rire devant l'air subjugué de Joël.

— Essaie quand même de ne pas gober trop de mouches!

— Tu dois quand même admettre qu'elle est belle.

— Bien sûr! Tout comme l'autre en face, dans un autre registre. Elle est petite, mais ses proportions sont parfaites. Et cette chevelure de jais qu'elle utilise comme un éventail…

— Ça semble produire son effet sur le gars qui l'observe de la loggia. Il n'a pas la dégaine du client habituel. Eh! Regarde, Fermont, juste en bas. Il nous cherche.

Cabrini aperçoit la tête brune et bouclée d'Alexis Fermont, qui inspecte l'assistance sans les voir.

— Je descends l'avertir. Je vais en profiter pour passer chez les dames. On y apprend parfois pas mal de choses.

Alors que Cabrini s'apprête à prendre l'escalier, le policier, vêtu plus sobrement que son confrère, l'aperçoit et lui sourit. En deux enjambées, il arrive jusqu'à elle.

— Salut! Jolie robe!

— Je me sacrifie pour la cause, réplique en souriant la détective. Panier est là-haut. Je vais faire un tour.

— Attends. Tu as vu, en face? C'est lui, le nouveau patron de la place.

— Celui qui dévore la belle Asiatique des yeux? demande-t-elle examinant l'homme dont elle distingue mieux, d'où elle est à présent, les traits incontestablement moyen-orientaux. Ce serait lui, le Kurde?

— Selon mes sources, il fait des séjours ici depuis environ deux ans. Il explore le marché immobilier, semble-t-il. Jusqu'à ces derniers mois, il avait gardé un profil bas. J'ai fait des recherches sur lui. Il possède de gros complexes hôteliers en Allemagne, et aussi à Erbil, la capitale du Kurdistan d'Irak. Certains disent que cette ville est un futur Dubaï. Les nouveaux riches irakiens s'y font construire des villas de luxe. Bref, il se présente ici comme un promoteur qui cherche à investir dans l'industrie touristique.

— Un investissement? Dans un minable bar de danseuses? Ce n'est pas vraiment le tourisme de luxe!

— Là est toute la question. Pourquoi un établissement comme le Tropical? Tu sais que ce club existe depuis les années 1970? C'est le dernier vestige d'un bout de l'avenue du Parc qui en possédait toute une série. Ils étaient considérés comme aussi *hot* que ceux de la «Main» et de la rue Sainte-Catherine.

— Hum, on dirait bien que tu es un spécialiste !

— J'étais aux mœurs avant Éclipse, réplique-t-il, son regard vert enveloppant la silhouette de Cabrini.

— Et moi, au crime organisé, répond Cabrini, qui préfère rester sur le terrain professionnel. Je vous rejoins, lance-t-elle en descendant rapidement les marches.

L'attention que lui porte Alexis Fermont la met un peu mal à l'aise. Elle n'a eu d'élan vers aucun homme depuis Patrice et, surtout, depuis le cataclysme qu'a été l'avortement. Sauf, bien sûr, la veille, pour Paul Morel. Mais Paul, ça ne compte pas, puisque c'est impossible, se répète-t-elle. Paul, c'est l'ivresse de l'interdit. Voilà pourquoi ça ressurgit alors qu'elle s'y attend le moins !

Une serveuse lui ayant indiqué la direction des toilettes, elle se faufile parmi la foule vers l'arrière de la salle. Elle bifurque vers l'enseigne lumineuse au-dessus d'un corridor. Les portes des toilettes donnent en effet sur cette première partie du couloir en forme de L. L'autre section, beaucoup plus large, possède plusieurs portes. Un homme sort par l'une d'elles en vérifiant sa braguette d'une main qu'il croit discrète. Il baisse les yeux devant le regard inquisiteur de Cabrini. Un videur observe de près les allées et venues. Cabrini comprend soudainement la fonction des lieux lorsqu'elle voit la danseuse à la peau si sombre vêtue d'un court peignoir pousser une des portes, suivie du plus banal des gars. Monsieur tout le monde s'offre une danse privée, le samedi soir.

Le videur décroise les mains qu'il tenait devant lui. Il lui jette un œil insistant. Cabrini, qui préfère ne pas attirer l'attention, retourne sur ses pas, faisant mine de s'être égarée.

Les toilettes sont munies de cette lueur violette qui empêche les toxicos de se piquer. Une serveuse sort d'une cabine. Carolina tire de son sac un tube de rouge. Sans trop réfléchir, elle interroge la jeune latino qui se lave les mains.

— Tu ne saurais pas où je peux me procurer du *white sugar* ? C'est la fête de mon chum, ce soir. On m'a dit qu'il y en avait de la bonne dans le coin.

— On touche pas à ça, ici, répond la fille en montrant l'éclairage.

— OK. Mais tu dois bien connaître quelqu'un qui saurait, réplique Cabrini en sortant deux billets de vingt dollars de son sac.

— Va faire un tour du côté de la pizzeria, sur Saint-Viateur. Tu demandes la numéro 4. Elle est pas sur le menu, lui répond l'hispanique d'un air entendu, tout en raflant prestement les billets.

Paul a enfin eu une longue discussion avec Geneviève. Son état de fébrilité, sa fatigue ont fait tomber le filtre qu'inconsciemment il place toujours entre la femme aimée et ses appréhensions. Une vieille habitude, il laisse rarement tomber le masque. Cette fois, il lui a sincèrement parlé de son incapacité à choisir entre les exigences souvent draconiennes du travail et la nécessité d'être présent pour elle et de partager ce quotidien qu'ils ont tant de difficulté à concilier. À sa grande surprise, Geneviève n'a pas accusé la trop grande place que prend son boulot dans leur vie. Elle a plutôt affirmé que c'était son attitude à lui qui était à blâmer. Sa frustration vient des attentes qu'il suscite chez elle. «Ne me dis pas que tu vas rentrer quand tu n'en es pas absolument certain. J'ai aussi un horaire chargé. Si on ne se voit pas pendant plusieurs jours, je n'en mourrai pas! Mais je dois en être prévenue. Plus question que je t'attende alors que j'aurais pu faire autre chose!»

Paul a compris qu'il devait apprendre à être plus transparent et surtout moins se sentir coupable d'être un compagnon inconstant. S'ajuster au quotidien se révèle plus difficile qu'il ne l'aurait cru. Ils ont donc convenu que d'ici la fin de cette enquête cauchemardesque, ils n'échafauderaient plus de plans pour une soirée en tête à tête. Si elle se présentait, ils la savoureraient comme une délicieuse escapade. Geneviève est donc rentrée seule après leur brève rencontre au restaurant. Paul est remonté au bureau rejoindre Tanguay. Il avait deux textos sur son téléphone qu'il avait, par prudence, éteint. Tanguay lui disait que le GPS de la voiture de Zar lui fournissait une piste. Quant à Cabrini, elle affirmait savoir où se procurer de la «blanche» grâce à une serveuse du Tropical.

Debout en retrait, derrière la table où sont assis Fermont et Panier, la détective observe ses collègues fascinés par les ébats d'un duo de danseuses. Leur peau blanche et noire imbriquées, les corps tête-bêche ondoient. Elle hésite, elle sait que son arrivée va créer un malaise entre eux. Elle n'est pas prude, le spectacle de ces femmes ne la choque pas. En d'autres circonstances, elle pourrait même l'apprécier. C'est plutôt leur imposture à tous les trois qui les place dans une situation trouble. Son métier l'oblige à franchir des frontières que son éducation, sa morale personnelle n'outrepasseraient pas normalement. En toute honnêteté, elle s'avoue en éprouver de la fascination. Elle aime aussi ce pouvoir, cette impunité. Elle sait toutefois que ce fameux pouvoir est toxique et que certains y puisent une arrogance telle qu'ils passent définitivement de l'autre côté. Les policiers ripous ne sont souvent que les victimes d'un jeu qu'ils ne maîtrisent plus.

— Alors, les gars, on se régale? lâche-t-elle en s'assoyant. Elle sourit pour atténuer sa boutade. Règle numéro 1 : jouer la bonne camarade pour garder l'avantage.

— Tu en as mis du temps! réplique Joël sans se formaliser. Il connaît suffisamment son ancienne coéquipière pour deviner qu'elle fanfaronne.

— Les toilettes sont des mines d'informations. Une serveuse m'a dit où on peut se procurer la poudre contre quelques billets. Une pizzeria à quelques rues d'ici. Il faut commander la numéro 4.

— Donc mon informateur disait vrai. Il parlait de pizza comme camouflage, lui dit Fermont.

— On y va? Ou vous tenez à voir la fin du spectacle? demande-t-elle, narquoise.

— C'est plutôt notre ami en face qui retient mon attention, rétorque Fermont. Je donnerais cher pour savoir de quoi il discute avec le gars qui vient d'arriver. Le Kurde a l'air drôlement en colère!

— Merde! Il faut que je le voie de plus près! s'exclame Cabrini, en faisant mine de se lever.

— Attends, Carolina! Tu vois les gorilles là et là? Il vaut mieux ne pas te faire remarquer, lui dit Joël en la retenant par le bras.

— Tu nous expliques d'abord, insiste Fermont.

— Je n'en suis pas certaine, c'est trop sombre, mais il ressemble à un témoin que l'on a cherché sur toutes nos banques de données! Un certain Çeto Kardou…

— Kardou? Le Kurde se nomme Bijar Kardou! lance Fermont.

— Qu'est-ce que tu attendais pour me le dire!

— Eh! Je croyais que tu le savais, répond Fermont, un peu vexé.

— Désolée. En effet, j'aurais dû te le demander. La GRC aussi cherche Çeto Kardou. On le croyait à Toronto! Il faut qu'on l'embarque.

— On ne peut pas l'arrêter ici. Ça ferait trop de grabuge. On doit attendre qu'il sorte, suggère le lieutenant.

— Tu as raison. Et puis, il ne faut surtout pas alerter l'autre Kardou. Le grand patron, c'est sûrement lui. Je préviens Morel, dit-elle en sortant son téléphone de son sac.

— Et moi, j'appelle deux de mes gars. Il nous faut des gens à l'extérieur, poursuit Fermont.

Cabrini ouvre la portière coulissante de la camionnette banalisée. Morel et Tanguay sont assis à l'avant. Ling, installée derrière, lui tend un sac de sport.

— Super look, lui lance la détective.

Ling, en jeans déchiré, un vieux sweatshirt taché trop grand pour elle, arbore un maquillage façon gothique et de faux piercings.

— J'ai dû faire vite. Il n'y a pas une masse de choix pour ma taille dans l'armoire des vêtements usagés.

— Notre témoin est toujours là? demande Morel.

— Toujours. Panier et Fermont ne quittent pas des yeux les deux Kardou. Des filles sont venues les rejoindre, la soirée risque d'être longue.

— Tant mieux! Le mandat n'a pas encore été délivré. On me l'a promis d'ici une demi-heure, affirme Tanguay.

— Je tiens à ce que tout soit fait dans les règles, Cabrini, insiste l'inspecteur, coupant court aux nouveaux arguments de la détective qu'il a dû calmer.

À présent, ils possèdent assez d'éléments pour procéder à l'interpellation de Çeto Kardou. En effet, les données du GPS analysées par l'Identification judiciaire confirment que Zar avait l'habitude de se rendre plusieurs fois par mois à la même adresse. Une résidence cossue de Hampstead, un paisible quartier bourgeois de l'ouest de l'île. Il s'avère que la maison a été achetée par la société SWZ International, la même qui payait ses droits universitaires. Cette même société a aussi couvert les droits de Çeto Kardou, la première année, avant qu'il n'échoue aux examens. Difficile de ne pas supposer que le mystérieux *sponsor* n'est autre que Bijar. Des hommes de l'Éclipse sont postés devant le Tropical. Ils n'ont toutefois aucune preuve encore pour relier directement les Kardou au triple homicide. Seulement des soupçons de trafic d'héroïne, puisque grâce à Tanguay, ils ont découvert que la pizzeria Del Mundo a été récemment achetée par Çeto Kardou. Qui est-il pour Bijar? Un fils? Un neveu?

Morel a convaincu son équipe de patienter encore, à son corps défendant. Sa frustration est aussi grande que la leur. Surtout depuis sa conversation avec Losier. Ce dernier a déclaré forfait devant l'insistance de Saif Javed qui réclame rien de moins que l'immunité contre la divulgation du nom de son distributeur. Pas question, pour le procureur de la Couronne, de céder au chantage.

Pressé de suivre la piste des ravisseurs de Zahra, Losier est donc rentré bredouille. Le 4 × 4 Nissan a été retrouvé sur le stationnement d'un centre commercial de Dorval, pas très loin de l'aéroport Montréal-Trudeau. Cependant, les recherches sur les départs de vols internationaux ainsi que la fouille systématique, par les logiciels, des photos des passagers n'ont toujours rien donné. Cela laisse encore un peu d'espoir. Une équipe de techniciens travaille à présent sur les images des caméras de surveillance du centre commercial. L'IJ dissèque la Nissan. La moindre trace pourrait les orienter vers les présumés kidnappeurs. L'homme du portrait-robot identifié par Maira est bien l'un des trois ressortissants pakistanais entrés au pays via Toronto. Ils sont effectivement Pachtounes. La GRC vient de délivrer un mandat d'arrêt contre eux.

Cabrini retire du sac les vêtements de rechange qu'elle garde dans son casier. Elle a chargé Ling de les lui apporter. Pas question de poursuivre l'opération dans cette robe et ces talons trop hauts qui la handicaperaient s'il lui fallait courir! Elle ne se sent à l'aise que dans ses jeans et ses pulls. Rapidement, elle enfile son pantalon. Morel fait semblant d'ignorer qu'elle retire sa robe tandis que Tanguay tient la tête penchée sur sa tablette électronique. Ling regarde la scène d'un air moqueur.

— Je peux y aller toute seule. Après tout, je ne fais qu'entrer commander de la pizza, déclare-t-elle.

— Je veux repérer les lieux, lui dit Carolina.

— Mais tu n'entres pas! ordonne Morel.

L'inspecteur se permet un coup d'œil dans le rétroviseur. Cabrini enfile ses bottines et lui renvoie un regard maussade.

— OK, OK, concède-t-elle. Et puis Ling ne s'est pas donné tout ce mal pour rien. Elle a une vraie tête de junkie.

— Justement, c'est bien parce qu'on m'en doit une chez les stups qu'on nous laisse toucher à leur territoire. Normalement, ce serait à eux de faire ça. Alors pas de gaffe. Ling, tu en dis le moins possible.

— Je sais, Paul. Si on me pose la question, je me contente de dire que c'est une fille du Tropical qui m'a donné le tuyau.

— On fait vite, je ne veux pas rater la sortie de Çeto Kardou, insiste Cabrini.

— Tu as le temps. On va d'abord le suivre. Je ne tiens pas à l'interpeller trop près du Tropical. Il faut que l'on s'assure que l'héro est la même que celle de Javed. En plus des images des caméras de surveillance et de la société allemande, c'est un bon début pour relier Çeto Kardou aux meurtres.

Morel et Tanguay regardent les deux policières traverser l'avenue et s'éloigner vers la rue transversale. Elles forment un étrange contraste. Ling, encapuchonnée dans un sweatshirt grisâtre qui lui descend à mi-cuisse – l'ampleur du vêtement permet de cacher l'arme attachée à sa hanche et le gilet pare-balles que Morel lui a imposé –, semble encore plus fragile au côté de Cabrini, moulée dans un pantalon d'entraînement et une veste de goretex.

— Tu laisses Cabrini l'accompagner parce que tu veux qu'elle s'assure que tout se passe bien pour Ling? demande Tanguay.

— Ling est bien plus solide qu'il n'y paraît. Elle a besoin d'acquérir de l'expérience sur le terrain, seulement, pas question de la lâcher sans protection. Et ça va obliger Cabrini à se calmer un peu. Elle est prête à prendre des risques pour elle-même, mais pas quand elle protège quelqu'un. Elle est tout à fait consciente du rôle que je lui assigne. Elle va mettre Ling en confiance.

— C'est vrai que Ling arrive à te faire croire ce qu'elle veut, avec cet air de fille paumée.

— Elle a le profil pour travailler sous couverture. Ce sera à elle de voir si c'est une voie qui l'attire. Je ne la lancerais pas là-dedans sans être certain qu'elle s'en tiendra aux instructions.

— Après tout, c'est juste une pizza à acheter, admet Tanguay pour se rassurer lui-même.

Il ne peut s'empêcher d'être nerveux. La dernière fusillade dans la guerre des territoires des gangs a fait assez de victimes pour les rendre anxieux.

— Tu as tout de même repéré les lieux?

— L'endroit semble totalement inoffensif. La pizzeria de quartier habituelle. C'est probablement pour ça que Çeto Kardou l'a choisie. Ne t'inquiète pas, on est à trois minutes. Mais je tiens à garder aussi un œil sur le Tropical.

— Et les stups? Qu'est-ce qu'ils t'ont dit?

— Quand j'ai prévenu la section antidrogue de nos intentions, personne ne connaissait encore cette pizzeria. Ça m'a donné un avantage pour négocier la conduite de l'opération. Si notre tuyau est bon, on leur apporte une grosse prise sur un plateau! Mais j'ai dû batailler pour les empêcher d'y envoyer leurs gars. Je les ai convaincus que Kardou junior devait nécessairement écouler son stock ailleurs et qu'il y aurait une saisie plus importante à faire. Question de patience. L'entrepôt de Javed contenait pas loin d'une cinquantaine de kilos d'héroïne. On sait qu'il y a un distributeur sur Toronto, parce que la même came circule à Regent Park. Peut-être que c'est justement Junior, le distributeur, et qu'il a décidé d'étendre son commerce de ce côté-ci. Losier m'a dit que l'arrivage dans l'entrepôt du mobilier à l'intérieur duquel la drogue était dissimulée datait d'il y a un peu plus de deux semaines. On peut donc supposer qu'il y en avait autant il y a quatre mois. Une livraison semblable a été faite en juin dernier. Toujours ces fameuses armoires Jodhpur faites de bois de manguier, semble-t-il. La drogue est cachée dans des panneaux sculptés. Les premières traces de *white sugar* en circulation chez les junkies de Montréal remontent à la même période, au début de l'été. L'escouade antidrogue s'est mise en relation avec la police de Toronto et la GRC. Je suppose qu'ils vont monter une opération conjointe. Mais tout ça, c'est leur affaire. Moi, je veux des réponses sur le meurtre d'Atif. Je n'ai rien pu tirer de Kévin. J'ai bien l'intention de faire parler Kardou junior. Il va devoir me dire quels étaient ses liens avec Zar et pourquoi il suivait Noor.

— Il faut aussi que l'on trouve quel est son lien de parenté avec Bijar. Cela pourrait nous donner un atout pour l'interrogatoire.

Morel se tourne vers Tanguay, interloqué. Son adjoint possède une approche différente de celle du policier lambda. Ses intuitions se révèlent souvent très justes.

— Il nous faut apprendre quels rapports de pouvoir existent entre eux. Si Bijar est son père, leur relation est probablement bien plus complexe que s'il n'est qu'un lointain parent. Il l'admire ? Il le déteste ? Il le craint ? Ça peut nous en dire long sur la corde qu'il faudra tirer pour le faire avouer.

— La psychologie et les comportements criminels, c'est plutôt ton domaine, Stéphane. Moi, je prends tout ce qui me sera utile. Trouve-moi sur quel bouton appuyer. Je me charge d'enfoncer le doigt où ça fera le plus mal. Et merde ! dit Morel en lisant le texto qui vient de rentrer. Panier me signale que Çeto se dirige vers la sortie. Ils restent pour épier Bijar. Fermont a dit à ses gars de le filer.

— Je n'ai pas encore reçu le mandat.

— Je m'en fous ! Cette fois, on utilise les motifs raisonnables et probables. De toute façon, je veux d'abord savoir où il va, avant de le serrer. J'appelle Cabrini.

— C'est bien lui, confirme Tanguay en comparant la photo sur sa tablette et le visage de l'homme qui passe le seuil du bar.

Vêtu d'un manteau de suède marron, le trentenaire tire de sa poche la clé électronique d'une Audi décapotable. Garé presque en face du bar, il devra obligatoirement rouler vers le nord. Tout en surveillant leur cible, Morel démarre le moteur de la camionnette stationnée au coin de la rue transversale. La voiture banalisée des policiers de l'Éclipse s'apprête aussi à se déplacer.

— Cabrini, Çeto bouge. Ling a la pizza ? Où est-elle au juste ?

— Pas encore. Elle attend toujours. Ce n'est pas normal que cela prenne autant de temps. Qu'est-ce que je fais ?

— Tu restes avec elle. Comme prévu, vous filez dans la voiture que Ling a laissée devant la boulangerie. Je t'indiquerai où on va. Pour le moment, il roule vers le nord…

— J'espère vraiment que la serveuse ne m'a pas conté de pipes juste pour me tirer quarante dollars.

— Ça y est, j'ai le mandat ! s'écrie Tanguay.

— Cabrini, Çeto tourne sur Saint-Viateur. Il va peut-être à la pizzeria… Où es-tu ?

— Sous le porche d'un café. Comme si j'attendais quelqu'un. J'ai une bonne vue sur la vitrine de la pizzeria et Ling assise à ronger son frein. Je filme tout ça. Je lui ai envoyé un texto. Elle est coincée là. Je ne peux pas lui dire de décrocher, c'est trop tard.

— On arrive. On est juste derrière lui.

— C'est lui? L'Audi qui se gare en stationnement interdit? Ça y est! Ling a la boîte de pizza!

Le capuchon profondément enfoncé sur sa tête, Ling glisse la poignée de billets de vingt dollars dans la main du serveur. Elle tient la précieuse boîte d'une main ferme. De l'autre, elle tire la porte vers elle. Un homme aux épais sourcils entre sans même la regarder. Une sueur glacée mouille son dos. Elle a reconnu Çeto Kardou. Ce faciès carré, à la lourde mâchoire, est gravé à jamais dans sa mémoire. Elle a traqué ce visage sur toutes les banques de données pendant d'interminables heures. Le cœur battant, elle se dirige vers sa collègue qui traverse la rue vers elle. Changement de plan. Cabrini entraîne Ling vers la camionnette qui s'est arrêtée au coin du boulevard Saint-Laurent. Elles y grimpent rapidement.

— Tu as aussi les images de lui qui entre dans la pizzeria? Continue à filmer pendant que Ling ouvre la boîte.

Ling hésite. Elle regarde son patron.

— À toi l'honneur. Ça te revient.

Une chaude odeur de pizza leur chatouille les narines. La policière soulève la pizza. Collé au fond, un minuscule sachet de plastique contenant un gramme de poudre blanche. La voiture des policiers de l'Éclipse patiente en retrait derrière l'Audi.

— Si on l'arrête devant la pizzeria, Bijar sera prévenu, réfléchit à haute voix Morel. Kardou senior nous mettra un avocat dans les pattes en moins de deux. Je veux du temps pour interroger junior.

— Il faut le coincer avant qu'il ne remonte en voiture, propose Cabrini. Je m'en charge. Il ne se méfiera pas d'une fille qui l'aborde avec un pareil sourire, renchérit-elle, moqueuse. Je le pousse vers le mur et vous rappliquez. On l'entoure et on le met à l'arrière de la camionnette.

— J'ai le mandat. Il ne peut pas nous accuser de l'avoir kidnappé, lui dit Tanguay.

— OK. Vas-y. Je demande aux gars de l'Éclipse de se tenir prêts. Tout doit se faire dans le calme. Je ne veux pas d'esclandre.

35

Tous les muscles de son corps l'élancent. Son dos surtout irradie de douleur. Danser, cette nuit, l'a totalement épuisée. Anya noue les lacets de ses chaussures. Elle ne désire qu'une chose, sortir de ce bar, rentrer chez elle et prendre une douche très chaude. Elle a fait trois cabines ce soir. Elle se sent sale, dégoûtée de la vie. Son espoir de payer un avocat qui pourrait la défendre contre son mari et les agents de l'immigration lui apparaît dérisoire. Les règles de l'immigration sont très strictes : «Vivre dans une relation authentique pendant un minimum de deux ans.» Sa fuite l'a mise dans l'illégalité. On l'accusera d'avoir contracté un mariage frauduleux. Elle se demande à présent si elle n'aurait pas dû tenir une année de plus avec cet homme qui, au moins, ne la battait pas. Sa terreur de tomber enceinte lui revient en mémoire. C'est l'attente désespérée de ses règles, pendant près de deux semaines, qui l'avait décidée à agir. Elle savait que le diaphragme n'était pas assez sûr. Lorsque son sang avait enfin coulé, elle avait vu cela comme un signe. Elle ne pouvait plus jouer avec la chance. Enceinte, elle serait totalement à sa merci. Se faire avorter à l'insu de son mari, dans une si petite ville, serait impossible.

Sa vie ici, encore un cul-de-sac. Peut-être devrait-elle sortir de l'anonymat. Elle se ferait expulser. Être renvoyée en Sibérie ne serait peut-être pas si terrible, après tout. Anya enfile son anorak, met son sac en bandoulière.

— Heille! Qu'est-ce que tu fais? Ta soirée est pas terminée! lui assène le gérant, entré dans la loge sans qu'elle le voie arriver.

232

Il ne reste, à ses côtés, que deux filles en train de se changer. Les derniers clients sont déjà partis.

Anya serre les poings. Elle tente de garder son calme.

— J'ai fini !

— C'est pas ce que le *boss* a dit. Il veut te voir. Il veut une danse privée, ricane-t-il d'un air salace. À poil, et ouste ! enchaîne-t-il en beuglant.

Anya hésite à peine quelques secondes. Dès que le gérant est ressorti, elle jette un dernier coup d'œil aux filles abasourdies. Celles-ci détournent la tête, complices, lorsqu'elle se dirige vers le fond du couloir et la sortie de secours. La ruelle est sombre, encombrée de poubelles. Il y a un arrêt de bus juste au coin de l'intersection de l'avenue du Parc. Quoiqu'à cette heure de la nuit ils soient beaucoup moins fréquents. Dès qu'elle le peut, elle file vers une rue moins éclairée. Elle marchera, s'il le faut, jusque chez elle. Une heure au moins à pied. Sa panique l'empêche de penser clairement. Elle doit plutôt prendre un taxi. Oui ! Mais pour cela, il lui faut retourner sur l'avenue. Plus au nord, il y a des bars, des restaurants encore ouverts le samedi soir. Des taxis en maraude.

Joël Panier et le lieutenant Fermont ont quitté le Tropical au moment de la fermeture. Ils patientent dans la voiture de Panier, une Civic grise, moins voyante pour faire une filature que l'Acura rouge du lieutenant. Ils sont bien décidés à ne pas lâcher Bijar Kardou, encore à l'intérieur. Fermont a été tenu informé par ses hommes des péripéties entourant l'arrestation de Çeto Kardou. Les filles ont fait un super boulot – Ling avec le gramme et Cabrini en coinçant Çeto contre un mur. Il s'est laissé bousculer sans résister, trop consterné par ce qui lui arrivait. Morel mène rondement l'interrogatoire. En attendant, Fermont a permis à ses hommes de rentrer dormir. En suivant Bijar Kardou, ils espèrent confirmer que c'est bien lui qui habite cette demeure de Hampstead et corroborer son lien avec la société SWZ International.

— Le voilà ! soupire Fermont, il en a mis du temps ! Chauffeur et garde du corps. Ces gars-là bougent comme des soldats bien entraînés, et Bijar lui-même n'a pas l'air d'un avorton.

— Ils sont sûrement armés. J'ai pas mal lu sur le PKK. Je ne serais pas surpris que les profits de la drogue servent à acheter des armes.

— Tous ces trafics se nourrissent les uns des autres. Qu'est-ce qu'ils ont à rouler si lentement? Ils ont l'air de chercher quelque chose, une adresse peut-être. Attention! Ils s'arrêtent!

Panier ralentit et reste garé en double file, à bonne distance. À cette heure de la nuit, la circulation est moins dense.

— Cette fille au coin de la rue, c'est la belle Asiatique. Une des danseuses du Tropical.

Sous les yeux ébahis des deux policiers, Anya se débat. Elle donne des coups de pied dans les mollets du garde du corps qui la soulève d'une seule main. Il la jette sur la banquette arrière de la Mercedes et claque la portière.

— On les suit, Panier. Pour le moment, on ne peut rien faire. Mais on a de quoi l'accuser. On vient d'être témoin d'un enlèvement.

— S'ils sont ensemble, ils ont peut-être simplement eu une dispute. J'ai remarqué comment il la surveillait toute la soirée. Elle ne voulait pas monter dans la bagnole, mais de là à prouver qu'elle a été kidnappée…

— Je n'aime pas ça, Joël. C'est le genre d'homme à s'expliquer avec ses poings. On se dirige bien vers l'adresse que Tanguay m'a envoyée. L'avenue Van Horne débouche sur le parc Hampstead, explique Fermont en vérifiant la carte sur l'écran de son téléphone. La maison se situe juste en face.

— Et arrivés là, on fait quoi, lieutenant? interroge Panier.

— On ne peut pas risquer de faire foirer l'opération pour une dispute conjugale!

— On n'est sûrs de rien. Dispute ou pas, elle est peut-être en danger. S'il est mêlé au meurtre d'Atif Hashmi… Cabrini m'a montré les photos du cadavre, il a été salement massacré.

— Je sais tout ça. Je me suis informé sur l'affaire avant de venir vous rejoindre ce soir. On va devoir improviser. Attendre de voir comment ils se comportent avec elle et comment elle réagit.

— On devrait au moins prévenir Cabrini. C'est son enquête, elle a le droit de savoir ce qui se passe. Moi, en principe, je ne suis pas officiellement en service, ce soir, insiste Panier. Je ne voudrais pas encourir de blâme.

— Ne t'en fais pas. Je te couvre. Tu es sous mes ordres. Et, au final, Morel a autorisé l'opération. J'appelle Cabrini.

Anya s'est réfugiée au bord de la portière dont elle a entendu le verrouillage automatique. Elle se tient le plus loin possible de la masse menaçante du patron. Il discute au téléphone dans une langue qu'elle ne comprend pas. Il l'ignore. Elle n'ose pas lui parler. Rien ne sert de lui demander pourquoi elle est là. Elle le sait. Depuis le premier regard qu'il a posé sur elle, elle a compris qu'il prenait possession d'elle. Il l'a laissée s'enferrer dans les mailles du filet qu'il a tendu. Elle a trop attendu. La veille, elle s'était pourtant dit qu'elle ne devait pas retourner au Tropical. Elle a défié le sort. Elle voulait cet argent qui lui permettrait de tenir presque un mois si elle ne trouvait pas un autre travail. Anya tente de calmer sa respiration. Elle ne doit pas lui montrer sa peur. Elle sait que cela l'excitera. Et qu'ensuite les coups viendront. Elle connaît ce genre d'homme. Partout, ils sont les mêmes, d'instinct ils viennent à elle.

La voiture se gare devant le double garage d'une énorme résidence de pierre, abritée derrière une haute futaie. L'éclairage sous système domotique trace le chemin vers la porte d'entrée. Le chauffeur ouvre la portière à son patron, pendant que le garde du corps fait de même pour elle. Courir ne lui servira à rien, il la rattraperait en moins de deux. Il pose une main lourde sur son épaule. Elle se laisse guider. Le Kurde ne tiendra compte de sa présence que lorsqu'il en décidera. Il pénètre chez lui et se dirige vers une porte qui donne directement sur le hall dallé de marbre, surmonté d'un lustre de cristal. Anya jauge d'un coup d'œil la richesse ostentatoire des lieux. Le garde la pousse vers un escalier de bois chantourné, à l'épaisse moquette, et l'oblige à monter. Il la mène vers une chambre déjà éclairée. Leurs yeux se croisent alors qu'il lui enlève son sac en bandoulière. Son visage de mercenaire fermé à toute émotion. Pour lui aussi, elle n'est qu'accessoire. Il referme la porte. Elle entend le déclic du verrou.

Garé à l'abri des arbres, Panier s'était précipité derrière un bosquet pour observer la femme descendre de la voiture. Il guette toujours l'entrée de la demeure quand Fermont vient le rejoindre après sa discussion avec la détective Cabrini.

— Elle a semblé entrer de son plein gré, mais ça ne veut rien dire, commente Panier en se tournant vers lui.

— Foutu dilemme! Si on ne fait rien et qu'il lui arrive du mal, je vais m'en vouloir à mort! Cabrini m'a dit que les accusations de Morel commençaient à faire son effet sur Çeto. Il leur faut plus de temps pour inculper Bijar. Elle veut que l'on attende un peu. Et puis, on a besoin d'un mandat pour intervenir. Si la femme ne porte pas plainte, on n'aura rien contre lui. Elle n'a pas résisté? Crié? Ça nous donnerait un prétexte.

— Rien.

— J'ai proposé à Cabrini que l'on mette Bijar sous surveillance. Elle va m'envoyer une équipe de la filature dans une voiture banalisée. Je vais les attendre. Ne te sens pas obligé…

— Tu veux rire? Je n'ai pas fait de planque depuis des lustres et je raterais ça! Et puis, pour être tout à fait franc, j'ai la belle-famille d'Haïti en visite à la maison, réplique Joël en grimaçant.

36

Carolina avale le café brûlant et âcre. Elle est sortie de la salle d'interrogatoire pour discuter avec Fermont. Elle observe Morel derrière le miroir sans tain. Elle ne peut s'empêcher d'être impressionnée. Malgré sa fatigue – elle sait qu'il a à peine dormi depuis trois jours –, Morel maîtrise la situation d'une poigne de fer. Elle connaît ses tactiques. Après plus de trois heures à terrifier Çeto, il va jouer le flic compréhensif et tenter de l'amadouer. Il a démarré violemment. Déjà dans la camionnette, il lui a lu ses droits, montré le mandat. Puis ça a été le régime du silence total, jusqu'à une salle du sous-sol. Comme la camionnette n'a pas de fenêtre, il était impossible pour Kardou de savoir où il était. Morel a fait exprès de les faire passer par le parking souterrain. Il lui a fait faire un détour par la chaufferie, marcher dans des couloirs mal éclairés, sinistres. Tout ça pour le déstabiliser. Lorsque Morel l'a poussé sur la chaise de métal, Çeto était déjà en sueur. Au bord de la panique, il demandait un avocat. Morel lui a dit, après avoir pris soin de lui vider les poches, qu'en effet, il avait droit à un coup de fil. Tanguay est parti fouiller son iPhone et remettre à l'IJ les deux grammes d'héro que Çeto avait ramassés à la pizzeria, en même temps que les recettes de la soirée. On a mis un téléphone sur ligne fixe devant lui, comptant sur l'incapacité qu'ont les gens de mémoriser le moindre numéro de téléphone, maintenant que tout le monde se fie à Internet ou au répertoire des numéros déjà en mémoire. «Si tu n'en connais pas, on va t'en commettre un d'office. Ça prendra tout de même quelques heures.» Il lui a aussi dit que s'il prévenait Bijar Kardou, cela donnerait à penser que ce dernier est impliqué dans son trafic d'héroïne.

— Ton visa de touriste nous permet de t'expulser vers la Turquie. On a vérifié, tu n'es pas résident permanent en Allemagne. Donc tu as le choix entre les prisons turques ou, si tu coopères, nos prisons cinq étoiles. Moi, ce qui m'intéresse, c'est Atif Hashmi, Zarav Acar et Noor Khan. Tu nous racontes tout ce que tu sais sur eux, et on décidera ensuite de ce que l'on mettra dans le dossier d'accusation.

Le numéro de Zar, retrouvé dans le téléphone de Noor, s'inscrivait fréquemment dans le répertoire d'appels de l'appareil de Çeto. Impossible pour lui de nier le connaître. Les images des caméras de surveillance confirmaient qu'il avait suivi Noor. Cabrini voyait apparaître sur ses traits les signes du manque. Çeto Kardou ne se contentait pas seulement de vendre de la drogue, il était aussi héroïnomane. Une lutte s'était engagée en lui entre son besoin d'une dose, sa peur de la prison et – Morel et elle l'avaient deviné – la terreur encore plus grande que lui inspirait Bijar Kardou. Chaque fois que ce nom était prononcé, Çeto se crispait.

Tanguay vient rejoindre Carolina. Assise sur la table, elle a posé les pieds sur une chaise. Lui se contente d'appuyer les fesses sur le plateau, ses longues jambes étendues devant lui. Ils regardent Morel, de l'autre côté de la vitre occultée, présenter les photos des scènes de crime. Le cadavre nu d'Atif Hashmi dans la benne des aliments avariés du supermarché semble encore plus chétif dans la mort que dans la vie. Çeto jure ne pas connaître cet homme. L'interrogatoire se déroule en anglais, que tous les deux comprennent très bien.

— Il a l'air de dire la vérité, constate Tanguay.

— Je suis de ton avis. Il ne cligne pas des yeux. Par contre, quand Morel lui a montré une photo de Farid Khan, il a nié, mais ses yeux papillonnaient. Il est vraiment nul. Il ne sait pas mentir. Et quand on lui parle de Bijar, il courbe les épaules. Tout son corps répond à sa place. Il pourrait servir de modèle dans un cours 101 du langage corporel de l'École de police.

Morel marche de long en large en trifouillant sa tignasse de plus en plus emmêlée. Il soupire et dit qu'il lui donne une demi-heure pour réfléchir. Soit il se met à table, soit on l'implique pour homicide en plus de tous les autres chefs d'accusation. Et comme on pense que son trafic d'héroïne a démarré à Toronto, il y a aussi la GRC et le SCRS qui s'intéressent à son cas. L'inspecteur ramasse les dossiers et sa tablette électronique. Il sort en faisant claquer la porte. Dans le couloir, il hésite quelques secondes et prend la direction des toilettes des hommes.

— Il va le laisser mariner. Je me demande si à ce stade il va prévenir Bijar Kardou. Il n'a pas encore osé le faire. Il doit en avoir une trouille bleue.

— Bijar est son père. J'ai enfin pu parler à un de nos représentants pour l'obtention des visas à notre ambassade en Allemagne. Bijar y est résident permanent. Ça fait des années qu'il cherche à obtenir un statut de résident pour son fils Çeto. L'Allemagne, qui a resserré ses critères d'immigration, fait des difficultés, car Çeto a un casier en Turquie. Drogue, coups et blessures. On dirait que son père a toujours couvert ses frasques. Il a déjà fait trois séjours en désintox.

— Peut-être qu'il s'est dit qu'au Canada, ce serait plus facile. Çeto affirme que Zar est un cousin. Leurs mères sont sœurs. Ils se sont revus en Allemagne, et ici, il lui arrivait de lui rendre visite lorsqu'il était de passage à Montréal.

— Et comment il explique le paiement des droits de scolarité par cette société allemande?

— Un fonds qui vient en aide aux étudiants kurdes. Mais il n'a pas nié que Bijar Kardou était un des donateurs. Il n'a pas précisé qu'il était son père. Il dit toujours *Sir Kardou*. C'est bizarre, non?

— Les relations filiales sont parfois bien complexes. Et Noor?

— D'abord, il a juré ne pas la connaître. Et quand on lui a montré les images des caméras de surveillance, il s'est mis à se trémousser. Il a fini par avouer qu'il la suivait parce qu'il désapprouvait la liaison de Zar avec une mineure.

C'était prendre le risque d'être accusé de détournement. Il savait aussi que la famille Khan est très conservatrice. Si son père l'apprenait, il serait capable de les tuer tous les deux. La veille de sa mort, il avoue s'être disputé avec Zar à ce sujet, car son cousin disait avoir un plan. Il parlait de s'enfuir avec Noor et voulait que Çeto lui prête de l'argent. Çeto a refusé. Il ne voulait pas être mêlé à cette histoire qui ne pouvait que mal tourner. Il n'est pas surpris de ce qui est arrivé. Selon lui, Khan a lavé son honneur.

— Donc il connaît Khan?

— Il sait qu'il est le père de Noor, mais il prétend ne l'avoir jamais rencontré. Il a vu Noor entrer au centre de loisirs par une porte à l'arrière du bâtiment. Elle portait bien un lourd sac noir et rouge à l'épaule, en plus de son sac à dos. Il n'a pas osé la suivre plus loin parce qu'un gars est entré quelques minutes plus tard.

— Et?

— Il n'a pas vu son visage. Le gars portait un sweat à capuchon tiré sur sa tête. Petit, maigrelet, les vêtements correspondent à ceux qu'Atif portait habituellement.

— Et l'ADN dans la calotte trouvée dans le débarras appartient à Atif. Quand je suis allé lui porter l'héroïne trouvée sur Çeto, l'assistant de Wendy Connolly m'en a informé. Aussi que les incisions sur les trois victimes n'ont pas toutes été faites avec la même lame ni par la même main. Ils ont fait de nombreux tests avant d'en être totalement certains. Sur Noor et Zar, c'est identique, un gaucher. Alors que, sur Atif, c'est une lame plus large tenue par un droitier. Ce n'est donc pas le même assassin. C'est ce que je venais dire à Paul. Je voulais aussi lui confirmer que c'est la même drogue. Celle de la saisie dans les entrepôts de Javed et le gramme acheté par Ling possèdent des composés identiques.

— Donc, si je comprends bien, poursuit Cabrini en descendant de la table pour étirer son dos, on détient des preuves de trafic d'héroïne, mais on n'est pas plus avancés dans la résolution de nos trois homicides! Maintenant, on a bien deux meurtriers. Et Farid Khan a disparu! À l'heure qu'il est, il doit savourer son thé quelque part à Peshawar!

Morel entre en trombe dans la salle d'interrogatoire, suivi d'un agent en uniforme.

— Tu me le mets au frais, dit-il en s'adressant à l'agent.

L'inspecteur se retourne vers Tanguay et Cabrini, sortis en alerte de la pièce contiguë.

— Losier vient de m'appeler. On a du nouveau. Suivez-moi.

Il ne veut pas donner d'explications devant Kardou qui proteste et l'injurie. La poigne de l'officier qui le menotte et le bouscule lui arrache des cris d'orfraie.

— Qu'est-ce qui se passe? interroge Cabrini en accélérant le pas pour rester à sa hauteur. Tanguay, lui, tient l'allure.

— Sur les images datant d'hier des caméras de surveillance du centre commercial où la Nissan a été découverte, il y avait deux des Pachtounes qui changeaient de véhicule. Le troisième homme arrivait dans une Sienna Toyota. Les deux hommes ont déposé, par le hayon arrière de la voiture, un long paquet entouré de couvertures assez grand pour être Zahra. Cette nuit, la Sienna Toyota a été repérée dans le stationnement d'un motel, le Comfort Inn, tout près de l'aéroport. Malheureusement, le temps que Losier et les agents de la GRC se pointent, il y a eu un vrai carnage. Ils ont découvert dans la chambre du motel les cadavres de deux des Pachtounes, une balle dans la nuque. Le troisième, dans la salle de bain, a eu la gorge tranchée. Une incision bien nette, du travail de pro. La fenêtre de la salle de bain a été complètement descellée.

— Et Zahra? demande Tanguay.

— Elle a disparu. On fait des analyses. Il n'y a pas d'empreintes sur le cadre de la fenêtre, seulement de légères traces de sang dans les échardes du bois.

— Farid Khan?

— Je ne vois pas qui d'autre.

— Peut-être qu'il ne lui fera pas de mal? Il n'a rien à reprocher à cette petite! s'insurge Cabrini.

— Espérons qu'il a fait ça pour sauver sa fille, et non pas pour la marier en remplacement de sa sœur, proteste Tanguay.

— Il est aux abois. Il sait sûrement qu'il est recherché par toutes les polices du pays. Je présume qu'il possède de sérieux moyens pour avoir réussi à les localiser plus rapidement et efficacement que la GRC et nous.

— N'oublie pas qu'il a fait partie des services des renseignements pakistanais pendant de longues années avant de devenir commerçant. Les commandos de l'armée pakistanaise ont le même entraînement que ceux des Américains. Un échange de bons services de la part du gouvernement américain pour combattre les talibans. D'ailleurs, on se demande ce qui a pu le pousser à se laisser piéger dans cette famille qu'il détestait, selon ce que nous a raconté sa femme.

— Justement, tu dois retourner interroger Maira. Vas-y avec Fortier. Il est presque 7 heures, constate Morel en regardant sa montre. Désolé, ce n'est pas ce matin que vous pourrez aller dormir, tous les deux.

— Moi, ça va. Hier, j'ai pu récupérer un peu. Mais toi, je me demande comment tu tiens, constate Carolina.

— Je n'y pense pas. L'adrénaline, je suppose.

— Paul, on a une confirmation de l'IJ, lui dit Tanguay. Il y a deux assassins. Atif Hashmi et les deux amants n'ont pas été tués par la même personne. Ils confirment aussi que la composition de l'héroïne achetée par Ling est identique à celle de la saisie chez Javed.

— Donc Khan trafiquait obligatoirement aussi sur Montréal.

— Si Çeto dit vrai en affirmant qu'il n'a jamais rencontré Khan, ce dont je doute, ce doit être Bijar, le principal distributeur, suggère Cabrini.

Tanguay s'éloigne tout en discutant au téléphone avec Fortier. Paul et Carolina se font face. Le corridor est vide. Leur silence est embarrassant. Carolina scrute les traits de Paul, tentant de deviner ce qu'il pense.

— C'est quoi, ce texto que tu m'as envoyé à propos de Fermont et Panier qui planquent la maison de Bijar Kardou?

— Fermont a suggéré de mettre une filature sur Bijar. Je viens de faire la requête. Une équipe va aller les relever.

Ils l'ont vu forcer une des danseuses du Tropical à monter dans sa Mercedes.

— Comment ça, forcer?

— Le garde du corps l'a littéralement poussée dans le véhicule. Elle se débattait. Joël dit que ça ressemblait à un enlèvement, mais ils n'ont pas osé intervenir de crainte que ce ne soit qu'une dispute d'amoureux. Et, surtout, pour ne pas nuire à l'opération. J'étais d'accord pour attendre, maintenant je me dis que l'on devrait examiner ça de plus près.

— Losier doit me rappeler. J'espère que l'on aura une piste pour identifier l'auteur du massacre des Pachtounes. Pour le moment, nous n'avons pas la preuve que ce soit Khan. Et on ne peut pas intervenir chez Bijar sans mandat. Pour en obtenir un, il nous faut plus que des présomptions. J'ai besoin de réfléchir un peu à tout ça, avoue Morel d'un air las.

— Moi aussi, je suis crevée. J'aimerais bien changer de vêtements. Je vais rentrer une heure ou deux à la maison. Ça me remettra les idées en place. Tu devrais en faire autant, Paul. Tu as vraiment une tête à faire peur, dit-elle en souriant.

37

Blottie en fœtus, Anya sanglote. L'eau de la douche coule sur son corps meurtri. Elle a perdu la notion du temps. L'instinct de survie l'a fait céder, elle a cessé de se débattre. Elle aurait dû résister encore plus. Peut-être alors que, de colère, il l'aurait tuée. C'en serait fini de toute cette souffrance, cette vie de terreur. Elle a senti tant de haine en lui.

Elle s'était assoupie sur le lit, épuisée. Il est entré. Il l'a soulevée du lit. Il lui a baissé son pantalon et sa culotte, l'a couchée sur ses genoux et il l'a fessée. Longtemps et si fort qu'elle n'a pu s'empêcher de hurler de douleur. Tout ça sans même la regarder une seule fois. C'est ce qui l'a le plus humiliée. Il n'a jamais regardé son visage, alors qu'elle tentait de lui échapper, même lorsqu'il l'a giflée violemment. Il l'a sodomisée, debout derrière elle. Puis il l'a repoussée sur le lit. Il est sorti.

L'eau est maintenant froide. Anya ferme les robinets. Elle enjambe péniblement la paroi de la baignoire. Son poignet fracturé est tout enflé. Elle tremble, vacille, ses mains arrivent à peine à tenir le drap de bain. Elle s'y prend à deux fois pour s'en entourer. Sur la table de chevet, il y a un plateau avec les éléments d'un copieux petit-déjeuner. Sur le lit, on a aussi déposé son sac. Anya y fouille. Le garde a pris son téléphone, son portefeuille, même ses clés. Sa bombe de laque est toujours là, avec sa trousse de toilette et de maquillage. Et dans la fente de la couture, tout au fond, bien caché, le couteau de chasse pliant. Celui qu'elle a volé à son mari. Le couteau est encore là. C'est un signe. Elle remercie *Babouchka*. Elle se blottit sous l'édredon. Une odeur de pain grillé monte de l'assiette. Elle place devant elle le plateau et se met à manger. Elle va avoir besoin de toutes ses forces.

38

Seul le cliquetis des claviers indique la présence de quelques enquêteurs affairés à taper des rapports. La grande salle est exceptionnellement calme. Assise à son bureau, Cabrini explore ses notes de début d'enquête. Elle se souvient avoir déjà entendu le nom que vient de lui donner le lieutenant Fermont. Inquiet pour la danseuse asiatique qu'il a vue poussée de force dans la Mercedes, il a cherché à s'informer sur elle. Candice, une danseuse du Tropical, lui a raconté que les filles la surnomment l'Esquimaude. Elle dit venir d'une région près du cercle arctique. Candice prétend que Bijar Kardou lui tourne autour, mais qu'elle fait tout pour l'éviter. La fille se nomme Anya, et son nom de famille est imprononçable, selon elle. La détective pousse une exclamation en découvrant ce qu'elle cherchait dans ses notes: Voilà! Anya! C'est le nom que lui a donné le chef moniteur, lorsqu'elle enquêtait sur les baigneurs présents à la piscine, le soir de l'homicide de Noor. Il avait mentionné une nageuse solitaire qui venait faire des longueurs. Une Asiatique, selon lui. Sa carte d'abonnement l'identifiait comme Anya Ienisseï. Carolina ne l'avait jamais jointe parce que la femme n'avait pas laissé de numéro de téléphone. Seulement une adresse, preuve qu'elle résidait dans le quartier. Cabrini, trop bousculée par l'enquête, n'avait pas fait de suivi.

Avec le rapport sur sa soirée au Tropical qu'elle doit terminer, et le tri de ses notes et réflexions en prévision de la réunion de toute l'équipe que Morel a convoquée pour la fin de la journée, elle n'a pas vraiment le temps de traverser la moitié de la ville pour aller frapper à une porte derrière laquelle il n'y aura peut-être personne. Impossible d'aller interroger cette femme au Tropical. Cela éveillerait des soupçons. L'adresse correspond à un immeuble de logements, à une dizaine de minutes du centre de loisirs. Elle pourrait y passer, ce soir, avant de rentrer à la maison. Un tout petit détour. Candice a mentionné qu'Anya faisait le quart de 21 heures à 3 heures. La logique voudrait qu'elle soit chez elle, avant de partir au travail.

La détective tente de faire le point. Elle s'attend à ce que Morel leur demande de proposer des solutions, de nouvelles idées. Elle ne veut pas être en reste. Il discute présentement avec Losier et des gradés de la GRC dans leurs bureaux de Montréal. Les indices relevés dans la Nissan et la Sienna, ainsi que dans la chambre du motel, confirment la présence de Zahra. Les ressortissants pakistanais, d'origine pachtoune, sont bien les ravisseurs. Et le sang sur la fenêtre de la salle de bain appartient à Farid Khan. Cette partie de l'enquête leur file entre les doigts et prend une envergure internationale. Il s'avère que le trafic d'héroïne et le commerce illicite d'anhydride acétique a des ramifications jusqu'en Europe et au Moyen-Orient. Les grosses pointures de la GRC poussent leurs pions pour s'emparer de l'affaire. Morel doit défendre ses propres impératifs contre leur intrusion. Trouver des preuves pour accuser le ou les meurtriers de trois jeunes victimes. Cabrini partage sa colère devant le peu de cas que les enquêteurs de l'antidrogue font de ces homicides. Losier tempête tout autant, parce sous leur influence, le procureur refuse de céder un iota dans le marchandage que fait Saif Javed. Losier n'a donc aucune marge de manœuvre pour le faire parler. La perspective de faire s'écrouler l'énorme échafaudage que Javed et Khan ont mis en place, et les nombreux complices que cela implique, leur fait considérer les trois homicides comme des dommages collatéraux qui passent au second plan. Si Khan est toujours une priorité pour eux, c'est qu'il détient les preuves non seulement de ce double trafic – héroïne et anhydride –, mais aussi parce qu'il est en lien avec ces Pachtounes, des trafiquants d'armes et peut-être des terroristes. Le gros mot est lâché, rien à leurs yeux ne devient plus important. Morel est allé les rencontrer pour tenter de leur faire entendre raison. Farid Khan doit répondre à des soupçons de crime d'honneur. Si, du moins, on arrive à mettre la main sur cette ombre qui disparaît dès que l'on a cru l'apercevoir.

Tanguay et Fortier sont revenus au bureau après avoir annoncé à Maira, avec l'aide de Gita, que son mari détient fort probablement Zahra. Ils font un compte rendu de leur entrevue qui laisse Cabrini perplexe et agacée. Maira est très déprimée, selon Fortier. Elle a beaucoup pleuré parce qu'elle reste seule parmi tous ces étrangers. Elle s'est tout de même montrée rassurée. Elle dit que Farid ne fera pas de mal à Zahra, car elle a toujours été sa préférée. C'est une enfant enjouée et douce, alors que Noor était têtue et indocile. Zahra fera une meilleure épouse que sa sœur, elle est peut-être moins jolie, mais elle a bon caractère. Farid va pouvoir la marier plus facilement. Elle croit qu'il ne renoncera pas à cette union avec le clan de son grand-père maternel. Ce sont des gens rustres, sans éducation. Zahra y sera malheureuse. Elle aurait espéré sceller une meilleure alliance pour sa fille. Elle est persuadée qu'il réussira à s'enfuir là-bas avec Zahra. Quant à Maira, il l'abandonne ici. Pour lui, elle n'existe plus. Elle ne semble pas saisir la portée du mandat d'arrêt international lancé contre Farid Khan. À ses yeux, cet homme est tout-puissant.

Tanguay désespère de comprendre comment réfléchit cette femme. Fortier se lance alors dans un de ses discours didactiques. Elle explique que ce que nous désignons comme des mariages forcés est, pour Maira, un arrangement comme toute bonne famille doit en négocier pour ses enfants. À ses yeux, les filles, surtout, doivent être protégées de l'éveil de leur sexualité et de ses élans. Marier rapidement les jeunes filles leur permet de devenir mères et de rester modestes et vertueuses. Maira n'appréciait pas l'union que son mari avait choisie pour Noor, parce qu'elle était conclue avec des gens qu'elle méprise. Des montagnards sans prestige. L'union que la matriarche, sa tante, souhaitait pour Noor représentait, selon elle, une meilleure alliance. Maira ne remet pas en question cette pratique, elle en désapprouve seulement les termes. Cabrini n'a pu s'empêcher de s'impatienter à les écouter discuter. Elle sait bien que la détective Fortier n'adhère pas à ces idées, mais ces deux-là adorent polémiquer. Chacun prenant la contrepartie de l'argument de l'autre, alors qu'ils pensent en fait la même chose, Josée dans le rôle de celle qui essaie d'interpréter sans trop de préjugés des notions que Cabrini trouve choquantes. Maira n'a donc rien appris du drame que vit sa famille brisée? demande Tanguay. Lassée, Cabrini leur a signifié d'aller poursuivre leur débat ailleurs. Elle a besoin de réfléchir. De mettre à plat tout ce qu'elle sait.

Elle prend son bloc de *post-it* et libère le plateau de sa table de travail de tout son fouillis. Elle note sur chaque petit carré le nom des protagonistes de leur nébuleuse charade, et tous les éléments dont ils disposent. Leur hypothèse de départ était que Farid Khan avait lavé son honneur en tuant sa fille et son amant, mais aussi pour récupérer ce que sa fille avait vraisemblablement volé dans son coffre. Ensuite, Atif est entré en scène parce qu'il détenait le sac que Noor transportait. On a supposé que Farid Khan avait torturé Atif pour retrouver ce sac. On croyait qu'il contenait entre autres un kilo d'héroïne. Et cela, d'après le témoignage de Kévin. Le jeune *dealer* avait nécessairement parlé de la drogue à Jo Bassin. Donc, il est possible que ce soit Jo, l'assassin d'Atif, et non pas Khan. Si Jo Bassin a récupéré le sac, cela expliquerait pourquoi Khan ne s'est pas enfui au Pakistan. Il cherche toujours le contenu de ce sac, qui ne se limite pas à la drogue. La perquisition chez Jo Bassin a fourni de multiples preuves de ses malversations et même la machette qui a servi dans l'homicide du membre des Bloods, mais elle n'a pas permis de retrouver le sac noir et rouge. Cabrini est persuadée que Farid Khan n'a pas quitté le pays parce qu'il ne peut rentrer au Pakistan sans ce que sa fille lui a volé. Si ni Atif ni Jo Bassin ne détenaient cet objet si précieux, qui donc pourrait être en sa possession?

Morel vient s'asseoir devant elle, suivi de Steve Losier, dont la mine sombre ne présage rien de bon.

— Tu t'ennuies au point de jouer avec tes *post-it*, Cabrini?

— Ha, ha! Sache, inspecteur Barnaby, que cette méthode a résolu d'autres enquêtes. C'est une technique qui a fait ses preuves.

Morel examine le jeu de couleurs des feuillets.

— Le problème, c'est que tous ceux qui détiennent des preuves sont morts. Atif Hashmi, Jo Bassin.

— Mais pas Kévin.

— Il ne parlera pas. Il a plaidé coupable. Il va attendre patiemment de sortir de ses quelques années de prison où il se sera fait plein de petits copains. La réputation de son frère, martyr des Bloods, va l'aider. Il reprendra son petit commerce, fort de ses nouvelles relations. Notre seule carte, c'est Kardou junior, réplique Losier.

— Tu viens? demande Morel en se levant. Losier et moi allons lui mettre de la pression. Il a vu l'avocat commis d'office, les vingt-quatre heures de délai se terminent ce soir. On n'a plus beaucoup de temps. La GRC veut le récupérer. Ils s'imaginent que ce junkie de mes deux est la clé de voûte du complot terroriste du siècle!

— Et notre réunion? demande Cabrini, s'apprêtant à le suivre.

— Reportée. On a plus urgent. De toute façon, Ling travaille à rassembler toutes les données que nous a fournies l'Identification judiciaire: les images des caméras, tous les indices, quoi. Je veux un ensemble du tableau. On s'y perd! Et j'ai mis Tanguay sur le cas de Maira. Elle va bientôt sortir de l'hôpital, il faut décider si on portera des accusations contre elle. Elle nous a caché pas mal de choses, fait obstruction à l'enquête, et je suis certain qu'elle n'a pas encore tout dit. Elle refuse de nous révéler pourquoi elle s'est enfuie du centre d'hébergement pour se rendre chez elle et se retrouver à la merci des ravisseurs. Elle a reçu un appel au cours de la journée d'un téléphone prépayé impossible à localiser.

— Et Zahra? Toujours rien?

Morel hausse les épaules. Il retient les portes de l'ascenseur pour permettre à ses collègues d'y entrer.

— Maira affirme que son mari ne fera pas de mal à Zahra. Mais le sort que lui réserve son fanatique de père ne nous permet pas de lâcher prise. Elle est toujours fichée comme une enfant disparue.

— Tout laisse croire que les Pachtounes étaient envoyés pour intimider Khan, la petite étant peut-être une monnaie d'échange. Ceux qui les ont mandatés ne vont pas abandonner pour autant, enchaîne Losier. Il y a des enjeux que nous ne connaissons pas. Des rivalités entre des clans, au Pakistan, dont nous ignorons tout.

— Foutu micmac! grogne Morel.

Cabrini jette un œil discret vers lui. Il a sa tête des mauvais jours. Rasé de près, en costume-cravate, seule sa crinière emmêlée trahit son état d'épuisement. Elle détourne vite les yeux, surtout ne pas se laisser attendrir. Les deux hommes attendent qu'elle sorte avant de laisser les portes de l'ascenseur se refermer. Cabrini camoufle un léger sourire. Ces deux-là ont été bien élevés par leur mère.

— Je vous laisse entre mâles. Je préfère observer de la salle d'à côté, dit-elle en passant le seuil de la pièce contiguë.

Elle s'installe devant la vitre. Çeto Kardou, blafard, cerné, serre étroitement ses mains pour éviter qu'elles ne tremblent trop. Il est visiblement en manque. Son avocat, un jeune juriste fraîchement sorti de l'université, redresse les épaules, prêt à l'assaut. Les chefs d'accusation et les preuves contre son client lui donnent peu de marge de négociation, mais il semble déterminé. La détective écoute d'une oreille distraite les présentations et les déclarations d'usage. Elle lit le message qui vient d'entrer sur sa tablette. Joël Panier l'informe qu'une patrouille vient d'arrêter un membre du gang de Kévin Bassin – celui qui s'était enfui lors de l'interpellation au parc. Il détenait une dizaine de grammes d'héroïne qu'il tentait de vendre à un organisateur de *raves*. L'enquêteur du poste 31, responsable de l'interrogatoire, a demandé à Panier d'amadouer le jeune *dealer* des Crips, qui n'a que dix-sept ans. «Un ado égaré, mort de trouille. Je te le fais savoir si j'apprends quoi que ce soit qui intéresse ton enquête.»

La détective reporte son attention sur l'avocat de Çeto. Il propose qu'en contrepartie de révélations cruciales, son client obtienne la totale immunité et les protections auxquelles ont droit les délateurs. Il affirme que son client sera assassiné en prison, qu'il soit en Turquie ou au Canada. Le simple fait d'avoir été appréhendé représente pour lui un arrêt de mort. Il ne peut pas compter sur son père, qui, à ce stade, le méprise trop pour le protéger encore. Les membres de l'Organisation kurde, dont il n'est qu'un faible maillon, jugeront, dès qu'ils apprendront qu'il a été interrogé par la police, qu'il n'est plus sûr. Ils voudront l'éliminer. Il exige une autre identité. Il veut entrer dans le programme de protection des témoins. Pour lui, c'est aussi son unique chance d'enfin se libérer de la domination de Bijar Kardou.

Morel, d'abord interloqué, se tourne vers Losier. Tous deux voient, sans se concerter, la solution qui leur permettra de devancer les huiles de la GRC. S'ils obtiennent du procureur de la Couronne qu'ils accordent à Çeto le programme de protection, ils garderont leur témoin sous la main. À condition, bien entendu, que cela en vaille la peine. Ils doivent s'assurer d'abord que Kardou junior ne raconte pas de bobards et détient réellement des preuves en ce qui concerne les trois meurtres. Le trafic de drogue, d'armes, le présumé terrorisme, le PKK et toute cette pagaille ne les concernent pas.

Cabrini s'installe plus confortablement sur la table bancale. Elle sirote son café et prend des notes. Çeto Kardou s'apprête à se livrer. Il dit détester son père. Toute sa vie, il a tenté d'échapper à son emprise. Il doit disparaître, car ce sociopathe n'hésitera pas à le faire tuer.

Çeto confirme que Zar, en contrepartie du paiement de ses droits de scolarité, rendait certains services à l'Organisation. Il faisait des livraisons spéciales. La mise en sachets de l'héroïne se fait à Toronto. Zar était responsable de son transport vers Montréal, plusieurs kilos, une fois par mois. Il était fiable. Tout allait pour le mieux avec lui jusqu'à ce qu'il s'amourache de cette Pakistanaise. Çeto le supervisait. Par conséquent, ses retards, ses négligences lui étaient reprochés à lui. Au début, il a couvert ses gaffes. Il aimait bien son cousin. Il le traitait un peu comme un jeune frère. Quand il a compris qui était la fille qui lui faisait perdre les pédales, Çeto a paniqué. Noor n'était pas seulement mineure, c'était la fille du nouvel associé de Saif Javed avec qui Bijar faisait déjà affaire. Cela ne pouvait qu'apporter des ennuis. En effet, il avait rencontré Khan une seule fois, chez Javed, mais ça lui avait suffi pour se faire une idée du genre d'homme qu'il était. Plus tard, il l'avait revu au Tropical, en présence de ce fou de Jo Bassin. Khan est un homme redoutable. Les Pachtounes avec lesquels il a fait alliance vivent selon un code tribal qui n'a pas changé depuis des millénaires. De vrais barbares!

Zar était totalement inconscient qu'il défiait d'une part un tel homme, d'autre part son oncle Bijar, qui venait de conclure une entente avec eux. La distribution sur l'Amérique du Nord qu'il planifiait rapporterait des millions à l'Organisation kurde. Les Kardou lui étaient totalement dévoués depuis trois générations. Il a tenté de persuader Zar de rompre avec la fille. Il l'a menacé, pour lui faire peur, lui faire comprendre que Bijar ne pardonnait jamais les écarts de conduite. Zar s'entêtait, prévoyait de s'enfuir. Il ne voulait plus être sous leur coupe. Encore plus dingue, il parlait de fuir avec sa fiancée. Ils projetaient d'aller se marier à Reno, aux États-Unis. Le jour où il a suivi Noor, Çeto espérait l'aborder et la convaincre d'annuler cette folie. Lui faire comprendre que Zar serait poursuivi et éliminé. On ne quitte pas l'Organisation. C'est elle qui se débarrasse des éléments réfractaires. Mais il n'a pas eu le temps de lui parler. Il a vu entrer ce gars, quelque temps après elle.

Et tout a dérapé à partir de là. Jo Bassin lui a téléphoné, il l'accusait d'avoir triché sur la livraison, il manquait près d'un kilo de sachets. Il voulait en parler au *boss*. Çeto l'a persuadé d'attendre. Il allait vérifier tout ça. Il a tenté de joindre Zar. C'était lui. Il en était certain. Il avait fait une livraison la veille. Il s'était servi, puisque son cousin refusait de lui donner de l'argent. Quel imbécile! S'il réussissait à fuir, c'est Çeto qui essuierait la fureur de Kardou à sa place! Et ça, pas question! Il a donc été contraint d'en informer Bijar. Il lui a fait croire qu'il ne savait pas ce qui se tramait, seulement que Zar avait fait une connerie. Il était resté à surveiller cette porte en espérant que Noor en sortirait. Seul le même gars en sweat à capuchon est ressorti. Et, oui, il portait bien un sac noir. Sur le moment, il ne l'avait pas remarqué. Il était au téléphone à essayer de calmer ce tordu de Jo Bassin. Passé 23 heures, il a vu Zar utiliser un tournevis comme levier pour ouvrir la porte. Il aurait voulu aller le prévenir, mais Bijar avait donné des ordres stricts. Il devait attendre, faire le guet jusqu'à ce qu'Oguz, le garde du corps, se pointe. C'est lui qui ferait entendre raison à Zar.

Ensuite, ça a été encore pire. Bijar est arrivé, alors que Çeto pensait pouvoir régler ça seul avec Oguz grâce à quelques coups bien placés. Ils sont tous les trois entrés à l'aide du canif d'Oguz. Quand Bijar a vu Noor et compris les intentions de Zar, il a complètement disjoncté. Il a juché Noor sur le tremplin et noué à son cou le hijab trouvé dans son sac à dos. Il lui a dit que si elle bougeait ne serait-ce que d'une paupière, Oguz trancherait la gorge de Zar. Elle a vite cédé devant les coups qu'Oguz faisait subir à Zar. Elle répétait que la drogue était dans un sac de sport, dans le débarras. Oguz et Çeto ont fouillé partout, dans les vestiaires, le débarras où ils squattaient. Rien. Il n'y avait qu'un sac de voyage contenant des vêtements. Bijar était hors de lui. Il s'en est pris à Zar en lui taillant les veines des poignets. «Mon cousin ne tentait même plus de nier quoi que ce soit. Il savait qu'ils allaient mourir. J'ai essayé de plaider pour eux. J'ai imploré Zar de parler.

Noor a continué à jurer qu'elle avait laissé le sac dans le débarras avant de venir nager. Elle a supplié et révélé qu'elle était enceinte. Bijar est devenu fou de rage. Il ne supporte pas qu'on lui résiste. Et à ses yeux, Noor n'était qu'une moins que rien. Il l'a traitée de tous les noms, lui a dit qu'elle jetait la honte sur tous les siens. C'est donc lui qui se chargerait de laver l'honneur. Il fallait que le sang coule, purifie l'affront. Il lui a incisé les poignets et il lui a ordonné de sauter. Elle gardait les yeux fixés sur ceux de Zar, elle ne pleurait même plus. À ce stade, plus personne ne criait. Pour mon père, la trahison de mon cousin était un affront personnel. Il a tiré la tête de Zar en arrière et il lui a tranché la gorge. Alors Noor a sauté.»

Carolina avale sa salive. Le récit de Çeto lui fait prendre toute la mesure du drame qu'ont vécu les deux jeunes gens. Refuser de se soumettre à leurs familles leur a été fatal. Elle écoute la suite du témoignage en tentant de contenir sa colère.

Oguz s'est chargé de se débarrasser du corps de Zar. Çeto a eu la tâche de nettoyer tout le sang aux abords de la piscine pendant que Bijar tempêtait. «J'ai cru que moi aussi, il allait me tuer.» Morel pousse sous son nez la photo du cadavre d'Atif. C'est donc ce gars-là que tu as vu sortir? Çeto hoche la tête, mais jure ne pas le connaître. Il comprend à présent que le sac contenant la drogue a été volé par le gringalet.

Cabrini est persuadée que Kévin Bassin a livré Atif à son frère. Jo Bassin est connu pour aimer taillader ses victimes. Morel et Losier doivent en arriver à la même conclusion, car ils discutent à présent avec l'avocat des formalités et des mesures que requiert le témoignage de Çeto Kardou.

Farid Khan n'a donc pas tué sa fille. Toutefois, sachant ce qu'elle avait fait, pense Cabrini, son honneur aurait exigé qu'il la tue. Lorsqu'il a appris qu'elle ne s'était pas suicidée dans un ultime défi à sa volonté, il a dû se douter de quelque chose. On avait pendu sa fille à demi nue, comme une putain. Noor s'était donc souillée avec un homme, elle ne valait plus rien, l'alliance conclue n'aurait plus eu aucune valeur. Il a voulu savoir qui lui avait volé le droit de punir sa fille. Khan s'est enfui pour le découvrir. Pas seulement, comme ils le pensaient au début, parce l'enquête policière menaçait de révéler les dessous de son association avec Saif Javed. Que lui a dit Javed lors de leur rencontre à Mississauga? Il connaissait le rôle des Kardou dans le trafic. Et probablement celui de Zar. Il était au courant de leur association avec Jo Bassin. Khan a mené sa propre enquête pour retrouver Zahra. Il a arraché sa fille des mains de ses ravisseurs. De la même façon, il doit sûrement enquêter pour trouver qui a tué Noor.

Cabrini saisit soudainement la logique de cet homme. Il vit en Occident depuis près de vingt ans, pourtant il n'adhère toujours pas au système de droit qui régit nos sociétés. Il va vouloir régler lui-même cet affront qu'on lui a fait. Son honneur en dépend. Elle cherche les coordonnées du responsable des filatures. Elle veut s'assurer qu'une équipe surveille bien la résidence de Bijar Kardou. L'officier le lui confirme.

Morel entrouvre la porte.

— Je vais demander une escouade d'intervention. On arrête Bijar ce soir!

— J'allais justement appeler les gars qui font le guet.

— J'ai reçu leur dernier rapport. Kardou n'a pas bougé de chez lui de la journée.

39

Ses lèvres desséchées, craquelées lui font mal. Un goût amer remonte de son estomac à sa gorge. La nausée encore. Quel brouillard dans sa tête! Elle a cru entendre la voix de son père. Même senti son odeur et la chaleur de ses bras. A-t-elle rêvé? Zahra bouge la tête, ouvre les yeux. Il fait si sombre. Elle se soulève péniblement. La mémoire lui revient par bribes. Le son qu'elle connaît bien à présent, celui d'une arme qui fait feu. Les deux hommes qui s'écroulent. Les yeux de son père. Un regard incandescent. Il la soulève et l'emporte.

Ses membres gourds pèsent sous la couverture. Elle agrippe le tissu et reconnaît le satiné de sa couette. Est-ce possible? Elle repose dans son lit, autour d'elle se dessinent des ombres qu'elle connaît par cœur. Les étagères, le lit de Noor. Vide. Son cœur bat plus fort. Les mots dans sa tête, son père lui chuchote des paroles rassurantes. Il la berce. Il lui répète de patienter. De rester là, à l'attendre, sans faire de bruit. Il ne faut pas allumer la lumière. Il faut rester cachée. Il la portait dans ses bras lorsqu'ils sont entrés par la porte de la cave à l'arrière de la maison.

Plaar! lance-t-elle d'une voix éraillée. Elle s'assoit en s'appuyant contre les oreillers. La lumière du lampadaire dans la ruelle diffuse une faible lueur. Ses yeux, habitués à l'ombre, ne la trompent donc pas. Il y a une carafe sur la table de nuit et un verre d'eau. Dans une assiette, des tartines couvertes d'une épaisse couche de Nutella. Zahra prend le verre à deux mains. Elle le maintient prudemment devant sa bouche et boit avidement. Lentement, elle déguste les tartines. Elle revoit les images horribles. L'homme frappe maman au visage, au ventre. Maira hurle, s'agrippe à Zahra qui se débat. Elle pense au chaton dans la main de son cousin. Il détestait les chats. Un autre homme la soulève, la jette sur son épaule. Sa mère arrache la cagoule du premier homme. Il sort son pistolet et tire. Le ventre de maman, ses mains rouges. Noir. Une couverture l'enveloppe à l'étouffer. Plus tard, l'homme masqué l'oblige à boire un liquide tiède et âcre.

Elle essuie ses doigts poisseux sur le drap. Pense que maman ne serait pas contente. Elle n'ose imaginer ce qui lui est arrivé. Zahra se lève. Silencieusement, comme son père le lui a ordonné. Elle explore la maison déserte. Elle appelle doucement son père. De gros sanglots se bousculent dans sa poitrine. Par la fenêtre du salon, elle voit la nuit, écoute le silence de la rue. Le bourdonnement familier du boulevard, un peu plus loin, lui murmure qu'elle est bien seule.

40

Cabrini a renoncé à rentrer chez elle. Inutile aussi de tenter de joindre cette Anya. Son témoignage sur sa présence à la piscine n'apportera rien de plus à leur enquête. Malgré la fatigue qui lui engourdit les membres, elle fait confiance à son corps. L'adrénaline viendra effacer son épuisement lorsque le moment de l'intervention surgira. Elle se force à avaler l'infect sandwich de la distributrice. Essentiel de se nourrir. Le GTI[20] mènera la danse, car le risque de fusillade est élevé. Morel ne croit pas que Bijar Kardou se laissera cueillir comme une fleur. Losier, Fortier, Ling feront partie de l'opération. Seul Tanguay, un civil, ne pourra pénétrer sur les lieux. Il a obtenu de Morel d'attendre dans le PCM[21]. Il aura le droit d'entrer quand tout sera sécurisé. Elle a bien vu la grimace de déception qu'il n'a pu retenir. Il se sent exclu dans des moments comme ceux-là. De plus, les agents en surveillance ont noté qu'un gros camion était garé derrière la propriété. Quatre hommes transportent des caisses. Morel craint que des preuves ne disparaissent. Il stresse et pousse pour devancer l'heure du départ. La détective calcule mentalement qu'en plus de Bijar Kardou, dont la Mercedes est toujours en vue, il y a probablement le garde du corps et le chauffeur. Cela fait donc sept personnes à maîtriser.

Cabrini avale une dernière bouchée. Elle enfile sa veste pare-balles et vérifie son arme, ses munitions. Le rituel de ces gestes-là déclenche toujours chez elle la même

---

20. Groupe tactique d'intervention.
21. Poste de commandement mobile.

excitation. C'est dans ces moments-là qu'elle sait combien elle aime ce métier. Plus rien d'autre ne compte.

Le bruit des portes que l'on claque. Des voix à l'accent guttural qui s'interpellent. Anya épie les allées et venues des hommes entre la demeure et un hangar au fond du jardin, derrière la piscine. Elle ne voit pas bien tout ce qui s'y passe, car un immense frêne obstrue en partie la fenêtre de la chambre. Elle a testé les vitres. Elles ne s'ouvrent qu'à demi et se jeter du deuxième étage serait de toute façon suicidaire. La serrure de la porte est aussi impossible à forcer. Au bout de deux heures de tentatives avec une épingle à cheveux, une lime à ongles et la tige d'une broche découverte au fond d'un tiroir de la salle de bain, elle a abdiqué. Elle a sommeillé un peu, construit des dizaines de scénarios d'évasion. Attendre que Bijar revienne. Se cacher derrière la porte et le frapper avec le pied de la lampe dont elle a enlevé l'ampoule. Vers la fin de la journée, le garde du corps est venu lui apporter du poulet rôti et des frites. Il a exigé qu'elle lui donne ses vêtements en échange d'un peignoir de soie ivoire. Elle a hésité. Il s'est contenté de la regarder de telle façon qu'elle n'a pu que céder. Elle s'est déshabillée dans la salle de bain et lui a remis ses précieux habits. Ses rêves de fuite s'envolent.

Le couteau de chasse est solide, effilé. Elle sait qu'il servait à donner le coup de grâce au chevreuil blessé d'une balle. Il faut seulement qu'elle trouve le courage de s'en servir. Nue, dans un peignoir si léger qu'elle n'en sent même pas le poids sur sa peau, elle mesure l'étendue de sa vulnérabilité. Elle cherche à présent où cacher le couteau. Soupèse encore différents scénarios. En elle croît une certitude. Elle ne le laissera plus la violer.

Le policier, dans une combinaison de technicien d'Hydro-Québec, s'accroche aux câbles du harnais qui maintient sa nacelle au faîte du poteau. Fort à propos, la vue en plongée lui donne accès à presque toute la propriété. Ses jumelles à infrarouge braquées sur la demeure et ses alentours, il décrit ses observations pour le GTI et les détectives. Le transbordement des caisses semble terminé. Les hommes installés autour de la table de la cuisine mangent et boivent de la bière. Ils sont six – les quatre arrivés dans le camion, le garde du corps et le chauffeur. Bijar Kardou n'y est pas. La demeure est grande. Il peut être n'importe où. Il y a de la lumière dans une pièce vers l'avant. Il y a aussi une faible lueur dans une des pièces du deuxième étage, à droite au-dessus de la cuisine. Les stores sont tirés.

Morel tergiverse. Il aimerait savoir exactement où se trouve leur cible avant de lancer l'opération. Il sait en revanche que lorsque les hommes mangent, ils baissent la garde. Depuis la préhistoire, c'est un moment d'apaisement. Idéal pour lancer l'assaut. Le sergent responsable du GTI lui confirme que tout est en place. Il voudrait donner l'ordre de l'assaut. De plus, comme les truands sont regroupés autour de la table, ils seront plus faciles à maîtriser. La voix du guetteur dans son perchoir se fait entendre.

— Une silhouette vient d'entrer dans la pièce à l'avant.

— OK. On a tout le monde! C'EST UN GO! ordonne Morel.

Anya a choisi de faire front. Elle ne veut plus fuir. Elle ne craint plus de mourir. Elle s'agrippe au couteau des deux mains. Elle attend, debout face à la porte, guettant le pas lourd du Minotaure.

En silence, les hommes casqués, cuirassés, le fusil d'assaut pointé, déboulent de derrière les haies. La traversée du jardin ne prend même pas une minute. Le bélier défonce la porte de la cuisine. Ils s'engouffrent en criant des ordres.

— À terre! Couche-toi à terre! *Get on the ground! On the ground!*

Deux des Kurdes obtempèrent, alors qu'un troisième, une arme à la main, tente de s'embusquer derrière le buffet. Il est mis en joue par deux agents. *Drop it! Drop the gun!* Il est jeté par terre sans ménagement puis menotté. Le garde du corps a fui vers le couloir. Il tire en direction du sergent qui est à sa poursuite. Le policier, que son gilet protège, riposte, l'atteignant en pleine poitrine. Le chauffeur et son voisin de table restent sidérés. Incapables de bouger, ils placent les mains sur leur tête, en signe de reddition. À l'avant de la maison, la porte a été fracassée exactement au même moment. L'équipe de Morel est entrée en file indienne derrière les gars du GTI. La moitié d'entre eux s'est dirigée vers la pièce éclairée à gauche du hall. Vraisemblablement le bureau de Kardou. À leur stupéfaction, la scène qu'ils découvrent n'est pas celle à laquelle ils s'attendaient. Agenouillé, Kardou a l'embouchure d'un silencieux entre les dents. Farid Khan agrippe ses cheveux, tirant sa tête vers l'arrière. Les yeux fous de terreur de l'un rivalisent avec le regard haineux du Pachtoune. Vêtu d'une tenue de combat noire, Khan n'a plus rien de l'homme d'affaires en complet griffé, ni du croyant barbu. Il s'est rasé la tête. Il observe la soudaine apparition du GTI avec une glaciale détermination. Sa surprise se lit à peine dans l'assurance de son geste. Les deux hommes du GTI lui crient de jeter son arme, le mettant en joue. Morel s'avance calmement et passe devant eux. Les deux mains en l'air, l'une d'elles, entrouverte, tenant toujours son arme.

— Monsieur Khan. Ne faites pas ça! Nous savons que vous n'avez pas tué Noor. Nous savons tout. Vous avez sauvé Zahra…

— Vous ne savez rien. Vous ne comprenez rien de ce que nous sommes. Vous nous méprisez! rétorque Khan d'une voix sourde. Ce cancrelat a pendu ma fille. Je ne le laisserai pas se prélasser dans vos prisons.

Morel met de nouveau Khan en joue. Craignant que l'assaillant n'obtempère pas, il hurle.

— Non, Khan!

Au même instant, la cervelle de Kardou éclabousse le mur derrière lui. Morel tire, les deux agents du GTI également. Leurs cris, inutiles. Le sang gicle, des balles se perdent dans les murs. Farid Khan s'effondre sur le corps du caïd. Trois, quatre secondes s'écoulent dans un silence total. Losier, le premier remis du choc, fait grésiller sa radio émetteur pour demander une ambulance.

En synchro, Cabrini, Ling et Fortier montent à l'étage, derrière deux autres membres du GTI. Ils font le tour des trois pièces dont les portes restées ouvertes ne révèlent que des chambres vides. *CLEAR! CLEAR! CLEAR!* Jusqu'à la dernière. Verrouillée. La porte enfoncée, une vision d'effroi s'offre à eux dans le faisceau des lampes torches accrochées aux fusils d'assaut du GTI.

Debout, face à eux, une femme, à l'allure spectrale, dans un peignoir entrouvert sur la poitrine, tient un couteau pointé vers sa gorge. Sa longue chevelure noire couvre ses épaules comme une cape d'un autre âge. Cabrini, tout de suite, la reconnaît.

— Anya, dit-elle d'une voix douce. C'est fini. Tout va bien. Elle approche lentement, tout en faisant signe à ses collègues de rester calmes. Pose le couteau, Anya. Pose le couteau. Il ne te fera plus de mal.

Dans la nuit, les gyrophares des voitures de patrouille projettent un stroboscope de flashs. Les ambulanciers, quant à eux, poussent les civières. Ils n'ont pu que constater la mort de Farid Khan. Trois balles au thorax. Morel, un peu à l'écart, se demande laquelle a été fatale. L'autopsie le dira. Il a souvent sorti son arme, mais n'a tiré que quelques fois. Ce serait la première fois qu'il tue un homme. Il n'a pas voulu la mort de Khan. Il a juste suivi le protocole. Tout comme ses collègues.

Debout à ses côtés, Cabrini détache son gilet pare-balles. Malgré la fraîcheur de l'air, elle a trop chaud. Elle observe Anya, en état de choc, enveloppée dans une couverture. Les ambulanciers l'assoient sur la civière. Ses pieds nus se balancent, si fragiles.

— Qui est-ce? lui demande Tanguay.

— Anya… Ienisseï, je crois, je ne suis pas certaine de la prononciation.

— Comme c'est étrange.

— Pourquoi?

— Je crois l'avoir déjà vue. Il y a de ça des semaines.

— Tu fréquentes le Tropical?

— Bien sûr que non! rétorque-t-il en rougissant.

Cabrini a le don de le mettre en boîte. À présent, il passe pour un candide à ses yeux.

— Je me disais aussi. Ce n'est pas ton genre. Tu es du côté des «bons gars», toi. Khan lui a vraiment éclaté la tête? Kardou est bien mort? demande-t-elle à Losier venu se joindre à eux.

— Hum… Difficile de faire plus mort. On a perdu nos coupables. Ils meurent tous, on dirait!

— Bien, tant mieux! Noor est vengée, et ça coûtera moins cher aux contribuables!

— Cabrini! Tu as l'air de t'en réjouir! maugrée Morel.

— Elle a raison, dit Ling, qui s'est approchée avec Fortier. Personne ne les regrettera.

Les trois hommes regardent les trois femmes, choqués par leur unanimité.

Le petit matin s'est levé, étalant sur le sol la blancheur d'un léger frimas. Signe que novembre a fait son entrée. Entassés dans les locaux étroits du PCM, l'équipe Morel se réchauffe en sirotant un café. L'Identification judiciaire explore chaque centimètre de la vaste demeure. Une porte menant à la laverie du sous-sol a été fracturée. On suppose que c'est par là que Khan s'est introduit. Leur perquisition a dévoilé tout un arsenal dans une armoire murale du bureau de Bijar Kardou. De quoi tenir un siège. Rétrospectivement, Morel se dit qu'ils ont échappé à une fusillade en règle grâce à l'effet de surprise. Le pistolet au fond de la gorge a rendu Kardou muet et inopérant. Le Pachtoune leur a évité un beau carnage, car tous les hommes avaient une arme à portée de main. La mort de Farid Khan laisse trop de questions en suspens. Dont celle, irrésolue, du meurtre d'Atif Hashmi. Les collègues du crime organisé ratissent le hangar. Dans les caisses, toutes prêtes à être transférées on ne sait où, ils ont déniché assez de sachets d'héroïne pour doper tous les junkies de l'Amérique. C'est Noël pour eux. Ils sourient et se congratulent comme s'ils avaient fait eux-mêmes la saisie. Hargneux, Losier leur a signifié que le *jackpot* leur revenait.

Tanguay, en essayant de décoincer ses longues jambes de dessous la table, heurte celles de ses voisins immédiats. L'effet domino remet tout le monde en mouvement. Chacun fait semblant qu'il ne sommeillait pas à demi, agrippé à son verre de styromousse – bouée inefficace pour rester éveillés.

Morel se secoue.

— C'est pas parce que Kardou et Khan sont morts que cette enquête est bouclée. Il faut encore attacher bien des fils.

— Il faut surtout retrouver Zahra! affirme Fortier.

— C'est en effet notre priorité. Espérons que son père l'a mise en sécurité.

— Je m'en charge. C'est ma responsabilité.

— Nous allons tous y travailler, Steve. Je propose que puisque tu es le seul à avoir dormi un tant soit peu, ces derniers jours, tu t'y mettes tout de suite.

— Moi, ça va, dit Fortier. J'ai dormi un bon cinq heures hier.

— Moi aussi, je peux encore fonctionner, enchaîne Tanguay. Vous trois, allez dormir un peu. Ça fait plus de quarante-huit heures que vous êtes sur la brèche. Vous ne serez bons à rien, de toute façon. Paul, tu permets, ne discute pas! Tu as une tête de déterré.

L'adrénaline ne fait plus effet. Leurs traits tirés et blafards trahissent leur état comateux.

— OK, répond l'inspecteur en regardant sa montre. On fera un bilan en fin de journée, au Q.G.

41

Losier, Tanguay et Fortier sont assis dans un café près de l'hôpital. Ils doivent faire le point, discuter des révélations de Maira Khan et nourrir leur estomac à peu près vide depuis la veille. C'est essentiellement Losier qui a pris le leadership de leur groupe et mené l'interrogatoire. Il a insisté pour que l'agent Ranjit Grégoire leur serve d'interprète. Un policier qui, à la différence de Gita Banerjee, comprendra ses stratégies et leur rudesse, s'il le juge nécessaire. Avant d'entrer dans la chambre de Maira, le détective s'est assuré auprès du médecin traitant que la patiente se rétablissait bien et pouvait répondre à leurs questions. Prudent, Losier ne veut pas qu'on leur reproche d'avoir malmené une victime. Cependant, il est plus que temps que Maira Khan prenne toute la mesure du sérieux des accusations qui seront portées contre elle, si elle louvoie encore et refuse de tout leur révéler. Sa stature imposante et son regard sidérant donnent au lieutenant-détective Losier des allures d'inquisiteur. Il en joue très consciemment. Dès les premières minutes, il a vu dans les yeux de la femme qu'il atteignait chez elle un espace fragile. Elle a l'habitude d'être dominée. Face au plus fort, elle se soumet. Losier lui a débité toutes les accusations auxquelles elle pourrait faire face. Négligence, complicité dans la maltraitance, complicité dans un mariage forcé, sévices – elle a sciemment drogué sa fille –, entrave à une enquête pour homicide. Fortier se tortillait sur sa chaise, mais restait muette. Lâchement, elle évitait les regards suppliants de Maira vers elle. Étrangement, Tanguay semblait d'accord avec ces méthodes de hussard. Pourquoi a-t-elle quitté le refuge du centre d'hébergement et qui l'a appelée? Maira s'est finalement avouée vaincue.

Son cousin de l'ambassade l'a informée que tout était prêt. Sa tante, la matriarche, exigeait qu'elle et Zahra rentrent au Pakistan. Cela faisait plusieurs semaines que sa tante avait entrepris de tout organiser. Il devait lui remettre à l'aéroport d'Ottawa les billets d'avion pour Karachi, via Toronto, ainsi que des passeports avec de fausses identités. Maira devait prendre la route pour Ottawa au matin. Elle prévoyait passer la soirée et la nuit à faire leurs bagages et à récupérer dans l'appartement les quelques biens auxquels elles tenaient. Par prudence, elles devaient voyager sans niqab ou hijab afin de ne pas attirer l'attention. Elle voulait fuir, car elle craignait que les montagnards ne s'en prennent à elle et à sa fille. Son mari avait failli à sa parole. À leurs yeux, c'était une trahison. Non seulement la livraison du produit chimique n'avait pas été faite, alors qu'il avait été payé, mais l'entente négociée grâce au mariage de Noor devenait caduque. Cette alliance était cruciale pour eux. Ils se vengeraient, elle en était certaine. Elle croyait avoir le temps de s'enfuir avant que les montagnards ghilzais ne dépêchent leurs hommes de main. Seul son clan, issu de la prestigieuse tribu des Durrani, pouvait les protéger, Zahra et elle. Ici, elle était à la merci de leur vendetta.

Losier ne lui a pas encore dit que Farid Khan est mort. C'est totalement malhonnête, il le sait. Mais il estime que tous les moyens sont bons pour tirer de cette femme les informations qui leur permettront de retrouver Zahra. Protéger cette enfant est sa priorité.

— Ranjit, tu démêles tout ça pour nous? demande le détective, en avalant une gorgée de café. C'est moi qui suis trop obtus ou, pour vous aussi, ces rivalités de castes, de clans, il y a de quoi s'y perdre?

— Ne t'en fais pas. J'ai pas mal lu sur les tribus pachtounes, et je ne m'y retrouve pas non plus, répond Tanguay.

— Pour faire court, les Ghilzais et les Durrani sont les deux plus grands groupes tribaux chez les Pachtounes.

Je généralise pour vous aider à comprendre. Ils sont partagés en plusieurs sous-tribus, elles-mêmes divisées en clans. Disons, en gros, que les Durrani sont extrêmement influents. Le gros de l'élite intellectuelle est issu de cette tribu. Alors que les Ghilzais sont par tradition des éleveurs, des nomades. Leur taux d'alphabétisation est parmi les plus bas. Leur rivalité remonte à des siècles. Beaucoup des moudjahidines qui ont combattu les Soviétiques en Afghanistan appartenaient à la tribu des Ghilzais. Ils vivent selon un code d'honneur très strict et sont très dévots, réfractaires à l'occidentalisation. Ceux qui vivent au Pakistan ne sont pas différents de ceux en territoire afghan. Ils sont régis par les mêmes usages, les mêmes traditions. Maira et Farid ont beau porter le même nom de famille, leurs origines tribales les opposent.

— Lors de mes conversations avec Maira, j'ai pu déduire que Farid souhaitait s'élever dans l'échelle sociale en l'épousant. Malheureusement, sa belle-famille l'a traité avec mépris. Il l'a fait chèrement payer à sa femme, dit Fortier.

— Qu'as-tu compris de cette alliance qu'il avait négociée en mariant Noor? demande Losier à Ranjit.

— Je crois que cela concerne des terres dont la situation géographique est stratégique. À la frontière afghano-pakistanaise, elles ont une valeur considérable. On peut supposer que leur possession rapporterait gros à leur propriétaire, s'il y facilitait la contrebande. Les droits de passage doivent se payer fort cher. En mariant Noor à ce cousin, Farid Khan devenait ce propriétaire. Quoique, à ce stade de la discussion, Maira a commencé à être très confuse. Je ne suis pas arrivé à éclaircir ses explications. Je t'avoue que je suis à peu près certain qu'elle cache encore quelque chose.

— Si nous n'avions pas été forcés de sortir, aussi! L'infirmière nous a littéralement mis à la porte!

— Steve, je comprends ta frustration, mais tout de même, elle a reçu une balle en plein ventre, proteste Fortier. Et, en plus, elle a des raisons d'être terrifiée. Qui nous dit qu'elle n'est pas toujours en danger?

— Voilà pourquoi j'ai demandé de doubler la protection rapprochée auprès d'elle. J'ai interdit toute visite en dehors de nous. Elle n'a aucune famille, ici, sauf ce faux jeton de l'ambassade dont je vais m'assurer qu'on lui remonte les bretelles ! Personne ne devrait chercher à la voir, maintenant que Farid Khan est mort...

— Justement, je crois que tu aurais dû le lui dire !

— Je sais que tu n'approuves pas mes méthodes, Fortier. Moi, je pense au contraire qu'elles sont efficaces. La preuve, elle a lâché une bonne partie de ce qu'elle nous cachait. Je garde encore cette carte. Si elle apprend que son mari est mort, elle va se refermer. Elle le craint, donc, pour le moment, nous sommes encore ses alliés. Elle nous utilise comme bouclier.

— Tout n'est pas noir et blanc, Steve ! Elle a le droit de savoir...

— Josée, Steve a en partie raison, intervient Tanguay d'une voix apaisante. Oui, Maira est une femme battue ; oui, elle a été violentée. Ces hommes ont tenté de la tuer. C'est une victime. Cependant, elle a aussi fait constamment obstacle à notre enquête. Ce que nous avons obtenu d'elle, c'est la plupart du temps sous la contrainte. Ou parce que Zahra avait le courage de nous parler sans qu'elle le sache. Pendant tout ce temps, elle projetait de s'enfuir, alors qu'elle est un témoin essentiel. Moi non plus, je ne lui fais pas confiance. Tu n'as pas remarqué ? Elle s'est à peine préoccupée de Zahra ! Elle s'inquiétait davantage pour elle-même. Sa fille de douze ans a été enlevée, séquestrée. Elle est quelque part, enfermée par son père. On ne sait dans quelles conditions, si elle a besoin de soins...

— Crois-tu que je ne sais pas tout ça ? Je m'inquiète tout autant pour elle !

— Allez ! Ça va. On est tous fatigués, énervés. J'ai demandé que l'on vérifie toutes les voitures autour du périmètre de la résidence de Kardou. Khan s'est inévitablement garé tout près. Il avait beau faire nuit, il ne pouvait pas prendre le risque de circuler à pied, déguisé en Ninja, pendant trop longtemps. Sa voiture nous offrira peut-être des indices.

— On pourra ensuite la rechercher sur les caméras de la circulation. Il a dû, obligatoirement, emprunter l'avenue Van Horne pour arriver à Hampstead, propose Fortier, cherchant à se faire conciliante.

— OK. Rendez-vous au Q.G. Morel nous attend pour le bilan en fin de journée, conclut Losier en se levant.

Alors que Losier et Grégoire se dirigent vers leur véhicule, Tanguay reste à la traîne avec Josée. Ils se sont servis de sa voiture à elle. Il la suit, un peu penaud. Il est désolé qu'elle fasse cette tête. Elle lui en veut, il en est certain. Les choses pourtant allaient bien, une complicité s'est établie. Entre eux plane un peu plus que de l'amitié. Tanguay n'attend qu'un signe d'elle pour l'inviter. Quand l'enquête leur en laissera le temps, bien entendu.

— Stéphane, ne prends pas cet air coupable! Je peux accepter que l'on ne soit pas d'accord sur tout, tu sais! lui dit-elle, toujours perspicace.

— J'essayais juste de calmer le jeu. Toi et Losier, vous êtes à l'opposé l'un de l'autre. Et je suis certain que toi aussi, tu devines que Maira joue à la victime traumatisée et confuse quand elle se sent trop acculée.

— Je suis consciente qu'elle nous joue la comédie, mais j'arrive tout autant à tirer d'elle des informations par mes propres méthodes. Cela demande plus de temps, c'est tout. Je sais bien qu'aux crimes majeurs le genre «viril» a plus la cote, répond-elle en ouvrant la portière de sa Corolla.

— C'est qu'on a l'habitude d'être aux prises avec de méchants malades. Et Losier, quand il était à la GRC, a traité des cas drôlement lourds. Tous les trafics que tu peux imaginer, dont celui des personnes avec les mafias chinoise et russe. C'est vrai qu'il ne fait pas dans la dentelle, mais c'est un bon policier.

— Je ne dis pas le contraire, réplique Fortier en haussant les épaules. Je te laisse devant le Q.G. Je dois me rendre au poste, mon commandant veut que je démarre sur une nouvelle affaire. Il m'a fait comprendre que je devais lâcher du lest. Je sens qu'il ne va plus m'autoriser à collaborer avec vous.

— Tu devrais en parler à Morel. Il pourra le convaincre…

— Non, cela fait mon affaire. J'aime mon travail dans ce poste de quartier. Je n'ai pas d'ambition vers les sections spécialisées comme les crimes majeurs ou le crime organisé. J'ai deux enfants, ma famille passe avant toute chose. Ma mère a déjà prolongé deux fois son séjour pour rester auprès d'eux. Je ne peux pas lui en demander plus.

Tanguay reste quelques secondes silencieux, puis se jette à l'eau.

— Hum… J'aimerais bien, si cela te dit, continuer à te voir, jette le grand timide en un seul souffle.

Josée lui renvoie un large sourire.

— Bien sûr. J'en ai très envie, moi aussi.

42

Cabrini se traîne vers la salle de bain. Il fait froid dans son appartement. Elle a oublié d'allumer le chauffage, maintenant que le mercure descend inexorablement. Au petit matin, elle s'est écroulée. Elle s'est blottie, nue sous le duvet, après avoir jeté tous ses vêtements par terre. Le sommeil l'a emportée dans une obscurité sans rêves. Frissonnante dans son peignoir, les orteils retroussés pour éviter le froid du plancher, elle fait grimper les thermostats. D'abord se faire couler un bain, ensuite préparer le café. Elle se parle à haute voix, consciente que c'est un tic qui énerve sa mère et dont elle n'est elle-même pas très fière. Assise sur le siège des toilettes, pendant que la tiédeur monte des vapeurs du bain, elle consulte ses messages. *Mamma*, justement, trois messages. Marina, quatre. Et Patrice, encore un, depuis le dernier en date qu'elle a ignoré. Il lui annonce qu'il est rentré à Montréal. Il sait par Geneviève qu'elle travaille avec Paul sur une affaire difficile. Il aimerait bien, tout de même, qu'elle lui fasse signe.

Carolina soupire. Elle ferme les robinets et s'immerge totalement. Les yeux fermés, elle fait des bulles. Elle n'a répondu à aucun de ses multiples textos, messages vocaux et courriels. Elle ne veut pas lui mentir, faire semblant. Tout autant qu'elle se refuse à lui livrer sa «mésaventure». Elle se sent incapable de lui en parler. Elle ne veut surtout pas avoir à se justifier. Elle ne ressent ni honte ni culpabilité, au contraire. C'est justement l'absence du moindre remords qui la retient de faire la moindre confidence. Elle craint que personne ne comprenne le sentiment d'injustice qu'elle a éprouvé. Cette décision lui appartenait à elle seule. Elle a repris le contrôle de sa vie. C'est tout ce qui compte.

Le visage pétrifié d'Anya lui revient en mémoire. Le tableau tragique du désespoir de cette femme, jamais elle ne l'oubliera. Elle s'en veut. Elle a fait l'erreur de sous-estimer l'importance du rapt, et ce, sous les yeux de deux policiers. Ils ont consciemment fait passer les objectifs de leur enquête avant la sécurité de cette femme. Ils sont en partie responsables des violences qu'Anya a subies. Cabrini shampooine puis rince ses cheveux, fait une toilette rapide et s'extirpe du bain. Avant toutes choses, avant la réunion au Q.G., elle veut voir Anya. Elle se sent le devoir de comprendre ce qui s'est passé. Elle veut la protéger. Carolina passe le souffle du séchoir dans ses boucles brunes et constate que l'image que lui renvoie le miroir aurait bien besoin d'un pot entier de crème hydratante. Dès que l'enquête sera achevée, promet-elle à son reflet, on s'offre une longue séance au salon d'esthétique de Marina.

Arrivée à l'hôpital, elle aperçoit, au bout du couloir, nul autre que Paul Morel qui discute avec un médecin. Elle s'approche en douce, essayant de se faire discrète. Morel se tourne vers elle, étonnamment peu surpris de la voir là.

— Salut! Docteur Favreau, voici la sergent-détective Cabrini. Elle travaille aussi sur cette enquête.

Celle-ci tend la main au quinquagénaire bedonnant.

— Je disais à l'inspecteur que madame Ienisseï est toujours très ébranlée. L'examen ne laisse aucun doute sur les violences qu'elle a subies. Hématomes importants, lacérations anales, un poignet fracturé, des côtes luxées. Heureusement, nous avons ici une excellente psychologue. Elle a l'habitude de traiter les victimes de viol.

— Pouvons-nous lui parler? Nous avons besoin de son témoignage.

— C'est justement ce que je demandais au docteur Favreau. Allons-y, enchaîne Morel, tout en tendant la main au médecin qui salue Cabrini de la tête. Je l'ai fait mettre dans une chambre privée, sous protection. On n'en sait pas encore assez sur cette «Organisation kurde» dont parle

Kardou junior. Qui sait de quoi ils sont capables? Maira, Anya, ça fait beaucoup! Mercier s'arrache les cheveux! La facture va être salée!

— Tu as dormi un peu, au moins? demande-t-elle.

— Seulement quelques heures. Je n'y arriverai pas, de toute façon, tant qu'on n'en aura pas vraiment fini! Dis-moi, comment connais-tu cette fille?

— Je ne la connais pas. Je l'ai vue danser au Tropical. Et j'ai appris par Fermont, qui a ses sources dans le milieu, comme tu sais, que Bijar Kardou la harcelait plus ou moins. J'aurais pu empêcher cette agression! J'ai vraiment gaffé!

— Non, Cabrini. Tu m'en avais parlé, j'ai aussi laissé courir. Fermont m'a téléphoné ce matin. Lui aussi se sent coupable. Panier et lui n'avaient presque rien pour arrêter et inculper Bijar. Et toute l'opération aurait foiré. Je sais, parfois on prend des décisions de salauds.

— Mais elle pourrait porter plainte. Nous l'avons abandonnée dans les mains de ce sadique!

— J'en suis conscient. Nous allons devoir expliquer ça dans notre rapport. Pour le moment, elle ne sait rien de tout ça. J'ai demandé à Tanguay de vérifier son statut. Il m'a juste dit qu'elle est recherchée par l'immigration. Elle est plus ou moins en situation illégale. Ça semble pas mal compliqué. On en saura plus lorsqu'elle nous racontera sa version des faits.

L'agent de police assis devant la porte de la chambre d'Anya se lève à leur arrivée. Morel lui fait signe de se rasseoir. L'inspecteur laisse entrer Cabrini en premier. Elle comprend qu'il lui laisse mener l'interrogatoire. Anya fixe la fenêtre, dont les vitres battues par la pluie dessinent un carré scintillant sur le mur verdâtre. L'approche feutrée des policiers lui fait tout de même tourner la tête. Deux perles noires luisent sous ses paupières bridées. Morel retient son souffle un millième de seconde, le cliché usé de «beauté exotique» prend ici tout son sens.

— Bonjour, Anya. Je suis la détective Cabrini. Vous vous souvenez de moi? demande Carolina d'une voix qu'elle souhaite rassurante.

Elle se redresse légèrement et hoche la tête tout en détaillant Morel qui se tient en retrait.

— Voici l'inspecteur Paul Morel. Il est responsable de l'enquête que nous menons sur Bijar Kardou. Vous voulez bien que nous discutions de votre présence chez lui et de ce qui s'est passé?

Morel prend les deux chaises adossées au mur et les place près du lit.

— Pouvons-nous vous parler en français? lui demande-t-il en s'asseyant.

— Je comprends bien. Je dis mal les mots. Les verbes, c'est difficile.

— Pour nous aussi, parfois, ne vous en faites pas, réplique Morel, moqueur. Vous pouvez nous répondre en anglais si cela vous convient.

— Vous dansiez au Tropical depuis un certain temps, je crois, enchaîne Cabrini.

— Mai passé…

Anya hésite, puis elle se lance dans une succession de phrases où perce l'angoisse qui fait trembler sa voix.

— Je me cache, mon mari. Je retourne pas chez lui, je rentre en Sibérie… Kardou? Il est mort?

— Oui. Vous n'avez plus rien à craindre de lui. Mais nous devons comprendre ce qui s'est passé, Anya.

— *He beat me. He raped me. Oguz kidnapped me. He locked the door. Kardou wants me to be his slave. I am no slave[22]!*

— Vous devez nous dire tout ce que vous savez sur ce qui se passe au Tropical. Il faut tout nous raconter. Et nous avons besoin des détails de votre agression, insiste Morel.

Devant le regard alarmé de la jeune femme, Carolina comprend son malaise.

_____

22. Il m'a battue. Il m'a violée. Oguz m'a kidnappée. Il a verrouillé la porte. Kardou veut que je sois son esclave. Je ne suis pas une esclave!

— Paul, si tu me laissais seule avec elle?

Morel saisit l'allusion.

— Je vais prendre un café et manger un morceau. Rejoins-moi à la cafétéria, propose-t-il.

43

La lumière du jour a calmé ses frayeurs. Zahra songe à présent qu'elle doit prendre la décision d'obéir ou non à son père. Elle a fait le tour de l'appartement, fouillé partout pour trouver de l'argent. Si elle décide de partir, elle doit pouvoir s'acheter de quoi manger. L'ennui, c'est qu'elle ne sait pas où aller. Elle a vu les coulées brunes sur le carrelage du couloir. Le sang de sa mère. Il y a aussi une poussière noire partout sur toutes les surfaces possibles. Elle se souvient des policiers, lors de la perquisition. Elle a déduit que, si le corps de sa mère n'est plus là, c'est que soit son père l'a caché quelque part, soit la police est venue l'enlever. Lorsque les hommes les ont attaquées, elles ont beaucoup crié, peut-être que des voisins ont fait le 911. Elle sait que c'est le numéro qu'il faut composer. Elle regarde l'appareil téléphonique qui repose sur la table basse du salon. Elle écoute la tonalité, puis repose le combiné. Sa décision n'est pas prise. Le temps passe. Elle craint l'inéluctable. Quel que soit le chemin qu'elle emprunte – attendre sagement son père, comme il le lui a ordonné, ou aller au poste de police et demander de parler à la détective Fortier, avec qui elle a aimé discuter –, il n'y aura pas de retour en arrière.

Si elle se tient coite, son père la protégera, il s'occupera bien d'elle. Mais elle devra lui obéir en tout. Taire tous ses doutes, étouffer ses sentiments. S'il décide de la marier, comme il le voulait pour Noor, elle devra s'y plier. Se soumettre au mari qu'il aura choisi pour elle. Pour son bien, parce que c'est une union qui lui fera honneur. Cela veut dire oublier ses rêves d'aller à l'université. Devenir médecin, son père ne le permettra pas. Si elle téléphone au policier Fortier, elle ira à la DPJ. De cela, elle est certaine. C'est ce qui se dit à l'école. Il y a deux filles de son âge qui vivent en famille d'accueil. Si tu as de la chance, la famille est OK. Sinon, c'est comme dans *30 vies*[23]. «Tu finis poquée.»

Elle peut aussi s'enfuir. C'est ce que Noor voulait faire. Elle a volé l'argent dans le coffre et tous les papiers. C'est ce que père cherchait. Il était si furieux, mais il avait peur aussi. Elle est allée voir. Le coffre est vide. De toute façon, les policiers ont tout emporté.

Elle se souvient soudain des premiers moments passés à leur retour à l'appartement, après leur fuite du centre d'hébergement. Sa mère et elle sont entrées par l'arrière, discrètement. Sa mère disait ne pas vouloir que les voisins les voient. Surtout le vieux couple grec qui ne fait rien d'autre de la journée que d'épier tout le monde. Mère a tiré les stores dans la cuisine avant d'allumer. Mais bien sûr! Sur la tablette sous le comptoir. Mère égare toujours tout. Elle oublie où elle pose les choses. Elle s'apprêtait à donner de l'argent à Zahra pour l'envoyer acheter du lait au dépanneur du coin de la rue. Au même moment, elle allait sortir le faitout pour réchauffer le riz aux légumes encore au congélateur. C'est à cet instant que les hommes sont entrés. Des silhouettes noires, terrifiantes.

Dans le portefeuille, il y a plusieurs billets de vingt dollars. Quatre. De la monnaie : 6,35 $. Dans sa cachette personnelle, la petite boîte de nacre sous ses hijabs, il y a douze dollars. Presque cent dollars pour s'enfuir. C'est peu. Zahra a faim. Dans le réfrigérateur, une bonne partie de la nourriture est avariée. Elle a déjà mangé le riz aux légumes en le décongelant dans le four micro-ondes. Heureusement qu'il reste des conserves. De la soupe, des boîtes de thon, des pois chiches. Elle s'en est nourrie depuis la veille. Le soir est tombé. Il fait nuit plus tôt, à présent. Dans la demi-obscurité, elle ouvre une boîte de

---

23. Émission de télévision mettant en scène des adolescents et leurs professeurs.

thon, tartine la mayonnaise sur le pain qu'elle a mis dans le grille-pain. Une fine poudre blanche frappe les vitres de la fenêtre. La première neige. Demain. Elle décidera. Si père n'est pas revenu avant.

44

Attablé, en retrait de la foule des visiteurs, détaché de la rumeur des voix, Paul avale la dernière gorgée de sa tasse de chocolat chaud et lèche sur la fourchette les restes de la tarte au sucre d'érable qu'il s'est accordée, cédant à une impulsion d'enfance. Il repousse la figure de Farid Khan, la dernière expression triomphante de cet homme, déterminé à se suicider sous le tir implacable du GTI. Ou était-ce sa balle à lui qui a sauvé l'honneur du Pachtoune? Son entraînement n'a pas failli. Morel a tiré, d'instinct. Malgré la certitude, dans la seconde qui a suivi, qu'il allait regretter ce geste. Sa raison, sa logique lui disent qu'il devait le faire. Ses sentiments, sa conscience, eux, le réprouvent. Il ne compte plus les assassins qu'il a poursuivis et contre lesquels il a lutté. Tuer un homme n'avait jamais été envisageable. C'est une éventualité que l'on choisit toujours d'ignorer. Khan vivait selon ses croyances, en marge de cette société dont il n'acceptait pas les règles.

En levant les yeux vers le fond de la salle, il voit s'avancer Carolina. Elle le cherche. Elle a mauvaise mine, sa démarche n'est pas aussi féline qu'à l'habitude. Quoique, songe-t-il, cette lassitude sur ses traits, cette langueur dans le mouvement la rendent encore plus séduisante. Elle l'aperçoit, lève la main et plante ses iris indigo dans les siens. *Attention! Trop vulnérable, mon vieux, en ce moment, pour affronter cette amazone cuirassée.*

Elle se laisse tomber sur la chaise en soupirant.

— L'histoire de cette fille! Une suite cauchemardesque d'agressions depuis son enfance! Je vais lui trouver un bon avocat.

— Ce n'est pas vraiment ton rôle, Carolina. Je viens de discuter avec Tanguay. L'immigration va vouloir l'expulser. Ils vont l'accuser d'avoir fait un mariage frauduleux. C'est un vrai sac de nœuds, cette histoire.

— Je sais, mais je m'en fous. Tous les gens dans sa vie l'ont trahie! Je lui dois ça, Paul. Je ne vais pas y mêler le SPVM, ne t'inquiète pas. C'est personnel. J'ai des amis dans le milieu juridique. Je ne la lâcherai pas. En ce qui nous concerne, c'est un cas flagrant d'enlèvement, de séquestration et de viol. Je vais tout de même m'assurer auprès de l'IJ que la pièce où elle a été enfermée comportait bien un solide verrou. Elle dit que le couteau était dans son sac, qu'elle le gardait parce qu'elle craignait les *dealers* qui trafiquent autour de chez elle, quand elle rentrait au milieu de la nuit. Elle a admis naïvement qu'elle ne savait pas si elle aurait eu le courage de se trancher la gorge ou si elle aurait attaqué Kardou. Elle se dit prête à raconter tout ce qu'elle sait sur lui et ses complices. Elle se rappelle avoir vu Khan au Tropical en compagnie de Jo Bassin et des deux Kardou. Son témoignage pourra nous servir. Et on a de quoi accuser le gérant de proxénétisme et de trafic de drogue. Il y a aussi des mineures qui dansent. La section du crime organisé va avoir du boulot!

— Pour les homicides de Noor et Zar, nous n'avons que le témoignage de Çeto! Espérons que le procureur s'en contentera. Il faut tout de même boucler cette enquête dans les règles. On ne sait toujours pas qui a tué Atif Hashmi. Le pauvre diable est mort sous les coups, au bout de son sang.

— C'est Jo Bassin. J'en suis certaine.

— Encore faut-il le prouver! J'ai demandé à Wendy de revoir tous les indices avec cette hypothèse en tête. Revérifier toutes les armes blanches chez Jo Bassin. Il en faisait collection.

— Et Zahra?

— Losier a retracé la voiture de Khan dans une ruelle adjacente pas loin de chez Kardou. On y a retrouvé la couverture dans laquelle ses ravisseurs l'avaient transportée et le serre-tête d'un hijab. Et tout un arsenal d'armes et de l'équipement de surveillance! Aussi, des outils, de l'équipement électronique dernier cri, pour de l'écoute, de la localisation d'appels… De vrais petits bijoux, selon les techniciens de l'IJ qui, d'après Steve, en avaient les yeux brillants d'envie. Khan a dû se servir de tout ça pour pister les ravisseurs de sa fille et enquêter sur les deux Kardou. L'IJ va bien sûr tout analyser. Et puis, Ling s'est proposée pour visionner les images des caméras de la circulation. Si on pouvait localiser le véhicule ailleurs, voir d'où il venait, on trouverait peut-être où il a laissé Zahra.

— Ling a une mémoire photographique. Pour elle, c'est comme faire un casse-tête. Toi et moi, on n'a pas cette patience.

— Tous les patrouilleurs sont en alerte. Garnier, du service des relations publiques, va faire un nouvel appel à témoins sur toutes les chaînes de télévision. Si elle est enfermée dans une chambre de motel, elle regarde peut-être la télé. Quand j'ai dit à Khan qu'il avait sauvé Zahra, il n'a pas bronché. C'était une évidence pour lui. Elle est donc bien vivante. Khan s'est volontairement placé sous nos balles. Il la savait en sécurité…

— C'est Joël, l'interrompt la détective, en prenant l'appel sur son téléphone.

Les traits de Cabrini passent de l'air soucieux au sourire triomphant. Morel l'observe, intrigué et impatient.

— Je t'avais dit que c'était Jo Bassin!

— Cabrini! Je ne suis pas d'humeur *à jouer aux devinettes*.

— Pour faire court, quand on a chopé Kévin et ses petits camarades, il y en avait un qui courait plus vite que les autres. Bref, hier, des patrouilleurs l'ont surpris en plein *deal*. La même dope que celle retrouvée chez Jo Bassin et à la pizzeria. Panier l'a convaincu de coopérer. Il affirme qu'il était là, quand Kévin a raconté à Jo qu'Atif avait près de un kilo d'héro à vendre. Jo a parlé d'un lot qui lui avait été volé. Il était furieux, semble-t-il. Il a ordonné à Kévin de dire à Atif qu'il lui avait trouvé un acheteur, d'organiser un rendez-vous. De là, on peut imaginer qu'Atif a choisi de rencontrer Kévin à l'entrepôt de Khan, puisqu'il avait accès au lieu et à la fourgonnette.

— Donc Kévin s'est rendu complice d'un homicide. Je serais étonné que ce soit lui qui ait joué du couteau. Ça mérite une petite visite au pénitencier, ça!

— Avec un témoin, on a ce qu'il faut pour faire avouer Kévin. On y va maintenant?

— Pourquoi attendre? J'envoie un texto aux autres. On reporte le bilan à demain.

45

Bien adossée au fond de son fauteuil, Josée Fortier redécouvre avec plaisir l'ambiance du poste 33 et le confort de son bureau. La haute pile de dossiers en suspens ne la rebute pas. Retrouver les enfants, la veille, a été une joie. Passer une soirée à peu près normale lui a montré combien cet aspect de sa vie était vital pour son équilibre. Il reste encore des rapports à rédiger, des rencontres avec le procureur de la Couronne et les services sociaux au sujet de Maira Khan, mais le commandant du poste lui a clairement signifié qu'elle était officiellement détachée de la plus grosse affaire de sa carrière. Dans sa tête, les derniers événements surgissent encore inopinément, alors qu'elle tente de se concentrer sur ce cas de taxage dont se sont plaints des élèves à la sortie de l'école. C'est à Morel et son équipe de répondre aux dernières interrogations. La disparition de la petite Zahra relève maintenant de la section des enfants disparus. La détective se sermonne. «Tu ne peux plus rien faire!» Elle repousse aussi l'image de la veille. Tanguay qui se balance sur ses longues jambes, signe manifeste d'hésitation chez lui. Puis, dans un élan, ses grandes mains posées sur sa nuque, lorsqu'il l'embrasse longuement, avant qu'elle ne s'engouffre dans sa voiture. Le tamtam de son cœur à elle. La joie dans ses yeux à lui.

— Détective Fortier?

— Oui, répond-elle en levant les yeux vers la policière sur le pas de la porte.

— À l'accueil, il y a une petite fille qui dit qu'elle vous connaît. Elle veut vous parler.

Josée se précipite. Pleine d'espoir, elle traverse en courant le long corridor.

Assise sagement sur une chaise, dans le hall, emmitouflée dans un anorak turquoise, Zahra tourne vers elle de grands yeux craintifs. Josée s'approche prudemment. Surtout, ne pas l'effrayer. Elle s'agenouille devant elle et lui prend les mains. Elles sont glacées.

— Bonjour, Zahra. Je suis si contente de te voir. Nous t'avons cherchée partout, tu sais.

— Madame Fortier, je veux aller à l'école, mais pas la même qu'avant. Ça me rendrait trop triste.

— Ah! Ma toute belle! Ne t'inquiète pas, nous allons discuter de tout ça. Viens me raconter ce qui s'est passé.

La détective entraîne Zahra vers son bureau, la tenant par la main.

— Tu as faim? Qu'est-ce que tu aimerais manger?

46

Carolina n'a pu se défendre de rester dans le couloir quelques instants. Elle n'a pas osé franchir le seuil du bureau de Paul. Elle l'entendait clairement murmurer des mots doux à Geneviève. Il lui disait qu'il rentrerait bientôt, que l'enquête était enfin terminée. Plus qu'un monceau de paperasse à se taper, mais cela pouvait bien attendre un autre jour.

Losier proposait d'aller boire une bière pour fêter ça. Elle s'était empressée, sans réfléchir, d'aller en avertir Morel. Elle oubliait trop souvent qu'à présent, il avait une vie en dehors du boulot. Elle revient sur ses pas et ramasse son sac, laissé sur sa table de travail. Les autres sont déjà partis pour se rendre au Furco. Tanguay a même téléphoné à Fortier pour qu'elle vienne les rejoindre. Le retour inespéré de la petite Zahra a permis de conclure cette enquête par un *happy end*. Fortier a été montrée comme une héroïne par Mercier qui s'est empressé de faire une conférence de presse et de s'attribuer – après tout, c'est lui, le chef-inspecteur – le mérite de la réussite, grâce, bien sûr, à une équipe dévouée d'enquêteurs. Devant le haussement d'épaules de Morel, qui déteste l'attention des médias, Cabrini n'a pu se retenir de grommeler. «Quel faux cul, tout de même!»

Entre eux, bien entendu, ils se réjouissent de savoir Zahra saine et sauve. Elle a tant pleuré en apprenant que sa mère était vivante. Fortier, qu'elle ne voulait pas quitter, l'a menée en visite à l'hôpital. Des retrouvailles de série télé. Cependant, tout n'est pas réglé. On doute toujours de la capacité de Maira Khan à exercer son droit de garde. Il est aussi possible que des menaces de vengeance pèsent encore sur elles. En conséquence, on maintient la petite en lieu sûr.

Ensuite, le vrai rebondissement de la fin de toute cette équipée, c'est madame Hashmi qui le leur a offert. Elle a demandé à une amie parlant français de téléphoner à Tanguay, qui lui avait remis sa carte lors de cette visite avortée par les harpies hurlantes. Elle se désolait tant, elle voulait le corps de son fils, lui donner une sépulture digne d'un croyant. Elle échangerait le corps d'Atif contre un sac que celui-ci a caché dans la remise à outils, dans la cour.

Morel et lui se sont précipités! Le graal noir et rouge était bien là, caché derrière de vieux pots de peinture. Il contenait une enveloppe de plastique bourrée d'euros et de dollars. La mère éplorée cédait, contre le cadavre de son fils, de quoi vivre décemment jusqu'à la fin de sa vie. Il y avait aussi, dans un cartable de cuir maroquiné, des documents notariés à l'allure de titres de propriété et de contrat. Bien sûr en ourdou. On allait devoir les faire traduire officiellement. En attendant, ils avaient fait venir Ranjit Grégoire. Ils s'étaient tous réunis, impatients de comprendre ce que signifiaient ces fameux papiers. Beaucoup de détails restaient encore à élucider, mais un fait s'avérait certain, selon le testament qu'ils déchiffraient : le bisaïeul de Farid Etwar Khan avait déshérité ses deux fils, le grand-père et le grand-oncle de Khan, qui se vouaient une haine mortelle. Seuls pouvaient posséder les inestimables terres ancestrales leurs enfants ou leurs descendants, si l'un de ceux-ci se mariait avec la branche honnie du clan, brisant ainsi la vindicte et le mauvais sort. Farid Khan n'avait pu nouer cette alliance car il n'avait pas de cousine, que des cousins. Dans une culture où les filles ne suscitent que le dédain, c'était une étrange ironie d'espérer la naissance d'une fille. Farid en avait fait deux! Deux précieuses pucelles à monnayer contre des hectares arides semés de pierres et de taillis dissimulant des passages dans les cols frontaliers.

Un eldorado sur la frontière la plus périlleuse de la planète. Des sentes, des pistes de chèvres qu'aucun drone n'avait encore survolées. Morel et Losier avaient réagi en même temps. Maira Khan savait! C'est ce qu'elle leur cachait encore! Elle projetait de rentrer au Pakistan. Elle bataillait ferme, via son avocat mandaté par la matriarche, pour obtenir sa libération, l'acquittement de toute charge et la garde sans restriction de sa fille. Elle disait vouloir éloigner Zahra de tous ces malheurs. Et si, en réalité, elle projetait de marier sa fille pour toucher le pactole? Il fallait que la procureure et les services sociaux protègent la jeune fille. Au Pakistan, dans les mains du clan maternel, elle ne serait plus qu'une monnaie d'échange.

On avait donc placé Zahra sous la tutelle de la DPJ. En attendant, on tentait d'en apprendre le plus possible sur ce qu'elle savait des tractations de ses parents. Les enfants captent beaucoup de choses. La procureure comptait très judicieusement tirer d'elle tout ce qui servirait à monter un dossier solide. Les mariages forcés devenaient si nombreux au pays que l'on ne pouvait plus ignorer la détresse de ces captives. On commençait tout juste à cumuler des statistiques : il s'avérait trop souvent que mariages forcés et crimes d'honneur étaient liés. Il fallait prendre des mesures pour défendre Zahra. L'adolescente devenait la victime qui servirait d'exemple.

Leur seul échec concerne Kévin Bassin. Il jure ses grands dieux qu'il n'était pas avec Jo lorsque son frère est allé à l'entrepôt de Khan rencontrer Atif Hashmi. C'est le lieutenant des Crips qui l'accompagnait. Et, comme par hasard, il est mort sous les balles, aux côtés de son chef. Son témoignage, bien tardif, confirme la culpabilité de Jo, mais ils n'ont aucune preuve pour situer Kévin sur la scène de crime.

Cabrini roule en automate. Elle n'a pas le cœur à fêter leur triomphe avec ses collègues. Faire semblant de sourire, alors qu'elle se sent si cafardeuse. Elle trouve sa vie minable. Elle se morfond. Comme le lui dit si souvent Marina, «tu te plains, pourtant tu ne fais rien pour que ça change!». Elle rentre chez elle. S'ouvrir la bouteille de Barolo que sa mère lui a offert, se couler un bain et ensuite manger les cannellonis qu'elle lui a laissés au frigo. *Mamma* est persuadée que si elle ne s'entête pas à nourrir sa fille, celle-ci dépérira à ne consommer que des produits surgelés.

Des plumeaux de neige effleurent les vitres, aussitôt chassés par les essuie-glaces. Miracle! Une place où se garer juste en face de chez elle. D'accord, la vie n'est pas complètement nulle! Carolina sort de la voiture, la tête courbée sous les assauts des fins cristaux glacés. Elle enfile à la course le chemin dallé qui mène à son appartement en rez-de-chaussée. Alors qu'elle grimpe d'un seul élan les quatre marches, elle distingue dans l'ombre du balcon la silhouette d'un homme à la mine frigorifiée. Patrice lui adresse un petit sourire contrit.

— Ne me chasse pas tout de suite. Offre-moi au moins un café. Le temps que je décongèle.

Décontenancée, elle est trop surprise pour s'opposer à cette intrusion.

— OK. Entre, mais je te préviens, je suis d'une humeur massacrante, faudra faire avec!

C'est l'image d'Anya, le couteau pointé sur sa gorge, qui la réveille. Le martèlement de son pouls affolé pulse dans son oreille. Carolina sursaute en sentant le souffle à ses côtés. Son cerveau embrumé prend la mesure de la réalité. Sa chambre, son lit, et Patrice qui dort. Le visage enfoui dans l'oreiller qu'il serre dans ses bras, il respire mal.

Ils ont mangé, beaucoup bu et discuté longtemps. Elle lui a relaté les complexités de l'enquête. Il lui a parlé de ces gens en Tunisie qu'il admire tant. Leur ténacité, leurs espoirs, le courage qu'il faut pour tenir tête malgré la violence. L'islam déchiré par ses contradictions. La mystique prônant la compassion et la tolérance, face au glaive du prosélytisme. Elle lui a expliqué sa révolte, son indignation devant les abus, les violences que subissent les victimes. Ces femmes, ces enfants réduits à l'état de marchandises. Son sentiment d'impuissance, sa frustration de faire si peu pour endiguer l'ampleur, l'ignominie des trafics. Noor et Zar assassinés dont l'histoire fait les manchettes. Ils ont commenté l'utilisation primaire qu'en ont faite la plupart des médias. Une caricature des amants de Vérone ressuscités sous les traits de ces amoureux du XXIe siècle. Zahra, devenue le porte-étendard des petites filles, esclaves des mariages forcés. La calme lucidité de cette adolescente qui refuse de jouer le jeu de la riche famille maternelle qui la réclame au Pakistan. Cette soudaine célébrité la protégera peut-être de leurs machinations.

Patrice, sans jamais paraître pontifiant, a mis des mots justes sur une réalité que la plupart des gens réduisent à des généralités. Elle l'admire pour cela. Elle aime sa ferveur et son engagement. Elle rejoue le film de leur soirée, les séquences en désordre. Ses mains habiles sur elle, en elle. Trop envie de lui, trop besoin de cette exultation. Se laisser emporter, s'oublier dans sa chaleur, sa fougue.

Carolina regarde cet homme dormir à ses côtés et elle se sent confuse. Il la séduit, mais il ne la bouleverse pas. Elle le désire, mais il n'ébranle pas son «blindage». Cette cuirasse qu'elle s'est construite couche après couche. En fait, se dit-elle, en le voyant se tourner vers elle pour l'enlacer en plein sommeil, c'est aussi bien. Il ne menace rien.

AVERTISSEMENT

J'ai pris d'énormes libertés avec la description de certains lieux et particulièrement de l'arrondissement Parc-Extension. J'ai sciemment noirci le portrait pour les besoins du récit. Les résidents de ce quartier ne m'en tiendront pas rigueur, j'espère. Les personnages sont entièrement le fruit de mon imagination, et toute ressemblance ne pourrait être qu'une étrange coïncidence. J'ai entrepris l'écriture de ce manuscrit bien avant que la Charte de la laïcité fasse les manchettes. Montréal vit au rythme planétaire, métissé, microcosme des tensions qui agitent notre monde déchiré par ses contradictions.

REMERCIEMENTS

Le geste de création en arts de la scène naît presque entièrement d'un travail collectif; la danse, le théâtre nécessitent l'accord, ou parfois la collision, de toute une équipe. J'y ai passé toute mon «ancienne vie». C'était ma manière. L'écriture exige, elle, le retrait du monde. Alors les proches méritent d'être remerciés encore et encore. Ma reconnaissance à celle qui a lu l'ébauche, les premiers balbutiements de *Déni*, et qui m'a soutenue, encouragée, mon amie Renée. Ainsi qu'à Monique et Martine, toujours généreuses, patientes, avec mes petits délires. Bien évidemment, ma gratitude à Marie-Claude Fortin, mon éditrice, qui a su exiger de moi plus et plus encore, et à toute la merveilleuse équipe de Leméac. Aussi, merci à la criminologue Madeline Lamboley, dont l'étude sur le mariage forcé a confirmé mes recherches sur le sujet.

OUVRAGE RÉALISÉ PAR
LUC JACQUES, TYPOGRAPHE
ACHEVÉ D'IMPRIMER
EN AOÛT 2014
SUR LES PRESSES
DE MARQUIS IMPRIMEUR
POUR LE COMPTE DE
LEMÉAC ÉDITEUR, MONTRÉAL

DÉPÔT LÉGAL
1re ÉDITION : 3e TRIMESTRE 2014
(ÉD. 01 / IMP. 01)